MW00773425

OLIVIER NOREK

Engagé dans l'humanitaire durant la guerre en ex-Yougoslavie, puis capitaine de police à la section Enquête et Recherche de la police judiciaire du 93 pendant dix-huit ans, Olivier Norek est l'auteur de la trilogie du capitaine Coste (*Code 93*, *Territoires* et *Surtensions*) et du bouleversant roman social *Entre deux mondes*, largement salués par la critique, lauréats de nombreux prix littéraires et traduits dans près de dix pays. Avec *Surface* (Prix Maison de la Presse, Prix Relay, Prix Babelio-Polar et Prix de l'Embouchure), il nous entraîne dans une enquête aussi déroutante que dangereuse. Un retour aux sources du polar, brutal, terriblement humain, et un suspense à couper le souffle.

Tous ses ouvrages ont paru chez Michel Lafon et sont repris chez Pocket.

TERRITOIRES

OLIVIER NOREK

TERRITOIRES

MICHEL LAFON

Pocket, une marque d'Univers Poche,
est un éditeur qui s'engage pour la
préservation de son environnement et
qui utilise du papier fabriqué à partir
de bois provenant de forêts gérées de
manière responsable.

Le Code de la propriété intellectuelle n'autorisant, aux termes de l'article L. 122-5
(2ᵉ et 3ᵉ a), d'une part, que les « copies ou reproductions strictement réservées à
l'usage privé du copiste et non destinées à une utilisation collective » et, d'autre part,
que les analyses et les courtes citations dans un but d'exemple ou d'illustration, « toute
représentation ou reproduction intégrale ou partielle faite sans le consentement de
l'auteur ou de ses ayants droit ou ayants cause est illicite » (art. L. 122-4).
Cette représentation ou reproduction, par quelque procédé que ce soit, constituerait
donc une contrefaçon sanctionnée par les articles L. 335-2 et suivants du Code de la
propriété intellectuelle.

© Éditions Michel Lafon, 2014
ISBN : 978-2-266-25278-2

À Lulu, où que tu sois partie.

Prologue
en deux exécutions sommaires

Lundi 24 juin 2013, 11 heures.
Malceny, Seine-Saint-Denis (93).

Au centre du viseur, un visage apparaît.

— Cible en position.

L'homme contrôle sa respiration. La pression de son doigt se fait plus forte.

— T'es sûr de toi ?

— Cible confirmée.

Dans l'appartement vide, derrière la fenêtre entrouverte, le voilage léger se soulève un instant et le soleil frappe la lentille. À dix mètres en contrebas, la cible est assise dans un vieux fauteuil, à même le trottoir, comme dans son salon.

— Vas-y, shoote-le.

Déclic. Première photo.

Pour la Brigade des stups, c'est la dernière journée de surveillance. Un appartement réquisitionné, trois flics, trois lits de camp et bientôt une semaine qu'ils se relaient derrière leur téléobjectif pour immortaliser chaque transaction.

L'interpellation est prévue le lendemain, 6 heures tapantes, au domicile de celui qu'entre eux ils appellent « Cible », la tête du réseau. Mais avant de le faire tomber, il s'agit de récolter les preuves. Photo après photo, client après client.

Quatre étages plus bas, un complice du dealer patiente dans l'ombre d'un bâtiment défoncé, à quelques mètres du fauteuil. Dissimulé dans l'encadrement d'une porte, il attend ses ordres.

Derrière son objectif, le flic annonce.

— Ravitailleur en position.

À chaque extrémité de la rue, un guetteur, le cou bien droit, contrôle la présence d'éventuelles patrouilles de police. Le flic poursuit :

— Suricate 1 et Suricate 2 en position[1]. La bande est en place. La journée va commencer.

Les habitants du quartier contournent ces voyous comme si tout était normal. Ils les connaissent et font avec.

Ils n'ont pas vraiment le choix.

11 h 5. Premier client. La barrette de shit à vingt euros, le gramme de coke à quatre-vingts. Pas d'héroïne, ça attire les toxicos titubants et les emmerdes. La première poignée de main entre Cible et son client sert à passer l'argent discrètement. Nouvelle photo. Sans même se lever de son fauteuil, le dealer effectue un contrôle rapide de ses suricates. Pas de prédateurs en vue. Cible indique à Ravitailleur la quantité souhaitée.

---

1. Suricate : petit mammifère du désert qui se tient debout sur ses pattes arrière pour surveiller et protéger le reste de son groupe.

Ce dernier disparaît dans l'immeuble abandonné puis en ressort. Une poignée de main pour se dire au revoir et le sachet passe dans celle du client. Nouvelle photo.

Cette chorégraphie bien maîtrisée, les flics de la PJ savent déjà qu'elle va se répéter une bonne cinquantaine de fois dans la journée. Premier client sur cinquante, il faut de la patience pour constituer un dossier solide.

— Client numéro deux en vue.

Casque noir sur scooter noir, l'engin ralentit au niveau du dealer, assis comme un roi sur son trône. D'un coup de poignet, le conducteur relance les gaz sans s'arrêter, juste le temps d'un cliché souvenir.

— Client annulé.

Derrière son ordinateur relié à l'appareil photo, le capitaine Sylvan interroge son équipier.

— On le connaît ?

— Pas d'identif' possible. Casqué, ganté.

Le flic fronce les sourcils.

— Balance la photo.

Transfert de données, l'image apparaît en haute définition sur l'écran. Sylvan l'analyse rapidement. Conducteur casqué ? Le respect du Code de la route, c'est inhabituel pour le quartier. Par 42 °C, en plein été, avec gants et visière baissée sur un scooter noir déplaqué... ça ne colle pas.

Dans un coin du salon, allongé sur un des lits de camp, le troisième flic se redresse, frotte son visage et s'approche à son tour de l'écran.

— Tu tiques sur quoi, capitaine ? L'absence de plaques ?

— Entre autres. Le casque et les gants aussi. Par cette chaleur, c'est plutôt...

Derrière l'objectif, le photographe les interrompt.

— Retour du scooter ! Il a un passager !

Sylvan bondit de sa chaise.

— C'est pas bon ça ! Passe tout de suite en vidéo !

Les trois hommes sont maintenant debout. Le premier, collé à l'objectif, les deux autres rivés à l'écran d'ordinateur. Sylvan fulmine.

— Putain, non, je vous interdis de nous faire ça…

Le scooter ralentit à nouveau. Le passager plonge la main à l'intérieur de son manteau. Tout en roulant, arme au poing, il arrose le périmètre.

La première balle étoile la vitrine du café voisin. La seconde la volatilise. L'explosion de verre jette tous les consommateurs au sol. Affolement et premiers cris. La troisième se fige dans le mur, à une dizaine de centimètres du visage du ravitailleur, paralysé de trouille. Presque par hasard, la quatrième balle atteint la cheville gauche de Cible qui s'apprêtait à fuir et s'effondre en hurlant. Suricate 1 et 2 démarrent un sprint et disparaissent au coin de la rue. Cible rampe jusqu'à son fauteuil pour tenter de se relever. Le passager du scooter a déjà mis pied à terre. En deux enjambées, il rejoint Cible et pointe l'arme sur son front. Détonation. Une brume rouge gicle derrière la nuque du dealer puis s'évapore aussitôt. Déconnecté, il s'écroule. Le tireur abaisse son arme le long de sa jambe. Il regarde autour de lui avec un air de défi, comme pour dire « quelqu'un d'autre ? ». Puis il grimpe sur le scooter et tape sur le casque du conducteur qui démarre en trombe.

Dans l'appartement, les trois flics n'ont pas bougé, cloués sur place. Le photographe se tourne vers les autres.

— On fait quoi, là ? On y va ?

12

Résigné, le capitaine Sylvan referme son ordinateur portable comme on claque une porte.

— Depuis le quatrième ? Le temps d'arriver en bas... On va juste griller notre planque. Fait chier ! Putain, trois semaines d'enquête et tout à refaire. Merde !

Sur le trottoir, les badauds forment un cercle autour du corps. Juste pour voir. Se repaître de cette image de mort à laquelle ils viennent d'échapper. Fascinés par cette flaque de sang chaud, d'un rouge presque vivant, qui s'élargit sous le crâne ouvert en deux.

Un caïd vient de tomber. Un caïd de vingt-quatre ans au royaume pas plus grand que quelques rues.

*
* *

Mercredi 26 juin 2013, 7 h 30.
Malceny, Seine-Saint-Denis (93).

Dans le parking souterrain de son immeuble, le corps à moitié plongé à l'arrière de sa voiture, Sasha se débat avec la ceinture de sécurité de son fils.

— J'peux le faire tout seul, tu sais. J'ai six ans, j'suis grand.

Déjà... Comme tous les pères qui ne voient leur enfant qu'un week-end sur deux, Sasha se dit que son fils a grandi trop vite. Ou qu'il n'y a pas fait assez attention.

— Tu sais qu'à partir de ce soir tu dors chez mamie ?

— Mouais… c'est bien pourri comme début de vacances. Combien de temps ?

— Le temps que papa règle quelques affaires et on part au soleil.

— Y aura une piscine ?

— Oui.

— Et un scooter des mers ?

— Aussi.

— Maman viendra ?

— Tu te poses trop de questions, tu vas te fouler le cerveau.

La voiture démarre vers la sortie en colimaçon. Quelques secondes plus tard, une berline grise aux vitres fumées allume ses phares et démarre à sa suite. Deuxième sous-sol, puis premier. Passé le dernier virage, Sasha plisse les paupières, le temps de s'habituer à la lumière du jour. À deux mètres devant lui, un 4 × 4 noir surgit en travers et freine violemment, obscurcissant la sortie et bloquant le passage. Sasha pile. Le corps de son fils part en avant, la ceinture de sécurité lui coupe le souffle.

— Qu'est-ce qu'y a, p'pa ?

Sasha serre une main autour du volant, pose l'autre sur le levier de vitesse. Avant d'entreprendre une marche arrière, il jette un œil à son rétroviseur. Une berline grise est collée à son pare-chocs. Pas de fuite possible.

La scène se fige. Les trois moteurs ronronnent au ralenti. Temps suspendu dans l'œil du cyclone. Sasha se retourne calmement vers son fils, mais sa voix tremble un peu.

— Écoute-moi bien… Tu vas faire ce que je te dis sans poser de question. Tu sais pourquoi ?

14

Le gamin ne lui a jamais entendu ce ton. La peur passe d'un cœur à l'autre.

— Parce que t'es un agent secret ?

— C'est ça, parce que je suis un agent secret. Maintenant, enlève ta ceinture.

Le gamin s'exécute.

— OK, c'est bien. Allonge-toi sur le sol et quoi qu'il arrive tu ne lèves pas la tête, compris ?

— Compris.

— Je t'aime mon grand.

Une dernière fois, leurs regards se croisent. Sasha se retourne. Deux hommes cagoulés de noir lui font face. Les canons de leurs armes sont pointés vers lui. Sasha ferme les yeux et une pluie de métal lui traverse le corps, explosant le pare-brise, perforant les sièges, éclaboussant l'intérieur de gerbes de sang.

Le parking, telle une immense caisse de résonance, démultiplie la puissance sonore des coups de feu. En remontant dans le 4 × 4, l'un des tireurs se tient le côté droit du visage par-dessus sa cagoule.

— Putain de sa mère, j'me suis niqué l'oreille.

PREMIÈRE PARTIE

Révolution

1

Vendredi 28 juin 2013, 10 heures.
Cité des Poètes, Malceny, Seine-Saint-Denis (93).

Les deux gamins traînaient la lourde moto sur le bitume. La roue arrière était entravée par une chaîne que leur pince n'avait même pas éraflée. Les efforts et la chaleur les avaient mis en nage. Essoufflés, ils arrivèrent enfin au pied de la tour Verlaine. Une série de box extérieurs y était accolée et les deux voleurs, épuisés, s'arrêtèrent au premier.

— Nique tout, j'vais pas plus loin, on la fout dans celui-là.

— Y a un cadenas.

— Y a pas de cadenas ici, c'est chez nous.

— Ben là y en a un.

— On s'en branle, t'as une pince, vas-y active !

Le cadenas céda d'un coup. Alors que le premier tenait la moto en équilibre, le second passa les mains sous le rideau de fer et le leva dans un grincement.

Malheureusement, l'endroit était déjà occupé.

Le temps de s'habituer à l'obscurité, de comprendre ce qui se précisait devant eux, et ils détalèrent, sans un regret pour leur butin.

Derrière la fenêtre de sa loge, le gardien de l'immeuble avait tout vu. Il avait laissé faire, comme à son habitude. Pourtant, c'était la première fois qu'ils agissaient ainsi. Partir en courant, sans terminer le boulot. Le calme était revenu dans l'allée de béton et il restait songeur, à regarder la moto couchée et le box ouvert. Au bout d'un moment, il décida d'aller y jeter un coup d'œil. Juste un coup d'œil.

Face au rideau de fer soulevé, il laissa échapper un juron, recula d'un pas, se prit les pieds dans la moto échouée au sol et tomba en arrière.

Il savait qu'il aurait dû entrer. Vérifier que l'homme respirait encore ou mettre ses doigts quelque part sur la gorge pour chercher le pouls, comme il l'avait vu faire à la télé. Mais il restait là, incapable du moindre mouvement, craignant d'entrer et de voir le rideau se refermer derrière lui.

*
* *

Extrait de l'appel « 17 police » du 28 juin 2013. Début de communication à 10 h 10.

— Police secours j'écoute.

— Bonjour, je suis le gardien de la tour Verlaine, cité des Poètes… Y a un type dans un des box à voiture. Je crois qu'il est mort.

— Vous en êtes certain, monsieur ?

— En fait, je sais pas… il est attaché sur une chaise avec du Scotch sur la bouche et du sang dessus… enfin, je crois que c'est du sang, mais moi je rentre pas là-dedans.

— Monsieur, vous avez tenté de lui parler ? Il est peut-être vivant.

— Ouais, ben faites vite alors.

Fin de communication par requérant à 10 h 11.

2

Salle d'information et de commandement
de Seine-Saint-Denis, la SIC 93.

Une ruche bruyante qui reçoit tous les appels
« 17 Police secours », éclairée par des écrans géants
qui retransmettent en direct les vidéosurveillances
du département. Du gardien d'immeuble à l'opérateur téléphonique, puis de l'opérateur au commandant
Auclair, le responsable de salle, l'information de la
découverte d'un homme probablement mort avait fait
son trajet. La soixantaine passée et l'embonpoint
marqué de ceux qui ont fait une croix sur la police de
terrain, Auclair traversa péniblement la pièce immense.
Parmi la quinzaine d'opérateurs, casques vissés sur les
oreilles, il demanda à celui qui avait reçu l'appel de
lui rejouer la courte conversation.

— Vous avez envoyé une patrouille ?

— Affirmatif. Elle devrait arriver sur place dans
quelques minutes. J'ai aussi requis les pompiers, au
cas où…

— Parfait. Je vais avertir la PJ. Qui est de perm' à la Crime ?

L'opérateur ouvrit le cahier de permanence dont il feuilleta quelques pages.

— Le groupe du capitaine Coste.

3

Rassuré par la présence de tant d'uniformes, le gardien d'immeuble avait recouvré un peu de son courage. Il s'autorisait même à être curieux. Le cou tendu en périscope par-dessus les policiers, il cherchait à voir maintenant ce qu'il avait fui quelques instants plus tôt. Son attention fut détournée par l'arrivée d'une voiture, gyrophare bleu sur le toit, qui se gara n'importe comment, moitié chaussée, moitié trottoir. Les deux policiers en civil qui en sortirent passèrent sous le ruban jaune siglé police accroché devant le box. Ils regardèrent brièvement à l'intérieur, discutèrent avec un flic en tenue qui, d'un coup de menton, leur désigna sa position.

Le gardien les vit se diriger vers lui. Jean et tee-shirt blanc, plaque police autour du cou, malgré un air voyou, le premier était plutôt séduisant alors que la seconde, une femme, cheveux en brosse et physique trop masculin, n'avait vraiment rien d'engageant. Comme il l'avait espéré, c'est l'homme qui lui adressa la parole.

— Bonjour, Police judiciaire, Groupe crime. Vous êtes le requérant ?

— Oui… attendez, non, c'est quoi un requérant ?

— C'est vous qui nous avez téléphoné ?

— Ah oui, c'est ça.

— C'est le locataire du box qui vous a averti ?

— Le… locataire ? Ah non, mais y a plus de locataires depuis longtemps. Enfin si, mais personne n'y laisse plus sa voiture ou quoi que ce soit de valeur. Y a que des trucs volés là-dedans.

— Bon, vous allez me raconter.

Le flic se tourna vers sa coéquipière.

— Johanna, appelle l'Identité judiciaire. Dis-leur de venir avec une lampe sur pied. Puissante. On voit que dalle à l'intérieur.

Le gardien osa une remarque :

— C'est pas vraiment la peine, suffit d'allumer, y a le courant.

— Vous vous foutez de moi ? Vous me dites que c'est un entrepôt pour voleurs et vous leur laissez l'électricité ? Pourriez au moins la couper, ce serait un début.

— Déjà essayé. Ils ont brûlé ma voiture le lendemain.

— Et vous avez déposé plainte ?

— Non, j'ai remis le courant.

— Mouais, c'est cohérent. Mais alors, ça consiste en quoi votre job, concrètement ?

Vexé, le gardien répliqua sèchement :

— Je m'occupe d'un immeuble dans une cité où vos collègues ne mettent même plus les pieds. Je nettoie la cage d'escalier et le hall quand ils ne sont pas squattés et le reste du temps, je ferme les yeux sur tout. J'essaie d'énerver personne, de pas me faire péter la gueule et je dis aux locataires que je fais mon possible.

25

— En gros, vous foutez pas grand-chose.

— Je fais ce que je peux. Tout seul et sans votre flingue.

Le gardien réalisa qu'il s'était trompé et que la femme flic, malgré sa coupe militaire, aurait probablement été plus agréable. C'est d'ailleurs elle qui le délivra de la mauvaise humeur de son coéquipier en tirant celui-ci par la manche.

— Fous-lui la paix, qu'est-ce qui t'arrive ?

Il passa la main sur sa nuque moite.

— Désolé, c'est cette chaleur qui me tape sur le système.

Autour d'eux, au pied des barres d'immeubles voisines, de petits groupes commençaient à se former, capuches baissées bravant le soleil. Quelques injures à l'intention des forces de l'ordre, rien que du très banal. Il ne faudrait pas attendre longtemps avant que ne rappliquent le reste des gamins du coin et leurs grands frères pour attiser le tout. Comme le miel attire les guêpes, les flics seraient certainement une des seules attractions de leur journée. Pas question de se refuser un peu de friction.

4

À la demande de la PJ, l'entrée du box avait été interdite. Seuls le médecin qui avait constaté le décès et l'équipe de l'Identité judiciaire y avaient eu accès. C'était maintenant au tour des deux policiers de la Crime de se retrouver en face à face avec leur nouvelle affaire. La femme prenait des notes et l'autre policier dictait.

— Individu d'une trentaine d'années. Mains liées dans le dos. Pieds attachés à la chaise. Du Scotch gris de type chatterton, enroulé plusieurs fois autour de la bouche, recouvre partiellement les narines. Des traces de ce qui pourrait être du sang séché et noirci sont visibles sur le Scotch, avec une coulée du menton au cou.

Le flic s'agenouilla.

— Pas mal de sang sur le sol, autour des pieds, certainement dû aux deux perforations au niveau de chacun des genoux. Utilisation possible d'une perceuse ou d'une foreuse. Pas d'autres signes de blessures. Je ne sais pas ce qu'il a fait, mais la punition a été sévère.

Quand il se releva, l'autre flic ne prenait plus de notes. Elle s'était rapprochée du visage jusqu'à presque le frôler.

— Oh, Johanna ! Qu'est-ce que tu fous ? Tu vas lui faire un câlin ?

— Sois pas idiot. Je le renifle.

— Évidemment, pourquoi j'y ai pas pensé ?

Interloqué, il la laissa faire un instant, attendant sa conclusion.

— C'est du chocolat.

— Pardon ?

— C'est pas du sang sur le Scotch, c'est du chocolat.

— Tu déconnes ?

— J'ai deux gosses à la maison qui bouffent comme des bébés dinosaures et qui préfèrent leurs doigts aux fourchettes, alors permets-moi de faire l'experte.

Un policier en tenue s'adressa à eux, téléphone portable à la main.

— Capitaine Coste ? J'ai la proc' au téléphone qui cherche à vous joindre.

Le flic en civil lui prit l'appareil des mains et, à l'autre bout de la ligne, la voix semblait déjà agacée.

— Capitaine Coste ?

— Non, il est absent pour la matinée. Lieutenant Ronan Scaglia, son second.

— Fleur Saint-Croix, magistrate de permanence, ça fait une éternité que je cherche à vous joindre.

— Désolé, on prenait quelques infos, histoire de vous raconter.

— Bien, alors ne perdez pas plus de temps, racontez.

Le lieutenant rejoignit la lumière de l'extérieur, mit sa main en visière pour se protéger du soleil et commença son compte rendu. Les box devenus caverne d'Ali Baba. Le type attaché. Les trous dans les genoux. Le Scotch. Le chocolat.

Il n'avait jamais eu affaire à cette magistrate. D'emblée, il la considéra donc comme une chieuse. Il en déduisit aussi qu'elle était nouvelle dans le département et, vu son affectation dans le 93, très probablement nouvelle dans la fonction. Une sortie d'ENM[1] où elle avait appris par cœur la maxime : « *Le procureur de la République et ses substituts dirigent l'activité des officiers et agents de la Police judiciaire.* » Maxime qu'elle respectait avec beaucoup trop d'application.

— Je vous prescris une autopsie. Vous me faites une enquête de voisinage sur tout le quartier. Vous placez sous scellés le box, les liens, le Scotch, la chaise, la moto laissée devant et les vêtements du défunt. Vous faites une audition du requérant et je veux un nouveau compte rendu en milieu d'après-midi. D'ici là, j'espère que vous aurez l'identité de notre victime. Vous m'avez dit que ces garages à usage personnel sont utilisés comme dépôts de marchandises volées ?

— Pas dans ces termes, mais d'après le gardien, ouais.

— Parfait, optimisons. Vous informez le commissariat de Malceny de mes instructions : récolter les autorisations des locataires et ouverture de tous les box. Je veux le détail précis du contenu de chacun d'entre eux.

Impression confirmée. Une toute jeune magistrate, persuadée de faire régner la justice d'une main de fer sur le 93. Poliment, il tenta de s'opposer à ses instructions.

— Madame, si je peux me permettre, on est là depuis moins d'une heure et je compte déjà une

1. ENM : École nationale de la magistrature.

quarantaine de badauds. Essentiellement des jeunes à capuche. Pour l'instant, nous ne sommes pas sur leurs box, ils restent calmes, mais dès qu'ils vont voir débarquer la fourrière, la température va monter rapidement. C'est juste un coup à foutre le feu à la cité, cité dans laquelle vous nous demandez justement d'enquêter… sans vous offenser.

Fleur Saint-Croix était effectivement toute jeune et le 93 sa première affectation. Malgré son inexpérience, elle bénéficiait d'une qualité rare qui lui évitait bien souvent de se casser la figure par orgueil et lui faisait reconnaître quand un avis était meilleur que le sien. Ce qui ne l'empêcha pas, vexée, de tousser au démarrage.

— Oui… Bien… Effectivement… Suspendez cette instruction, je vais y réfléchir.

Et sans au revoir, ni merci, ni merde, elle raccrocha.

Le lieutenant Scaglia se rapprocha de l'équipage de policiers. Il restitua le portable à son propriétaire dont l'attention était toute dirigée vers les groupes disparates de gamins, en attente d'une étincelle.

— Ça se réchauffe ?

— Tout doucement, lieutenant, tout doucement. Et les instructions du parquet ?

— On fait enlever le corps, on scelle le box et vous pouvez décoller. Vous vous en sortez bien, la magistrate voulait faire ouvrir tous les autres.

— Une surprise derrière chaque porte, comme le calendrier de l'Avent. On vous en doit une belle.

— Ouais, ben tâchez d'avoir de la mémoire : on risque de bosser sur votre secteur pendant quelques jours.

— Alors bienvenue à Malceny, lieutenant. Vous allez adorer.

*
* *

Au pied de la tour Rimbaud voisine, un jeune homme d'une vingtaine d'années observait avec beaucoup d'attention le déroulement des événements. Il s'était toutefois assez éloigné de la scène de crime pour ne pas se faire bêtement remarquer. Écouteur dans une oreille, regard vide dû au café-joint du matin, il pianotait presque à l'aveugle un message sur son téléphone.

Message de Driss : « Box grillé – *hnouch*[1] dans la place. »

Baskets, jogging et tee-shirt noirs, un jeune Black le rejoignit et s'assit à son côté sur un siège de voiture sans voiture autour, posé à même le sol. En s'installant, il vérifia :

— Tu l'as averti ?

— J'y crois pas que ce con soit mort, je l'ai pas vu venir. Pourtant on lui a donné à bouffer !

— Ça change rien, de toute façon on devait le crever. Bon, tu l'as averti ?

— À l'instant, par SMS. Et toi ? T'as pris les photos ?

— Pas des bleus, c'est pas eux qui font l'enquête, mais j'ai les deux civils.

— T'as fait discret ?

1. Mot arabe signifiant « serpent ».

31

— T'inquiète Driss, personne m'a calculé. De toute façon, personne me calcule jamais.

— Ben ouais, lascar, profite, t'as douze ans.

De son fauteuil, le gamin fouilla une de ses poches et tendit à l'autre son portable.

— Tiens, envoie-lui les photos, ça va l'intéresser.

— Trente secondes, j'termine un sexto.

Une de ses occupations principales. D'origine marocaine, Driss avait les traits fins et un sourire de publicité qui faisaient son succès et étoffaient de conquêtes son répertoire téléphonique.

Malgré son très jeune âge et un interlocuteur de deux fois sa taille, la voix du petit Black prit plus d'assurance.

— Oh, Driss ! Tu baiseras plus tard, envoie-le maintenant je t'ai dit !

— C'est bon, Bibz, t'énerve pas.

5

À Paris, sous le toit de verre de la gare de Lyon, le couple semblait ignorer la foule qui les entourait. L'homme, dont la quarantaine approchante balayait les cheveux de quelques mèches grises, accueillait au creux de son épaule le visage d'une femme un peu plus jeune, dont les yeux verts menaçaient de s'embuer. Leurs mains se prenaient puis se laissaient pour vite se rejoindre comme si l'un ou l'autre avait pu s'envoler. Sous la triple arche de pierre de l'entrée, une fille jouait sur le piano Steinway laissé à disposition des voyageurs. Comme dans les films, les adieux et les retrouvailles avaient maintenant droit à leur bande-son.

Pour les vacances, Léa avait loué une petite baraque paumée dans la nature. Trois semaines loin de tout, dans le sud de la France. Elle rechignait pourtant à attraper sa valise et à se diriger vers son train, cherchant toutes les excuses pour le rater. Victor tenta de la rassurer.

— Je te rejoins dans deux semaines. Ça te laisse le temps de te reposer et d'aller voir tes parents. Mais tu sais, m'avoir H24 c'est peut-être pas si bien que ça.

— Je m'en doute, mais j'y peux rien, c'est chimique. On est au début de notre relation et ça active les mêmes zones du cerveau que la drogue. Perte d'appétit, stress et insomnies. Je suis saturée de dopamine et quand t'es pas là je suis en manque.

— C'est une sorte de déclaration ?

— C'est tout ce que tu auras sur un quai de gare, sale con.

Quelle idée de sortir avec un médecin légiste ! Victor éclata de rire en entrevoyant cet éventuel avenir avec une scientifique au vocabulaire de rue. Mouton noir d'une famille bourgeoise, elle n'aurait pas pu choisir meilleur affront que de s'amouracher d'un policier. Quand elle avait le malheur d'en parler, la réponse préférée de son père, directeur d'une clinique privée parisienne, se résumait à un haussement d'épaules.

Imaginer que la rencontre du flic et de la légiste s'était faite autour d'une table en inox ensanglantée, au-dessus d'un corps ouvert comme un livre, et que leur relation s'était établie au fil des homicides n'enlevait rien à la magie de leur histoire. Elle la rendait juste unique.

Leur relative intimité fut perturbée par une sonnerie que Léa reconnut immédiatement.

— C'est ton portable pro.

Sans porter attention au nom qui s'affichait sur l'écran, il décrocha.

— Capitaine Coste, j'écoute.

— C'est Ronan, désolé de te déranger en pleine guimauve.

— Envoie.

— Malceny. Un type, pour l'instant inconnu, attaché à une chaise, la bouche scotchée, claqué dans un des

34

box de la cité des Poètes. Travaillé aux genoux à la perceuse. Avec Johanna on hésite entre une hémorragie et une indigestion au chocolat, mais elle t'expliquera mieux que moi.

Coste choisit de ne pas essayer de comprendre cette dernière phrase.

— Autopsie ?

— Ouais chef, t'as une heure pour sécher tes larmes et te pointer à l'IML[1].

— On récupère qui, comme magistrat, sur cette affaire ?

— Fleur je sais plus quoi, une nouvelle, avec un nom à extension ou à particule, comme souvent.

— Une nouvelle ? Elle va vouloir bien faire, c'est jamais bon. Ne lui parle pas des autres box de la cité, elle va te les faire ouvrir. Une enquête par objet volé retrouvé, tu vas flinguer les stats du commissariat de Malceny. Ils vont te détester.

Un peu gêné, Ronan fit mine de s'offusquer.

— Ça va, je ne suis pas complètement crétin.

— J'en suis presque sûr. Sam est avec vous ?

— Sam ? Sur une scène de crime ? Ce serait drôle, mais non, il est resté au service.

— Envoie-lui une photo de notre client, qu'il fasse le tour des groupes pour mettre un nom dessus, ça ne coûte rien. Ensuite, tu mets tout sous scellés, le box aussi et tu commences l'enquête de voisinage avec Johanna. Si c'est déjà trop chaud, on la repousse à demain.

1. IML : Institut médico-légal.

Ronan, qui recevait les mêmes instructions pour la seconde fois, s'offusqua pour de bon.

— Merci, j'y avais pas pensé.

De retour à proximité du cadavre attaché, il laissa libre cours à son exaspération.

— Fais ci, fais ça... Pourquoi j'ai l'impression d'être redevenu stagiaire, aujourd'hui ?

De la conversation des deux flics, Léa avait attrapé quelques bribes et n'avait pas eu besoin de plus pour s'y intéresser.

— Une affaire ? Avec un cadavre ?

— Oui, mais toi tu montes dans le train. L'Institut médico-légal peut tourner trois semaines sans le docteur Léa Marquant.

— Comme tu voudras. Tu feras la connaissance de mon sympathique collègue légiste et de ses magnifiques moustaches. Tu vas trouver le boulot moins sexy, c'est certain.

Elle déposa un baiser au creux de son cou et respira son parfum.

— Tu vas voir, je vais trop te manquer.

Il la détailla dans sa petite robe d'été, cheveux bruns détachés dévalant sur ses épaules nues. Pas impossible qu'elle lui manque. Beaucoup même. Et le programme de vacances « loin de tout/pour se reposer/dans une maison paumée » aurait d'ailleurs dû lui plaire, si ce n'était que la maison paumée se situait à moins de trente kilomètres de la demeure familiale des Marquant et que toute l'opération puait la présentation aux parents déguisée.

À l'aise comme un chat sous la flotte, Victor Coste trouvait cela bien trop rapide. Les sentiments naissants.

Sa brosse à cheveux à elle, dans sa salle de bains à lui. Le désir d'être avec Léa mais ce besoin de solitude qui s'opposait à toute notion de couple. Son incapacité à vivre à deux, tout simplement. Autant de notions opposées qui tissaient autour de lui une sensation confuse d'emprisonnement. Lui, dont le métier consistait à côtoyer ce que l'homme recèle de pire en lui sans perdre son sang-froid, n'allait pas tarder à paniquer pour une histoire de cœur. Ces quinze jours de célibat lui feraient donc le plus grand bien.

Une voix apaisante envahit la gare et annonça l'imminence du départ du train pour Nice, et la fin de leur au revoir à rallonge.

6

28 juin 2013, 13 heures.
Institut médico-légal, XIIᵉ arrondissement.

Malgré la sirène et le gyrophare, Paris lui avait collé un quart d'heure de retard. Arrivé à destination, il se gara sur le parking réservé, baissa le pare-soleil siglé police et accéléra le pas. Il emprunta l'allée menant à la vieille bâtisse victorienne qui abritait l'IML, nichée entre un modeste parc et les bords de la Seine. Passé les deux vieilles portes en bois, il longea le jardin intérieur, ses quelques arbustes et sa fontaine en panne pour se présenter au bureau de l'accueil.

— Bonjour. Capitaine Coste. J'ai une autopsie prévue avec le docteur Léa Mar... pardon...

Derrière son bureau, la secrétaire lui adressa un sourire complice.

— L'habitude, peut-être ?

Coste sortit un papier froissé de sa veste et poursuivit avec un sourire gêné.

— Certainement. J'ai rendez-vous avec le docteur... Serge Atlan.

— Ça va vous changer.

— Oui, j'ai été prévenu.

À moins d'y travailler, il n'existe qu'une raison de se rendre dans ces lieux, c'est de venir y reconnaître un proche. Ou d'être, malheureusement, soi-même ce proche. Avec une moyenne de trois cent cinquante autopsies par an, il y a donc de fortes chances d'y croiser une famille en deuil. C'est pour cette raison que l'on retrouve ici le silence religieux des cimetières et c'est dans ce calme respectueux que Coste se laissa diriger vers la salle d'autopsie. La secrétaire passa son badge sur le verrou magnétique et lui souhaita bon courage.

Au centre de la pièce entièrement carrelée de blanc, trônait une table d'opération sur laquelle un cadavre allongé accaparait toute l'attention du légiste. Lunettes plastiques protectrices, blouse encore blanche et imposantes moustaches, il était penché au-dessus du corps et insérait une tige de métal dans un des genoux percés. Directement posée sur le thorax, la présence inhabituelle d'une petite boîte à outils attira le regard de Coste.

— Docteur Atlan ?

L'autre ne leva même pas les yeux.

— Capitaine Coste, je présume ? Vous êtes en retard. Ça ne dérange peut-être pas le docteur Marquant, mais moi ça m'irrite. À croire que parce que mes clients sont morts, plus rien ne presse.

Malgré ce début plutôt glacé, Coste encaissa sans broncher et le docteur poursuivit sur le même registre.

— J'ai commencé sans vous. Passez-moi un foret de quatre millimètres, j'ai les gants pleins de sang.

39

Coopératif, Victor se rapprocha de la table, fouilla dans la boîte à outils un instant puis abandonna.

— Désolé, je suis incapable de différencier un foret d'un autre. Je peux savoir ce que vous faites ?

Le légiste suspendit son mouvement et l'observa pour la première fois.

— Chairs vrillées et légères brûlures sur les pourtours. Votre type a été torturé à la perceuse. Je cherche à savoir quel est le diamètre utilisé. Pas du trois millimètres en tout cas.

Tout en parlant, il retira doucement la tige métallique dans un bruit de succion humide, puis fourragea sans ménagement dans sa boîte à outils avant d'en retirer un nouveau qu'il montra au flic.

— Foret quatre millimètres. C'est gravé dessus. On m'a assuré que vous étiez bon enquêteur, je suis plutôt déçu.

— On m'a assuré que vous étiez carrément désagréable. Personnellement, je suis comblé.

Les présentations faites, le docteur planta son regard dans celui de Coste et lui accorda un semblant de sourire. Il enfonça ensuite dans le genou gauche, sans forcer, la tige qui s'inséra parfaitement.

— Je ne peux pas vous dire si c'est une mèche à bois ou un foret à métal, mais c'est du quatre, j'en suis certain.

Il rangea l'accessoire ensanglanté dans sa boîte, puis, avec l'air de celui qui vient de recevoir un cadeau, ajouta presque impatiemment :

— Alors, on se l'ouvre ?

La suite constituerait aux yeux de tout un chacun une succession d'actes barbares et insoutenables. Le quotidien de certains flics, dont Coste faisait partie. Il s'était souvent dit qu'il ne faudrait jamais que les familles sachent dans le détail en quoi consiste une autopsie. Une séance de moins d'une heure qu'aucun film d'horreur, même le plus gerbant, ne saurait imiter. Pour préserver sa santé mentale, Coste avait pour habitude de ne plus considérer le corps comme « humain », mais comme simple partie de l'enquête.

Ne pas penser qu'il a aimé.

Ne pas penser qu'il a été heureux.

Tout du moins, le temps de l'autopsie.

D'un trait de scalpel confiant, le docteur Atlan fit une profonde incision à l'arrière des deux biceps, des mollets, des cuisses, et les muscles s'affaissèrent de toute leur largeur sur la table. D'une voix clinique et détachée, le légiste se mit à détailler le calvaire de l'inconnu.

— Nombreux hématomes sous-cutanés au niveau des bras et des jambes. Il a visiblement été battu. Ou il s'est battu. Avec plusieurs personnes, vu le nombre de coups. Aidez-moi, on le retourne.

Coste enfila une paire de gants, s'exécuta et fit deux pas en arrière. Avant que le légiste ouvre le corps et que les effluves de mort envahissent la salle, il sortit un petit pot de crème de sa poche et en étala un soupçon juste en dessous de son nez.

— Vous utilisez quoi ? demanda Atlan.

— Baume du Tigre.

— Moi je prends du Vicks. Ça protège bien des odeurs, c'est tout aussi mentholé mais ça brûle beaucoup moins, vous devriez essayer.

Passé cet échange viril, le docteur reprit le cours de son activité. Il posa la pointe de son scalpel juste au-dessous de la pomme d'Adam, perça la peau, puis laissa filer la lame jusqu'en haut du pubis. De chaque côté, il passa le scalpel sous les chairs et, par petites entailles successives, il décolla la peau pour que la cage thoracique puisse apparaître entièrement, tel un coffre protégeant son trésor. Il se saisit ensuite d'un sécateur et coupa les côtes les unes après les autres dans un bruit de branches sèches cassées. Cela fait, il se saisit du thorax qu'il souleva comme un vulgaire couvercle, faisant apparaître les organes internes à la lumière crue. Une vive odeur de putréfaction se répandit dans la pièce.

Poumons, rate, foie, intestins, vessie, estomac. À coups de scalpel, chacun d'entre eux fut extrait pour qu'on en prélève une partie en vue d'analyses ultérieures, mais déjà le légiste entrevoyait un scénario.

— Bien. Ça m'a tout l'air d'un cas d'école. Visage cyanosé, muqueuses congestionnées, poumons violacés. Lésions congestives sur le foie et les reins. Le sang est sombre mais il reste fluide. Pas d'excoriation en coups d'ongles, pas d'ecchymoses en forme de main. Je mets de côté la strangulation et je parie plutôt sur une asphyxie par suffocation.

— C'est très probable, il portait un Scotch autour de la bouche.

— Vous auriez pu me le dire.

— Effectivement, j'aurais pu, mais j'aurais orienté vos conclusions. Je préfère que vous trouviez par vous-même.

Le légiste s'amusa de cette remarque. Il réajusta ses lunettes protectrices sur lesquelles il laissa involontairement une belle trace de sang.

— Orienter mes conclusions ? Nous parlons de science, pas de psychologie ou d'astrologie, je ne m'attache qu'aux preuves, pas aux suppositions. D'ailleurs, le Scotch n'est qu'un élément de réponse. Le tableau est plus compliqué.

Il inséra ses doigts dans la bouche du cadavre qu'il ouvrit d'un coup sec, puis il y plongea un Coton-tige.

— Vous voyez cette matière pâteuse, là ? On retrouve la même dans ses narines et dans les voies aériennes. Par contre, je ne vois pas trop ce que ça pourrait être…

Bien qu'elle fût surprenante, Coste avait un début d'idée, soufflée plus tôt par Ronan, concernant une éventuelle indigestion de…

— Chocolat, ça vous paraît plausible ?

Intrigué, le légiste se rendit à l'extrémité de la table où il avait laissé les organes internes et se saisit de l'estomac.

— Tout à fait. Voyons le menu du jour.

Il sectionna l'organe dans sa largeur et vida le contenu dans un pot cylindrique en plastique blanc portant le logo biohazard[1], un cercle entouré de trois croissants sur fond jaune.

— Apparemment, il n'a pas mangé énormément, mais je ferai analyser le bol alimentaire. Vous aurez votre réponse sous quarante-huit heures.

— On peut faire accélérer les choses ?

Le docteur lui tendit le pot encore ouvert et nauséabond.

— Oui capitaine, vous pouvez directement goûter si vous le souhaitez.

1. Signalétique du danger biologique.

Coste se ravisa.

— Deux jours, c'est pas si long.

L'autopsie touchait à sa fin et ne restait qu'un dernier acte. Certainement le plus dur à regarder. Surtout à entendre. D'un geste circulaire, le scalpel trancha la peau sur tout le pourtour du crâne, passant derrière les oreilles, la nuque puis le front. Sans ménagement, la peau du front fut décollée de l'os avec autant de brusquerie que si l'on arrachait une vieille moquette. Elle fut ensuite rabattue par-dessus le visage, comme si l'on voulait cacher cet ultime outrage à la vue du défunt. Dans un bruit strident de roulette de dentiste, la scie circulaire découpa la calotte crânienne, projetant une poussière blanche sur les lunettes et le masque de protection du légiste. Le cerveau apparut enfin, rose et humide. Comme les autres organes, il fut pesé et inspecté.

— Bien. Je confirme. Plusieurs foyers de ramollissement, ce qui reste parfaitement compatible avec une suffocation. Je pense que le bâillon a provoqué un manque d'oxygène. Étourdissements, nausées et vomissements, qui nous mènent tout droit à une suffocation par étouffement. Vu la persistance de la congestion des organes, j'estime que la mort remonte à quelques heures. Très certainement au cours de la nuit dernière.

Si Léa Marquant s'était occupée de l'autopsie, les conclusions auraient été identiques mais plus imagées : « Ton client s'est étouffé dans sa propre gerbe au chocolat et manque de cul, si vous vous étiez pointés un tout petit peu plus tôt, vous auriez pu le sauver. »

Deux heures maintenant qu'il l'avait laissée sur le quai de la gare et Coste n'arrivait toujours pas à savoir si elle lui manquait ou s'il se sentait libre à nouveau. Le légiste le sortit de ses pensées.

— Je vous mets ses affaires dans un sac pour votre enquête. Si vous analysez son jean à l'entrejambe, vous pourriez trouver de l'urine. C'est courant dans ce genre de décès. À votre tour.

— Précisez ?

— Vous avez cherché à savoir si j'étais compétent. À mon tour de vérifier votre réputation, capitaine Coste.

Victor s'amusa du défi. Léa avait pour habitude de lui lancer les mêmes. Une manie de légistes, qui sait ? En prenant son temps, il inventoria les informations en sa possession et tenta de leur donner un ordre.

— Si la victime a été nourrie, c'est qu'elle est restée un bon moment dans le box. Au moins quarante-huit heures. Assez pour que son alimentation soit nécessaire.

— Un enlèvement qui aurait mal tourné ?

— Pas sûr. Le bricolage à la perceuse nous dit le contraire. On ne fait pas des trous dans son otage. À la limite on lui coupe un doigt ou une oreille pour montrer sa motivation, et encore, c'est très hollywoodien.

Coste quitta le corps du regard pour s'adresser directement au légiste.

— Quel serait le secret qu'un foret de quatre millimètres dans le genou ne vous ferait pas avouer ?

— Aucun, je suppose. La douleur serait trop intense.

— Imaginez maintenant qu'il ait fallu s'y prendre à deux fois.

— Votre type était peut-être très courageux.

— Possible. Ou il avait un secret inavouable. Maintenant, au moins, on sait ce qu'on cherche.

— Un secret ?

— Qui deviendra la raison du meurtre, le mobile. Mais le plus ennuyeux, c'est qu'il s'agit juste d'une introduction. On l'a torturé pour avoir des informations, il y a donc une suite à attendre, un objectif plus important derrière. Un meurtre qui cache la forêt. Juste une introduction, donc.

Le légiste n'avait pas prévu d'apprécier Coste. Enfin, pas autant. Il avait vu d'un mauvais œil le rapprochement entre Léa Marquant, son élève, sa protégée, et ce flic du 93. Il devait maintenant avouer qu'en dehors d'un physique assez agréable, il était plutôt intellectuellement séduisant. Il comprenait que la petite se soit laissé avoir. Malgré un premier contact calamiteux, les deux hommes finirent par se serrer la main.

Une fois seul, le docteur Atlan se saisit d'un sac plastique renforcé et y déposa tous les organes internes devenus inutiles. Il ferma soigneusement le sac et l'inséra dans la cage thoracique vide. Il recouvrit le tout avec le thorax, pièce de puzzle s'emboîtant parfaitement, et s'attacha à recoudre la peau du ventre. Quand viendrait la reconnaissance du corps par les proches, ces derniers n'imagineraient pas ce qu'il avait enduré. Un peu comme on glisse la poussière sous le tapis en jurant d'avoir bien rangé.

De retour à l'extérieur, Coste inspira pleinement pour renouveler l'air vicié de ses poumons. L'odeur de mort, on peut la tolérer mais on ne s'y habitue jamais. Même les gaz d'échappement des bagnoles, déjà cul à cul dans les rues de Paris en ce début d'après-midi, y étaient préférables.

Son portable vibra dans sa poche, mettant un terme à ses petits exercices respiratoires.

— Victor Coste, j'écoute.

— Salut, c'est Sam.

— Paraît que t'as fait l'école buissonnière ce matin ?

— Ça va… je vous laisse la partie terrain, hémoglobine et macchabées, Ronan et Johanna sont très bons pour ça. Moi, je me garde les investigations techniques. De toute façon si je viens, je vomis. Alors…

— À ce que je vois, c'est une activité qui a la cote aujourd'hui. T'as quelque chose sur notre client ?

— On n'a pas encore le résultat des empreintes. Il est inconnu au Groupe crime 2 comme au GRB[1]. Mais, coup de chance, ça a *matché* chez le capitaine Sylvan.

— Aux Stups ? Et ?

— Et c'est la merde. On ne m'en a pas dit plus, mais ça bouge dans les bureaux. Réunion en urgence. Rapplique au plus vite, t'es déjà en retard.

Comme supposé, l'arbre qui cache la forêt. Coste aimait bien avoir raison, même si la plupart du temps ça pouvait flinguer ses journées.

1. GRB : Groupe de répression du banditisme.

7

Une chaleur à faire fondre le métal s'était abattue sur le bâtiment en verre de trois étages du Service départemental de police judiciaire de Seine-Saint-Denis, le SDPJ 93, encerclé, comme déjà vaincu, par les cités étouffantes de Bobigny aux immeubles décrépis assez hauts pour frôler le ciel.

Un café à la main, un encombrant sac plastique dans l'autre, Coste poussa du pied la porte du bureau *Crime 1* qu'il trouva déjà squatté par son équipe. Ronan, comme à son habitude, s'amusait à persécuter Sam. Ils étaient assis tous les deux sur le confortable canapé trois places qui servait accessoirement de lit lorsque, parfois, les enquêtes se prolongeaient dans la nuit. Un PC portable entre les mains, Ronan tentait de montrer à son souffre-douleur la vidéo tournée par les Stups quelques jours plus tôt.

— C'est une pièce de la procédure, va bien falloir que tu la mates.

— C'est bon, je sais ce qu'il y a dessus. Une exé-cution en direct. C'est rien d'autre qu'un *snuff movie*. Le regarder je comprends, mais ça fait quatre fois que

48

tu le passes en boucle. Non seulement tu me soûles mais en plus tu m'inquiètes.

Sam, ou – plus administrativement – le brigadier Samuel Dorfrey. Un physique tout en longueur avec une carrure d'ingénieur informaticien et une bouille franchement sympathique, ce qui n'était pas un plus dans le métier. Quand il se tenait au côté de son binôme Ronan, athlétique et limite mauvais garçon, l'erreur de casting semblait encore plus évidente. Par ailleurs, sans doute le seul flic de France à ne pas supporter la vue du sang et encore moins celle d'un cadavre. L'avoir recruté à la Crime pouvait paraître absurde, mais Coste, qui connaissait ses atouts, ne voyait pas les choses sous cet angle. Paternellement, il vint à son secours.

— Ronan, fous la paix à notre *geek*. Chacun sa sensibilité.

Et il jeta dans les bras de Sam le sac qu'il portait encore. Par réflexe, ce dernier l'attrapa à pleines mains et ensuite seulement s'y intéressa.

— C'est quoi ?

— Un cadeau de l'IML. Les fringues imbibées de sang de notre victime. Attention c'est pas encore très sec.

Écœuré, Sam se leva d'un bond du canapé, se débarrassant du colis comme s'il pouvait se faire contaminer.

— Putain ! Y en a pas un pour racheter l'autre. Vous répétez vos sketches avant de venir ?

Ronan éclata d'un rire franc. Coste s'assit à son bureau et les informa des premières conclusions du légiste.

— On se dirige vers un homicide involontaire. Le bâillon recouvrait une partie du nez. La privation d'oxygène a causé des nausées et il s'est étouffé dans

49

son vomi. Johanna avait raison pour le chocolat, bien que je doute que cela rende la mort plus douce.

— C'est peut-être ça, un moment Nutella ? suggéra Ronan.

Puis, par compassion pour Sam, il se saisit du sac de vêtements souillés.

— Laisse, petit homme, je m'en occupe. Je vais les étendre dans la salle de séchage avant de les mettre sous scellés. Jo, tu veux bien taper la réquisition pour le labo ?

Studieuse derrière son ordinateur, Johanna De Ritter, la dernière recrue du groupe, se saisit d'une feuille que son imprimante venait d'éjecter et la déposa sur le bureau.

— Déjà fait. Toujours un coup d'avance. D'un autre côté, je ne passe pas mes journées à me chamailler avec les copines, ça me laisse du temps.

Coste apprécia le rouage bien huilé. Tant que son équipe s'envoyait des caisses, c'était bon signe.

— Bon, ça tourne. Vous n'avez presque pas besoin de moi. J'aurais peut-être dû monter dans le train, ce matin…

— Et je n'aurais pas hésité à envoyer le Raid vous débusquer, capitaine !

Chacun se retourna vers celle qui venait de prendre part à la conversation. Le commandant Marie-Charlotte Damiani, chef des deux groupes de la Crime – celui de Coste, Crime 1, et celui de son homologue féminin, le capitaine Jevric, Crime 2 –, se tenait dans l'encadrement de la porte.

— Nous sommes tous attendus dans la salle de réunion avec le patron. J'ai la longueur du couloir pour vous briefer. La situation est un peu compliquée.

50

— Alors marchons lentement.

Tout en traversant la passerelle de verre opaque menant de l'aile nord à l'aile sud du bâtiment, le commandant Damiani feuilleta un rapport de police dans une chemise cartonnée. Elle en parcourut les quelques pages avant de le tendre à Coste.

— Votre cadavre s'appelle Karim Souki, il a été identifié par les Stups.

— C'est ce qu'on m'a laissé entendre.

— Ils le collaient au cul depuis quelques mois, il n'est donc pas impossible que le patron vous demande de bosser ensemble, Crime et Stups.

— Une cosaisine ? C'est pas vraiment les mêmes mondes.

— Victor, je suis à deux mois de la retraite et je ne compte pas me battre avec vous. J'ai les cheveux blancs, une sciatique persistante et quarante-six ans de délinquance dans mes valises. Je connais votre aversion pour les Stups. Soyez rassuré, je vais attribuer l'enquête au Groupe crime 2 du capitaine Jevric.

— Elle sera parfaite.

— Vous n'en pensez pas un mot, mais c'est gentil pour elle.

Quand ils furent arrivés à destination, Ronan ouvrit la porte et laissa entrer le reste de l'équipe. Dans la salle de réunion – moquette et table ronde –, le commissaire divisionnaire Stévenin les attendait déjà. Costume obligatoire, même en plein été, il enviait ses flics en jean et tee-shirt. Dans un coin de la pièce, le capitaine Sylvan était en discussion avec deux de ses hommes. Ronan et Sam vinrent les saluer d'une poignée de main. Lorsque Johanna s'approcha à son tour, dépassant tout le monde d'une tête et de deux tailles d'épaules, les flics des Stups durent lever les yeux pour croiser son regard, quinze centimètres plus haut, avant de serrer la sienne. Une fois assise entre Sam et Ronan, elle les interrogea à voix basse.

— Pourquoi personne me fait jamais la bise ?

Ni l'un ni l'autre ne préférèrent répondre, se plongeant hypocritement dans les dossiers individuels posés devant eux.

Sylvan se tenait maintenant debout face au tableau de briefing, décoré pour l'occasion des photos de trois cadavres entourées, fléchées, annotées d'hypothèses et d'interrogations. Quand tout le monde fut installé, il pointa de son stylo la photo la plus à gauche et le silence se fit.

— Voici Saïd Laouari, dit « le Bosseur ». Une figure de Malceny. Il gardait un œil sur toute la chaîne, de l'achat à la distribution, et vendait sa came lui-même. D'où son surnom. Né en 1990, mort ce lundi d'une balle dans la tête, en pleine rue, sous nos yeux et le tout filmé, comme vous avez pu l'apprécier. Un bon vieux contrat dans les règles de l'art. Un scooter, un conducteur, un tireur et adieu. Le type n'a même pas fait deux pas pour récupérer le sac de came dans le bâtiment juste derrière.

Damiani jugea bon d'apporter quelques précisions à l'intention de Coste et de son équipe.

— Un homicide lié à la drogue, visiblement. J'ai donc accepté, à la demande du patron, de joindre l'équipe du Groupe crime 2 avec celle des Stups.

Le commissaire Stévenin réalisa alors que l'assemblée n'était pas au complet.

— D'ailleurs, où est le capitaine Jevric ?

Gênée, Damiani éluda et changea au plus vite de sujet.

— Elle ne devrait pas tarder, monsieur. Sylvan, une avancée dans les investigations techniques ?

Le chef des Stups reprit le cours de son exposé.

— Une des bastos a été retrouvée, pas totalement écrasée. Malgré ça, la balistique ne nous donne aucune correspondance avec une arme connue. Le scooter aussi est une impasse. Pas d'immatriculation. Modèle trop courant. En gros, on n'a pas le début de la queue d'un indice. Mais entre nous, si on n'avait flingué que Laouari, ça ne m'aurait pas vraiment empêché de dormir…

Il pointa son stylo sur la photo suivante. Une voiture aux vitres brisées dont on ne voyait, de l'intérieur ensanglanté, que le haut d'un corps affalé sur le volant.

— Malheureusement, deux jours plus tard, à la sortie de son parking, Sasha Bojan est abattu dans sa bagnole avec son gamin à l'arrière. Le gosse n'a rien mais il a sévèrement « buggé ». Il est en état catatonique au service psychopathologie de l'enfance à Robert-Debré. On ne peut rien en tirer pour l'instant. Deux armes de poing ont été utilisées pour ce contrat. Cette fois-ci la balistique est formelle, l'une d'elles est la même que sur la première exécution. De là à dire que c'est le même tireur, c'est très probable mais pas certain.

La porte du bureau s'ouvrit et le capitaine Lara Jevric passa la tête dans l'entrebâillement. Comme à chacun de ses retards, elle n'allait pas tarder à accuser ses effectifs.

— Désolée, un de mes gars a fait une connerie sur une procédure, j'étais en train de la rattraper.

Elle fit un tour d'horizon avant d'ajouter :

— Fallait venir avec son équipe ? Je croyais que c'étaient que les chefs…

Un mot et une situation qu'elle affectionnait tout particulièrement.

Habitués, la moitié des flics présents affichèrent un demi-sourire navré et le commissaire fit comme s'il n'avait rien entendu. Sylvan l'invita à prendre place. Aucune chaise n'étant plus libre, elle tenta de s'asseoir sur l'accoudoir d'un fauteuil, mais sa morphologie généreuse lui empêchant ce genre d'acrobatie, elle décida de rester debout.

— Pas de souci Lara, reprit Sylvan, on a commencé sans toi mais tu connais déjà nos deux premières victimes. Tu arrives juste pour les présentations avec la troisième.

Il se retourna vers le tableau et poursuivit.

— Victime numéro trois, donc : Karim Souki. Retrouvé mort ce matin dans un box de la cité des Poètes. L'Identité judiciaire fait ce qu'elle peut pour récupérer des empreintes ou de l'ADN mais ça risque de prendre du temps.

Sylvan se tourna vers Coste qui depuis quelques minutes semblait absent, sans doute perdu dans sa forêt qu'un arbre cachait.

— Victor, tu reviens de l'autopsie. T'as quelque chose ?

— Un séjour en *all inclusive*. Nourri, logé, torturé. Désolé, rien de plus. Je ne sais pas s'ils comptaient le buter, toujours est-il qu'il ne leur en a pas laissé le temps. Il est mort tout seul comme un grand, par suffocation. Damiani m'a confié que vous étiez dessus ?

54

— Oui. Sur les trois en fait. C'est là notre problème. Malceny, c'est la plaque tournante de la came pour l'Île-de-France. Laouari, Bojan et Souki en étaient les plus gros caïds. Ils tenaient les trois quarts des territoires depuis près de quatre ans, sans jamais avoir rencontré de concurrence.

Lara Jevric voulut marquer la réunion de sa pertinence.

— Alors champagne ! Vous vous faites flinguer 75 % de vos dealers en quatre jours, ça vous met en vacances pile poil pour juillet.

— Analyse intéressante, merci, mais c'est exactement le contraire, objecta Sylvan. Trois exécutions en moins d'une semaine, ce n'est pas un hasard, c'est une révolution. Une révolution qui nous plonge dans un bain de merde. Tout change. On ne connaît pas la tête de leurs remplaçants, ni leurs noms, leurs téléphones ou leurs adresses. On ignore tout de leurs nouveaux territoires, de leurs points de deal, de leurs méthodes de vente et des produits proposés. Leurs équipes et leurs fournisseurs aussi vont changer. C'est comme si on reprenait un arbre généalogique du début. En conclusion, à partir d'aujourd'hui, on ne sait plus rien de Malceny.

Jevric se sentit très conne mais, habituée à ce sentiment, elle ne s'arrêta pas là.

— Attendez. Le premier meurtre était lundi. Le second, mercredi et le dernier ce matin vendredi, c'est ça ?

Malgré le peu d'espoir, l'audience était en attente de son hypothèse. Elle poursuivit.

— La permanence du Groupe crime 2 se termine le jeudi, donc le cadavre de vendredi il est pour Coste, non ?

Irrité plus que déçu, le commissaire Stévenin préféra reprendre les rênes de la réunion.

— Lara, les trois cas sont liés, on ne va pas les dissocier en trois enquêtes. Mais si la finesse du stratagème vous échappe, on peut en parler dans mon bureau.

Ce qui équivalait à un « ferme ta gueule » que Jevric comprit aussitôt. Damiani tempéra.

— Pour être juste avec Jevric, je vous propose que le groupe de Coste récupère les deux prochaines semaines de permanence. Si c'est d'accord avec vous, Victor, bien sûr.

— Le marché me convient parfaitement, répondit celui-ci. Et puis, entre nous…

Son équipe au complet tenta de l'interrompre, comme si ce qu'il s'apprêtait à dire pouvait déclencher une malédiction.

— Termine pas ta phrase, Victor !

— Tu vas nous jeter l'œil !

Il s'amusa de leur superstition, un sourire aux lèvres.

— Quoi ? Les enfants… Qu'est-ce qui peut bien nous arriver de grave en deux semaines ?

8

Sylvan avait insisté pour que Coste reste un peu plus longtemps. Une fois seuls dans la salle de réunion, il le questionna sans ménagement.

— J'ai demandé à Damiani de bosser avec ton équipe et, comme réponse, je me cogne Jevric. Paraît que tu ne supportes pas les Stups. T'as un problème avec nous ?

Coste dissipa la méprise.

— Absolument pas. C'est la matière que vous traitez dans laquelle je ne trouve aucun intérêt. J'ai besoin d'humain, tu comprends ? C'est une sorte de moteur chez moi. Les seules victimes que vous avez sont des toxicos. Le reste de votre temps, vous le passez avec des vendeurs ou des fournisseurs. Et quand vous réussissez à coller l'un ou l'autre en cabane, quelqu'un prend sa place en moins de quarante-huit heures. Honnêtement, je sais pas comment vous gardez la motive.

— Et tu préfères deux semaines de permanence à l'aveugle à un homicide de dealer ?

— Oui, largement. En plus, il est involontaire, ton homicide.

57

— Ça manque de classe pour la Crime, c'est ça ?

— Tu m'as cerné.

— Et je peux au moins avoir ton opinion sur l'affaire ?

— Justement…

Coste ouvrit un des dossiers où il inversa l'ordre des photos.

— Je crois que vous vous plantez dans la chronologie des victimes et que la numéro trois est en fait la toute première. Peut-être pas le premier mort, mais en tout cas le début de l'affaire. Souki s'est fait percer les deux genoux parce qu'on cherchait à lui faire dire quelque chose, et c'est ensuite seulement que les deux autres se sont fait buter.

Sylvan parut sceptique.

— Torturé pour avoir le nom des deux autres caïds ? C'est une info que n'importe quel délinquant de Malceny connaît. En fait, n'importe quel enfant de huit ans.

— Alors disons que Souki avait une autre info, moins publique. Tu nous as précisé que, sur la vidéo, le tireur abattait le vendeur et se barrait sans prendre le sac de drogue. Un sac situé à moins de trois mètres. C'est dommage, non ? À moins qu'il n'ait aucun intérêt à perdre du temps avec une si petite quantité.

Sylvan percuta.

— Parce qu'il connaissait déjà leurs planques principales ! Tu penses que c'est pour cette raison que Souki a été bricolé ? Pour balancer les lieux où ils cachent leur came ?

— Si c'est effectivement une révolution, récupérer les terrains par le sang c'est facile, mais ensuite il faut y vendre quelque chose.

— Attends, ça voudrait dire que Souki connaissait les planques des deux autres ?

— En quoi ça te chagrine ?

— Ça implique qu'ils se faisaient confiance. Qu'ils travaillaient ensemble. C'est plutôt rare. Ils étaient bien plus organisés que je ne le pensais.

— D'où la nécessité, pour les éliminer, d'une opération à plusieurs cibles quasi simultanément.

— Mais si Laouari, le premier, s'est fait buter le 24 du mois, pourquoi Souki se trouvait encore dans le box quatre jours plus tard ?

— Quand tu as une info, il faut aller la vérifier sur le terrain. Ils ont dû vouloir le garder en vie jusqu'à ce que les planques aient été visitées et contrôlées. D'ailleurs, si ça se trouve, ses geôliers ne sont même pas au courant qu'il leur a claqué dans les pattes.

— Sérieux, Victor, bosse avec moi sur celle-là. L'équipe de Jevric est correcte mais elle est incapable de la gérer, elle ne leur autorise jamais aucune initiative. Si seulement elle était un minimum compétente. J'arrive pas à comprendre pourquoi les tauliers la laissent à la tête d'un groupe.

— Parce qu'elle passe le concours interne de commissaire. C'est corporatiste un commissaire, tu sais. Donc vu qu'il est possible qu'elle intègre leur corps de métier, ils la jouent bienveillants. Ce sont des gens qui pensent autant à leur carrière que nous à nos enquêtes, ça explique pas mal de décisions.

Sylvan ne sembla pas convaincu une seconde.

— Ça ne change rien, quand elle parle, j'ai envie de la taper.

— C'est une saine réaction.

Installé dans le fauteuil de son bureau, Sam tentait de se convaincre. Même si l'affaire leur avait été retirée, cette vendetta se déroulait sur le 93. Sur son département. Le battement d'ailes d'un papillon pouvant occasionner un sacré bordel ailleurs, il était vraisemblable que cette série de meurtres aurait un écho dans les jours à venir.

Il prit trois grandes inspirations et lança la vidéo qu'il avait téléchargée sur sa tablette numérique. Au fond du canapé, Ronan n'avait rien raté du conflit intérieur de son collègue.

— Brave garçon.

Sam lui répondit un « j't'emmerde » sur le ton amical d'un « merci ».

9

En un demi-siècle, monsieur Jacques avait pu constater l'échec retentissant du concept de banlieue heureuse. Des débuts prometteurs sur fond de jardins individuels et d'appartements coquets l'avaient toutefois convaincu, au début. Il s'était donc installé à Malceny, cité des Beaux-Enfants, où, justement, sa femme enceinte attendait le leur.

Au lendemain de Mai 68, les rêves de retour à la campagne trouvaient un semblant d'assouvissement aux portes de la capitale. La fierté de vivre en HLM, en toute sécurité, loin de ce Paris déjà engorgé dont on cherchait à s'évader.

Monsieur Jacques avait aimé sa femme jusqu'au bout et il avait été aimé en retour, mais sa plus grande fierté était d'avoir une fille qui vivait aux États-Unis, ce qu'il considérait déjà comme une réussite. Une statue de la Liberté en plastique et d'autres babioles « made in USA » ornaient ainsi l'armoire vitrée de son salon. Perdues entre d'innombrables merdouilles gardées religieusement, comme autant de preuves qu'il avait vraiment vécu.

Vers la fin de sa maladie, sa femme avait dû garder le lit, ce qui, pour monsieur Jacques, avait grandement facilité les choses. Il lui racontait alors avec force mensonges la vie qui suivait son cours, dehors, derrière les rideaux tirés.

Il ne lui parla jamais des voitures qui brûlaient, du quartier qui se dégradait, des enfants qui l'insultaient quand il faisait ses courses, ni de la fois où il s'était fait agresser et fait voler son portefeuille. Celui dans lequel il gardait la photo de leur baiser sur l'île du Vert-Galant, au bord de la Seine. C'est d'ailleurs pour cela qu'il avait tenu bon sous les coups… Et bien sûr, il ne lui avait rien dit de cet homme qui l'avait un jour abordé dans le hall de l'immeuble et avec qui il avait passé un marché.

Puis elle était partie, un matin, sans souffrance, comme on s'endort ; et dans cet appartement, il n'eut plus personne à qui mentir.

De cambriolages en incivilités, de dégradations en violences gratuites, les voisins, les uns après les autres, quittèrent l'immeuble. Il aurait voulu les suivre, mais Paris était devenu inaccessible, trop cher, et à ses yeux – comme s'il était redevenu enfant – beaucoup trop grand. Puis malgré tout, ici, il était chez lui. Il y avait ses souvenirs, à un moment de sa vie où il ne lui restait qu'eux. Alors, comme vaccin contre la solitude, il avait adopté un chat. Un gros matou noir au ventre blanc que les derniers voisins avaient déposé sur son paillasson avant de fuir et qu'il avait appelé « Monsieur Chat ». Depuis six ans maintenant, l'animal subissait docilement toutes les confidences du vieil homme en ronronnant.

Autour du sien, les appartements se vidèrent, laissant presque à l'abandon un immeuble déjà décrépi, taggé jusqu'au deuxième étage, aux boîtes aux lettres sans nom et aux couloirs sombres, à la limite de l'insalubrité. Avant de le détruire, la municipalité de Malceny y logea donc des immigrés. Avec quatre-vingt-quinze nationalités différentes, elle n'eut aucun mal. Et monsieur Jacques perdit encore un peu plus pied. Les couleurs de peau, les coutumes, les religions et même les langues. Vingt ans plus tôt, sa curiosité l'aurait poussé à découvrir toutes ces différences, mais à son âge, il se contentait d'écouter parfois, l'oreille collée à sa porte, des engueulades en version originale.

Le samedi, vers 15 heures, à l'association des anciens de Malceny, il retrouvait madame Rose et d'autres retraités pour un bridge et quelques verres de porto. Tous deux veufs, Rose et lui s'autorisaient à flirter avec les yeux. Parfois du bout des doigts. Sans se l'avouer et parce que leur âge ne leur permettait pas grand-chose de plus.

Toutes les fins de mois, monsieur Jacques se rendait au commissariat de Malceny où une charmante policière le prenait par le bras pour l'accompagner et s'assurer qu'il puisse retirer sa pension de retraite au distributeur automatique bancaire sans faire de mauvaises rencontres. Sur le chemin ils échangeaient sur le temps, sur la vie, ou ce qu'il en restait. Elle lui parlait de son fils qui ratait sa quatrième et de son type qui n'aimait pas qu'elle soit flic. Aurait-elle été si agréable si elle avait connu le secret du vieil homme ? Si elle avait su ce qu'il cachait dans l'armoire de sa chambre, dans une valise rigide dissimulée par un carton de livres ?

Pas le revolver avec la boîte de cartouches. Mais le reste.

10

Dans l'ascenseur, Bibz, le petit Black habillé tout en noir, patientait les mains dans les poches. À côté de lui, Driss terminait de rouler son joint, tout en bloquant du pied la porte automatique qui tentait de se refermer toutes les quatre secondes. Colin, le troisième du groupe, les rejoignit enfin, flottant dans son jean, caleçon apparent et sweat-shirt démesuré. Avec ses cheveux blonds ébouriffés au gel, il ressemblait à un épouvantail habillé de fripes trop grandes pour lui.

— C'est au quatorzième, leur dit-il.

La cabine trembla avant de s'élever.

— Ça vient d'où ton surnom, Bibz ? demanda Driss.

— C'est à cause de ma daronne. Elle nous a appelés presque pareil avec mes frères. Hadidou, Habibou et Amidou. Alors comme on savait jamais après qui elle gueulait quand elle était bourrée, on s'est donné des surnoms.

— Ça va, elle s'est pas trop cassé le cul ta mère, niveau prénoms. T'as pas l'impression qu'elle s'est un peu foutue de vous ? ricana l'épouvantail.

Du haut de ses douze ans, Bibz toisa son interlocuteur.

— Déjà, quand on s'appelle Colin, on ferme sa gueule. Ensuite si tu continues à parler de ma mère, tu vas mourir dans cet ascenseur.

Et comme il paraissait très sérieux, les derniers étages passèrent en silence. Arrivés au quatorzième, ils inspectèrent successivement toutes les portes. L'un d'eux alerta les autres.

— Jacques Landernes, c'est ici.

— Mate, il a un paillasson « Bienvenue ».

Assis à la table de son salon, nappe en plastique, radio en fond sonore et café soluble fumant dans sa tasse, monsieur Jacques terminait une lettre destinée à sa fille, dans laquelle il reprenait les mensonges qu'il servait autrefois à sa femme. Sur ses genoux, son chat, plus efficace qu'un plaid malgré le temps moite et assommant, dressa ses deux oreilles au bruit de la sonnette. De là à bouger son gros cul de matou, il en aurait fallu un peu plus, et ce n'est que parce que son vieux maître se leva qu'il daigna migrer dans la chambre voisine. La sonnette retentit une seconde fois comme pour lui demander de se presser et il ouvrit enfin.

Trois silhouettes le poussèrent à l'intérieur, l'une le plaqua au mur en lui collant une main sur la bouche et le dernier claqua la porte. Il fut presque soulevé jusqu'au salon et assis de force en bout de table. Contre toute attente, c'est le plus jeune de ses visiteurs qui prit les commandes.

— Tout va bien papi. Reste calme.

— Que voulez-vous ?

Il aurait aimé mieux contrôler sa voix, mais elle leur confirma qu'il était terrorisé, pris dans un piège qui n'était autre que son propre appartement.

— On va pas fouiller, d'accord ? Tu vas nous montrer.

— D'accord… d'accord… attendez.

Monsieur Jacques se leva, assez surpris que ses jambes acceptent encore de le soutenir. Il se dirigea vers la commode de l'entrée sur laquelle se trouvait son portefeuille. Il en retira les mille cent euros de sa pension de retraite, qu'il posa sur la table. Étonnés, les trois intrus se regardèrent et Driss, le fumeur de joint, décida de se réveiller.

— Eh fils de pute, c'est quoi ce pourboire ?

Bibz estima qu'il avait fait son possible et que sa patience, toute relative, avait atteint ses limites. Il se posta face au vieil homme et plongea son regard dans le sien. Deux billes noires vides de toute émotion. D'un geste sec, le gamin lui porta un coup de poing, juste sous l'œil, lui enfonçant légèrement la pommette. Vu sa taille et son âge, les deux autres furent stupéfaits de la violence du coup et, en moins de vingt secondes, le côté gauche du visage de monsieur Jacques s'empourpra pour devenir violet l'instant d'après.

— Comment ça marque vite, les vieux !

— Tu l'as carrément colorié !

Bibz reprit la parole.

— Écoute, on sait ce que t'as chez toi. On veut juste le voir.

Le retraité comprit aussitôt.

— Mais vous n'êtes pas les bonnes personnes ! Vous n'êtes pas les bonnes personnes, trembla-t-il encore.

— Va falloir t'habituer à nos gueules. C'est nous que t'écoutes maintenant.

Monsieur Jacques les conduisit dans sa chambre. Un chien l'aurait défendu mais son chat les observa, allongé sur le lit, ventre de côté, sans leur porter d'intérêt particulier. Les chats ne servent à rien. Il ouvrit les portes battantes de son armoire et leur désigna, sous un carton plein de livres, ce qu'ils étaient venus chercher. Colin, celui aux vêtements trois tailles trop grandes, tira sur la valise puis la déposa sur le lit. Bibz l'ouvrit, et vérifia. Le revolver chargé, les deux boîtes de cartouches et une sacoche de deux liasses de billets de banque. Puis il fit le reste de l'inventaire. Deux pains de cinq cents grammes de cocaïne. Un autre rempli à ras bord du même produit déjà en doses d'un gramme. Huit pains de cinq cents grammes de cannabis et enfin deux pains remplis de barrettes de quatre grammes, prêtes à être écoulées. Sans compter l'argent, cela faisait environ cinquante mille euros de came et cent cinquante mille à la revente. Quand on sait qu'on peut tuer pour un regard de travers sur le 93, monsieur Jacques avait cent cinquante mille raisons d'être inquiet. Bibz ordonna à l'un de ses comparses :

— Prends une photo, ça va rassurer le Boss et tu remets tout à sa place.

Le vieil homme parut surpris.

— Je ne comprends pas, vous ne volez rien ?

— Pourquoi tu veux qu'on vole, c'est à nous maintenant. Et toi, tu changes pas de job, t'es toujours nourrice. Tu bosses avec nous et ici, maintenant, c'est aussi chez nous. T'as un double de tes clefs ?

— Désolé, non.

— T'en fais faire un rapide si tu veux pas qu'on défonce la porte, le jour où tu seras pas chez toi.

Tout en lui parlant, il fouilla dans sa poche et sortit une liasse de billets de vingt.

— Tiens, cinq cents euros.

— Ce n'est que trois cents par mois, normalement…

— T'as été augmenté. Ordre du Boss, paraît que c'est pour te fidéliser.

Soucieux, le vieil homme murmura :

— D'accord. Mais si les autres reviennent ? Ils n'étaient pas très commodes non plus.

— T'inquiète pas pour ça, on les a mis en vacances.

Rassuré par la tournure étonnamment commerciale de la conversation, monsieur Jacques s'enhardit. Sans doute trop.

— Et… si je veux arrêter ?

Énervé, Bibz l'attrapa par le col et le jeta sur le lit. Le chat fit un bond et tenta de fuir la pièce en passant entre la forêt de jambes dressées devant lui. L'une d'elles lui envoya un coup de pied qui le fit valser contre le mur dans un miaulement de douleur. Le vieux implora presque.

— Non ! Je vous en supplie. Ne faites pas de mal à Monsieur Chat.

Son joint maintenant allumé et au coin des lèvres, Driss éclata de rire.

— T'as vu la taille du machin, c'est pas un chat, c'est un putain de poney ! En plus, la *hchouma*[1] : il a appelé son chat « Monsieur Chat » !

Sans aucune compassion, Colin en rajouta.

1. « La honte », en langue arabe (particulièrement au Maroc).

— Noooon, c'est la mère à Bibz qui lui a trouvé son prénom ou quoi ?

Pour le petit Habibou, plusieurs lignes blanches avaient été franchies. Le vieux qui ne voulait plus faire la nourrice et maintenant les deux connards qui lui manquaient de respect. Dans la valise encore ouverte il se saisit du revolver. Il empoigna monsieur Jacques par la chemise, le força à se lever en faisant sauter quelques boutons, puis braqua les deux autres.

— Dans le salon, bande d'enculés.

Personne ne souffla mot. Quand ils furent autour de la table, il leur cria dessus, l'arme toujours à la main.

— Assis !

Bibz se rendit dans la cuisine. On entendit quelques bruits de vaisselle et il revint, four micro-ondes dans les bras, qu'il posa sur la table en face d'eux comme un téléviseur. Il débrancha le poste de radio puis brancha l'appareil. Il retourna dans la chambre et réapparut, tenant le chat par le gras du cou. Il ouvrit la porte du micro-ondes, colla l'animal à l'intérieur dans un discret miaulement de surprise et démarra à pleine puissance.

— Je crois que vous avez pas bien compris c'est qui qui commande ici, bande de bâtards. C'est moi qui ai le Boss au téléphone. C'est à moi qu'il donne les ordres.

Le chat tournait doucement, comme les ballerines dans leur boîte à musique. Les poils se mirent à crépiter et à fumer. Une longue complainte ininterrompue sortit de l'habitacle illuminé. Son collier antipuces, se finissant par une boucle en métal, se mit à étinceler puis à jeter de petits éclairs.

— Toi, papi, tu vas bosser pour nous comme avec les autres.

Les molécules d'eau bouillonnaient dans le corps de l'animal. Tout comme le sang et le cerveau. Son miaulement se fit de plus en plus strident, proche du pleur d'un nourrisson.

— Et vous deux, les malins, si y en a encore un qui parle de ma mère, j'lui colle une balle dans la bouche.

La peau du chat commença à gondoler comme s'il changeait de forme continuellement, puis le sang gicla en jet soutenu par les yeux pendant quelques secondes avant que la bête n'explose littéralement contre la vitre du micro-ondes. Monsieur Jacques suffoquait de rage et de peine. Les deux autres avaient baissé les yeux depuis déjà quelques secondes pour s'épargner cette agonie.

La voix de Bibz était redevenue calme.

— Tout le monde a bien saisi ?

11

Bibz n'avait pas le sentiment d'être allé trop loin. « Trop » était une notion qu'il définissait assez mal. Il avait toujours vécu dans le trop. Trop pauvre, trop violent, trop seul. Un père inconnu, une mère alcoolique. Un premier frère en prison pour avoir vengé le second dans une histoire dont personne ne se rappelait le début. Une éducation à coups de poing ou de ceinture en fonction du bourreau. Il avait rapidement appris la nécessité de se faire respecter à tout prix, de ne jamais baisser les yeux – même devant une bonne rouste –, et la certitude qu'à tout coup donné il fallait en rendre cent. Bibz était trop jeune, trop petit. Une proie facile. Il avait dû s'endurcir au-delà du raisonnable.

À huit ans il subvenait déjà à ses propres besoins, puis à dix il dut pallier ceux de sa mère suite à l'arrêt du versement des Allocations familiales. Pas d'école, pas d'enseignement, il ne savait ni lire ni écrire et son avenir ne s'inscrivait dans aucun des cursus existants. C'était un gosse des rues, et s'il arrivait à l'âge adulte, il serait un paria.

Rien ne lui serait jamais offert, ni même accessible. Il devait prendre de force, arracher, soustraire, voler, escroquer, braquer et frapper fort quand il se faisait attraper.

Bibz savait charger une arme et l'utiliser. Démarrer une voiture avec les fils. Menacer et mettre à exécution. Il connaissait tous les raccourcis et les passages souterrains de plusieurs cités. Le B.A.-BA de son quotidien. Les règles simples de la survie.

Les ethnopsychiatres s'attachent à comprendre les mécanismes de pensée et le rapport au mal en fonction du contexte, du lieu et de la culture. Ainsi, un sujet né dans un pays en guerre aura un rapport à la violence différent de celui d'un gamin du XVIe arrondissement de Paris. Si le cas de Bibz avait été étudié, il aurait été considéré comme un enfant soldat. De ceux à qui on colle une Kalachnikov et qu'on envoie au front.

Dans l'allée qui longeait l'immeuble, il avait quelques mètres d'avance sur ses deux comparses, silencieux et pas encore très bien remis du coup du micro-ondes. À 20 heures passées, le soleil d'été jouait les prolongations, grimant les tours et les quelques arbustes fatigués d'une aura dorée, à la manière d'une publicité mensongère. Comme le Boss le lui avait demandé, il composa son numéro et fit son rapport.

— C'est Bibz.

— Habibou, je suis content de t'entendre.

Le Boss l'avait rencontré il y a près d'un an, un soir au bas de son immeuble, le visage en sang pour n'avoir, une fois de plus, pas su baisser les yeux devant plus grand et plus fort.

— C'est bon pour le vieux, il est d'accord.

— Tout s'est bien passé ? Tu n'as pas rencontré de problèmes ?

72

— À part les deux enculés que vous m'avez collés et qui savent pas fermer leur gueule ?

— Personne n'écoute les gens vulgaires Habibou, personne.

— Pardon, mais j'ai failli en buter un.

Le Boss s'était occupé de Bibz comme un grand frère et le mettait régulièrement sur des coups qui lui assuraient de gagner un peu d'argent. Il ne l'avait jamais frappé, ni insulté. Il ne l'avait même jamais rabaissé.

— Si tu perds ton autorité, tu perds tout. Comment as-tu géré la situation ?

Le jeune garçon récita :

— La violence crée la peur et la peur soumet les hommes.

— Tu fais du très bon travail Habibou, je suis fier de toi. Tu me rappelles après la seconde adresse.

La confiance que l'enfant portait à cet homme relevait de l'adoration. S'il l'avait collé sur le bord d'une falaise en lui demandant de sauter, Bibz ne l'aurait même pas laissé terminer sa phrase.

Quand le Boss raccrocha, l'œil accusateur de son voisin était toujours posé sur lui. Il s'excusa poliment et se concentra à nouveau sur la voix du professeur qui terminait, dans l'amphithéâtre de la Sorbonne, le cours du soir portant sur l'économie et la gestion des entreprises, module prospective, stratégie et organisation.

Au quatorzième étage, monsieur Jacques avait enfilé une paire de gants de vaisselle et s'était approché du four micro-ondes, un sac-poubelle à la main. Il ouvrit la porte et l'odeur du mélange de chairs bouillies et de poils cramés le submergea. Était-ce la puanteur, le visuel ou la certitude qu'il ne pourrait désormais plus jamais cuisiner avec ? Il referma immédiatement l'appareil, le débrancha, l'entoura de sa prise et fourra le tout au fond du sac.

Sur la table, ses yeux se posèrent sur la lettre inachevée qu'il écrivait à sa fille : « Rien ne change ici. La vie est au beau fixe et si ce n'était le courage de te rendre visite et de faire ce long voyage, je ne saurais que demander de plus au Seigneur. »

Qu'il était fatigué de mentir…

Puis, comme si la peur et la violence avaient parasité son cerveau, ce n'est qu'à ce moment qu'il pensa à Rose, son flirt du samedi, sa compagne de bridge. Son cœur tapa contre sa poitrine et, les doigts tremblants, il dut s'y reprendre à deux fois pour composer son numéro de téléphone.

12

Sous une lumière tamisée violette, dans une chambre aux tons pastel, assise à même la moquette, dos contre la table de chevet qui séparait les deux lits, Johanna terminait de lire une histoire. Celle de deux gamins abandonnés par leurs parents, perdus dans la forêt, et qui découvrent une maison en bonbons qu'une sorcière affamée utilise comme piège à enfants. De quoi faire des cauchemars, mais une manière comme une autre de se préparer au monde extérieur. Une fois la méchante expédiée dans son four, elle referma le livre.

Sur le lit de gauche, sa fille l'interrogea.

— C'est possible que des enfants tuent une sorcière ?

— Une sorcière, un ogre ou un dragon, tout est possible quand un frère et une sœur se protègent.

De l'autre côté, l'aîné, pas bien plus âgé, restait perplexe, perdu dans ses pensées. Elle les embrassa chacun leur tour avant d'éteindre la lumière. Dans le silence de la chambre, sous la lueur de la veilleuse, le garçon chuchota.

— Je t'aime, mais si y a une sorcière, moi je te laisse.

Cachée sous les draps, une toute petite voix craintive lui répondit.

— Dis pas ça…

Johanna descendit l'escalier qui menait des chambres au salon de son pavillon, toutes fenêtres ouvertes, à la recherche du moindre courant d'air. Elle y retrouva Victor, Sam et Ronan assis autour de la table basse. Karl De Ritter, son époux, y déposa une carafe pleine de glaçons pilés, de menthe hachée, de rhum et de rondelles de citron vert. Elle s'assit sur le canapé et, sans choisir un interlocuteur particulier, s'inséra dans la discussion.

— C'est quand même super violent, les contes pour enfants. Je me demande si je ne ferais pas mieux de leur raconter directement nos affaires ?

Sam, qui devait avoir sur le sujet la même tolérance que les deux petits, ironisa :

— Ouais, t'as raison, tu devrais les réveiller, qu'on leur raconte celle du type aux genoux percés. Ils en profiteront pour fumer une clope et s'envoyer un mojito avec nous. T'es d'accord, Karl ?

Habitué aux provocations sans méchanceté des collègues de sa femme, Karl se contenta de sourire et de remplir les verres. Passé sa méfiance naturelle, il en était venu à apprécier chacun des membres de cette équipe. Coste, protecteur. Sam, attachant. Ronan, impétueux. Ils se soutenaient les uns les autres, se faisaient confiance, et il avait eu besoin de les connaître mieux pour être rassuré.

— Désolé de faire le rabat-joie, mais on est de

permanence cette nuit, alors juste un verre, OK les enfants ? dit Coste.

— Tu rigoles, Victor ? objecta Ronan. Tu l'as dit toi-même. Qu'est-ce qui peut nous arriver de grave en deux semaines ? On a tout notre temps. Par exemple Karl pourrait nous raconter comment lui et Johanna se sont rencontrés ?

Sur la défensive, Johanna menaça :

— Je t'interdis de répondre, Karl ! Ronan transforme tout en grosses vannes lourdes, même les belles histoires.

Et avant qu'il ne brave l'interdit en révélant comment elle lui avait changé, un soir de pluie, un pneu crevé en moins de six minutes, le téléphone de Coste retentit. Tout le monde reconnut la sonnerie. Celle du portable professionnel. Une sonnerie qu'ils en étaient venus à détester dans un réflexe pavlovien. Chacun posa son verre en attente du verdict.

— Capitaine Coste.

— Bonjour Victor, commandant Auclair, de la SIC. Vous avez un nouveau client sur Malceny.

— Racontez-moi tout ça.

Il nota les informations sur un calepin et, quand il raccrocha, Sam, Ronan et Johanna avaient déjà ramassé leurs affaires, prêts à décoller. Avant de passer la porte, ils récupérèrent leurs armes respectives dans l'armoire de l'entrée et les glissèrent dans les étuis accrochés à leurs ceintures. Karl ne s'y ferait jamais. Pourquoi certaines personnes risquaient-elles leur vie pour protéger celle des autres, et surtout, pourquoi sa femme ? Il l'en aimait d'autant plus mais l'inquiétude lui bouffait le ventre.

— Fais attention à toi.

Johanna lui colla une main aux fesses.

— Mets les mojitos au frais. Ce sera à toi de faire attention à moi quand je rentrerai.

13

Au fond du couloir, au neuvième étage de l'immeuble, Sam se contentait de rester sur le palier, derrière le ruban jaune du périmètre de sécurité.

— Tu sais que le ruban c'est pas pour toi. Tu peux passer dessous, lança Johanna.

— C'est dégueu ?

— Non, c'est supportable, tu peux venir.

Les policiers en tenue s'écartèrent et il entra dans l'appartement. Coste était accroupi devant le cadavre d'une vieille dame allongée sur le sol, les yeux encore grands ouverts, un rictus de douleur sur le visage. En fond sonore, les radios police crachaient à volume réduit l'activité du département.

— Sam, tu prends les infos auprès de l'équipage primo-intervenant. Nom du requérant, heure d'appel et ce dont il a été témoin. Johanna, appelle l'Identité judiciaire et jusque-là, on garde les mains dans les poches.

Ronan apparut à son tour dans l'encadrement de la porte.

— J'ai vu le médecin des pompiers. Mort naturelle, probablement une crise cardiaque. Elle s'appelle Rose.

Rose Carpentier, née en 1945. Les morts naturelles, c'est pour le commissariat, non ?

— Oui, normalement. Si ce n'était ce détail, répondit Coste.

Ronan observa mieux la scène.

— Ouais, effectivement c'est pas commun.

Sur le corps de Rose Carpentier et tout autour d'elle étaient éparpillés par dizaines des billets de vingt euros froissés. Une somme que, plus tard, les flics évalueraient à cinq cents euros exactement. De son côté, Sam avait récupéré les informations demandées et il s'adressa à ses deux collègues en prenant soin de ne pas regarder au sol.

— Elle a été découverte en l'état par son voisin pakistanais. Vu le stress du témoin, je parie pour un sans-papiers, on n'en tirera pas grand-chose. Il a appelé Police secours à 21 heures.

Coste tiqua, comme le reste de son équipe.

— Il l'a découverte en l'état... Tu veux dire que la porte d'entrée était ouverte ? Et l'argent est toujours là...

Ce détail venait mettre un grain de sable dans le rouage de leurs déductions. Ils furent interrompus par un des policiers en tenue.

— Mon collègue m'avertit qu'un magistrat vient de prendre l'ascenseur. Fleur Saint-Croix, vous connaissez ?

Ronan souffla, déjà exaspéré :

— Merde, la chieuse de ce matin. Elle a pas d'amis ou quoi ?

Lorsque les portes automatiques s'ouvrirent au bout du couloir, une jeune femme blonde, coupe au carré et sacoche en cuir sous le bras, fit une apparition remarquée. D'abord parce qu'elle était franchement jolie, mais aussi parce que ses petites ballerines, sa jupe un poil trop courte et sa chemise cintrée juraient avec le décor. Sam dit à voix haute ce que personne n'osait formuler.

— Elle fait pas un peu pute, la magistrate ?

En expert, Ronan précisa :

— Je dirais plutôt super sexy, mais t'as raison, elle est pas vraiment sapée pour l'occase.

Et comme elle s'approchait d'eux, sa phrase se termina en chuchotement. Elle les regarda les uns après les autres et s'adressa instinctivement à celui qui, pourtant, restait en retrait. Épaules larges, barbe de trois jours et regard profond, il n'était pas spécialement grand, pas spécialement costaud, mais sans qu'elle se l'explique, il lui paraissait évident qu'il dirigeait le groupe.

— Capitaine Coste ? Fleur Saint-Croix. Vous avez fait vite.

— Bonsoir madame. Je vous renvoie le compliment.

— Une personne âgée découverte morte sur un matelas d'argent, j'ai jugé ça assez intéressant pour me déplacer. Lequel d'entre vous est le lieutenant Scaglia ?

Ronan fit un pas en avant.

— Je croyais vous avoir demandé un compte rendu en milieu d'après-midi sur l'affaire du box de la cité des Poètes. Vous m'avez oubliée ou vous aimez les rapports conflictuels ?

— Désolé madame, mais sur cette affaire vous avez changé d'interlocuteur. C'est le Groupe crime 2 du capitaine Jevric qui a été saisi de l'enquête, c'est elle qui aurait dû vous faire son compte rendu.

Fleur Saint-Croix parut se satisfaire de la réponse et reprit le cours de sa conversation avec Coste.

— Capitaine, vos premières hypothèses ?

— Je dirais… Sortie de l'école de la magistrature depuis moins d'un an. Haute opinion de soi-même. Sans doute un papa policier et l'envie de faire mieux que lui en devenant magistrat. Pas encore familière avec le protocole qui veut que si vous avez quelque chose à dire à un membre de mon équipe, c'est d'abord par moi qu'il faut passer.

Elle encaissa sans broncher et, mieux, son sourire inattendu neutralisa toute animosité ambiante.

— Sur l'enquête, capitaine, vos premières hypothèses sur l'enquête.

Coste estima que le message était reçu et ferma la parenthèse.

— Comme vous le voyez. Une petite vieille recouverte de billets. Ce qui est surprenant c'est que le voisin l'a trouvée porte grande ouverte. Tout cet argent à disposition de n'importe qui et pourtant toujours là, comme s'il était empoisonné… À croire qu'il était déconseillé d'ennuyer Rose Carpentier et que tout le monde le savait.

Ronan souleva le ruban police et Saint-Croix entra dans l'appartement. Son regard passa sans émotion particulière sur le cadavre puis elle fit quelques pas de côté pour ne pas gêner le travail des policiers. Coste poursuivit le cheminement de sa pensée.

— On est en train de se déconcentrer. Oublions que c'est une retraitée apparemment sans histoire. Quand on interpelle un type avec cinq cents euros en billets froissés dont aucun ne dépasse vingt euros, quelle est notre première supposition ?

— On pense à un petit dealer de rue, répondit Ronan. Mais je doute sérieusement que Rose, à son âge…

Il s'arrêta dans son raisonnement, car à son tour, il venait de comprendre.

— Merde, c'est pas ses économies, c'est sa paye ! Et le dealer c'est son employeur. Rose est une nourrice.

— Et sans sa crise cardiaque, on n'aurait jamais mis le doigt dessus. Le coup de chance. Enfin, je veux dire, pour nous surtout, ajouta Sam.

Johanna, qui jusque-là était restée silencieuse, prit la parole.

— Si comme pensent les Stups on a un putsch sur les caïds de Malceny, peut-être que les nouveaux sont venus faire les présentations. Ils en profitent pour montrer leur sérieux. La vieille flippe, son cœur s'emballe et elle fait une crise cardiaque sous une pluie de pognon. Sylvan cherche des planques sophistiquées alors que toute la came est bien gardée par une grand-mère au-dessus de tout soupçon. Quasi indétectable.

Sam, dont toute l'équipe connaissait l'inavouable travers, se permit toutefois de faire partager son expérience.

— D'accord pour de la coke ou de l'héro, mais s'il y avait une grosse quantité de cannabis, je l'aurais… enfin, ça se sentirait un minimum.

— Pas obligatoirement.

— Alors il ne nous reste qu'une solution.

— La Canine.

14

Dans sa chambre, assis sur un matelas à même le sol, Bibz terminait son kebab dans une boîte en polystyrène jaune, habitué à ce que sa mère ne cuisine plus depuis longtemps. Son seul frangin en liberté ne passait que de temps à autre, soit pour se changer, soit pour se planquer de la police, et ils ne se croisaient que très rarement. Décoration habituelle : une affiche du film *Mesrine*, un poster de Tony Montana flingues à la main et un autre de Brando dans *Le Parrain*. Personne n'aurait pu taxer Habibou d'optimisme vu le final sordide de chacun de ses héros. Il avait choisi un style de vie et il connaissait les probabilités pour que cela tourne mal. Son téléphone sonna et d'un revers de manche il s'essuya la bouche. La conversation fut courte et, tout de suite, elle justifia un autre appel.

— Boss, c'est Bibz.

— Je t'écoute, Habibou.

— Y a des flics partout à l'immeuble de la vieille.

— Non. Ils ne peuvent pas être au courant. À moins que… comment s'est passé votre entretien ?

— Vous inquiétez pas. Bon, au début elle flippait. Je crois qu'elle était plus effrayée par la bande de Souki

84

que par nous, alors il a fallu lui expliquer qui étaient les nouveaux patrons, mais elle allait bien quand on est partis. Elle tremblait, mais ça allait.

L'homme prit le temps de réfléchir.

— Pour l'instant personne ne bouge. Passe quelques coups de fil, fais rapprocher du monde, mais on ne tente rien tant que les flics ne font rien. Ils peuvent être là pour un tas d'autres raisons.

15

Emy arriva, passablement surexcitée. Elle tirait si fort sur sa laisse que sa respiration en devenait rauque. À l'autre bout, son maître tentait de la canaliser.

— Vous allez me la faire crever ! Dans le hall déjà, elle en pouvait plus. Il est construit en shit, votre immeuble ?

Comme l'aurait été la maison de la forêt, dans *Hansel et Gretel*, si la sorcière avait été une toxico, s'amusa Johanna.

La croisée malinois spécialisée dans la recherche des produits stupéfiants fit irruption dans l'appartement, jappant sa frustration, laisse tendue à rompre, dérapant sur le lino et collant sa truffe partout. Elle s'arrêta un instant dans la cuisine et aboya franchement. Dans le double fond du meuble sous l'évier, Sam retira six pains de plastique remplis de poudre blanche. Emy fut félicitée et dirigée vers les autres pièces. Dans la chambre, un des côtés du matelas avait été ouvert au couteau, permettant d'y insérer la main. Sam en sortit une série de huit pains de plaquettes marron et huileuses. Nouvelles félicitations. Dans la salle de bains, le cache en bois latéral de la baignoire ôté révéla quatre autres pains contenant des plaquettes identiques. Au même endroit, un peu plus au fond, une sacoche en tissu contenant une liasse compacte de billets de banque fut découverte. Cette fois-ci, uniquement des grosses coupures.

Fleur Saint-Croix, Coste et son équipe étaient maintenant contemplatifs, autour de la table du salon où avaient été empilés les dix-huit pains. Bien que Johanna se doutât de la réponse, elle essaya tout de même.

— C'est clairement une autre affaire de stups. Tu veux la shooter à Sylvan et Jevric ?

— Certainement pas. Ils auront toute la came, mais Rose elle est à nous.

De son côté, Sam semblait perplexe et ne parvenait toujours pas à comprendre comment une telle quantité de cannabis avait pu ne pas réveiller son odorat, ni celui de personne.

— Y a au moins douze kilos de shit frais pas encore coupé. On devrait les sentir depuis le couloir ! s'exclama-t-il.

Le maître-chien saisit un des sacs et lui expliqua :

— Ce sont des SPB. Des *smell proof bags*, des sacs anti-odeur. Double fermeture à zip, plastique renforcé, même l'eau ne pourrait pas passer. Aucune chance de les détecter, à moins d'avoir une truffe.

Saint-Croix se rapprocha de Ronan en faisant un pas de côté pour éviter le chien encore très excité.

— D'après vous, cela représente combien d'argent ?

— Si ceux-là sont des deux cent cinquante grammes et ceux-là des un kilo, je dirais, à vue de nez… Deux cent mille euros à la revente. Plus la liasse de billets.

— C'est beaucoup.

C'est beaucoup trop, pensa Coste.

Il jeta un coup d'œil par la fenêtre de la chambre. Leur voiture banalisée. Les deux véhicules aux portières siglées police dont une semblait provoquer la cité avec son gyrophare bleu tournant. S'y ajoutaient le fourgon de la Canine et le camion des sapeurs-pompiers en attente du passage de l'Identité judiciaire pour pouvoir lever le corps. Venu pour un homicide, Victor n'avait pas prévu d'être discret et maintenant il le regrettait. L'information de leur présence avait déjà dû circuler et quand elle vaut deux cent mille euros, ce genre d'information va très vite. À la faveur des quelques réverbères laissés intacts, il vit, neuf étages plus bas, des groupes de silhouettes se former, encore à bonne distance. Ça va déraper, se dit-il. Il chercha Ronan du regard. Lui aussi s'était posté devant la fenêtre et en était arrivé à la même conclusion. Ils échangèrent à voix basse.

— Ça va déraper, Victor. Ils nous laisseront jamais sortir d'ici. Pas avec le matos.

— Je sais. Cet immeuble est devenu un cercueil. Je demande des renforts à la SIC. Va briefer la magistrate.

Suivant les ordres, Ronan invita la jeune femme à le suivre dans la chambre et à s'asseoir sur le lit. Il s'accroupit devant elle mais, déjà inquiète, les genoux serrés et les mains posées dessus, elle ne lui laissa pas le temps de commencer.

— Vous ne vous attendiez pas à en trouver autant, c'est ça ?

— Oui madame. Ce n'est pas vraiment une bonne nouvelle. Si on avait su, on aurait adapté les effectifs en conséquence, mais on va s'en tirer, comme on s'en tire toujours, d'accord ? Le capitaine est au fil avec la salle de commandement. Dans très peu de temps on va recevoir une Compagnie d'intervention en renfort. Vous les connaissez, les CI : ce sont les colosses en armure qu'on voit dans les reportages. Il paraît qu'ils sont incassables. Tout va bien se passer et demain vous aurez une chouette histoire à raconter.

Dans le salon, Coste termina son appel, réunit tout le monde et essaya de les rassurer.

— Je viens d'avoir le commandant Auclair. J'ai fait annuler l'Identité judiciaire par sécurité. On attend deux CI dans moins de trois minutes pour notre évacuation. Sam, tu prends en photo tout l'appartement et la scène de crime, qu'on garde au moins une idée de la disposition des choses. Ensuite tu me trouves une valise pour y fourrer tous les sacs. Johanna, quand il sera temps, tu t'occuperas de sa protection jusqu'à la voiture. Ronan, tu ne lâches pas la magistrate d'une semelle. La Canine, vous restez sous l'aile des collègues en tenue.

— Et Rose ? demanda Sam. On va pas la laisser là ?

Coste se tourna vers le corps.

— Rose, je m'en charge.

Alors qu'il prononçait ces mots, une ombre noire passa devant la fenêtre du salon. Une plaque d'égout de soixante kilos jetée du dernier étage fendit les airs en silence et vint s'écraser sur l'un des véhicules de police. Celui avec le gyrophare tournant qu'elle explosa avant de traverser le toit et de presque couper en deux le bas de caisse. Le bruit de métal froissé s'entendit jusque dans l'appartement.

— Ça commence…

À cent mètres de là, toutes sirènes hurlantes, les deux fourgons noirs de la Compagnie d'intervention firent irruption dans la cité. L'un d'eux emprunta l'allée et le second roula directement sur ce qui restait de l'aire de jeux pour enfants. Le conducteur du premier fourgon opéra un virage au frein à main et le véhicule pila au bas de l'immeuble. L'autre s'arrêta quelques mètres avant. Les portes latérales s'ouvrirent. La première équipe de cinq hommes casqués, bouclier à la main et protection exosquelette[1] pénétra dans le hall. La seconde équipe forma un arc de cercle autour des autres véhicules et se prépara à l'assaut. Face à eux se tenait une masse informe de silhouettes encore dissimulées. Sifflements, insultes, jets de cailloux et ce fut bientôt une boule de pétanque qui arriva de plein fouet sur l'un des boucliers, suivie d'une vingtaine d'autres projectiles de toutes tailles. Deux policiers sortirent leur Flash-Ball, les trois autres des extincteurs lacrymogènes.

Dans les escaliers se jouait une course contre la montre. Coste portait Rose comme on le ferait d'une mariée, suivi de Johanna, de Sam et de la valise. Devant eux Fleur Saint-Croix n'avait pas lâché le bras de Ronan. Même Emy avait cessé d'aboyer, sentant encore mieux que les autres le stress de la situation. Ils franchirent la porte donnant sur le hall où l'équipe d'intervention les attendait. À la vue de Coste, le chef de dispositif s'inquiéta.

— On a une victime ?

1. Armure en plastique renforcé utilisée en mission de maintien de l'ordre, assurant la protection des chevilles, tibias, genoux, parties génitales, bras, coudes, épaules. Poids : 7 kg.

— Non, elle, elle est déjà morte, c'est nous qu'il faut tirer de là.

À l'extérieur, en moins de trente secondes, le paysage avait changé. Face aux policiers en armure, des grappes d'individus sous capuche. Les bras levés, faisant de grands gestes, à la fois pour les déconcentrer mais aussi pour leur montrer qu'ils n'étaient pas armés. Une manière de laisser le champ libre à ceux qui, planqués, s'occupaient à canarder. Un écrou de chantier gros comme un poing traversa le ciel et vint fissurer la visière d'un des policiers qui tomba au sol, immédiatement relevé par son binôme. Derrière eux, un scooter surgit à vive allure. Le passager, une bouteille enflammée à la main, la jeta sous le véhicule déjà amoché par la plaque d'égout. Dans un bruit de verre brisé, ce dernier s'embrasa aussitôt.

Dans le hall de l'immeuble, à quelques mètres des échauffourées, le chef de dispositif opta pour une sortie plus musclée que prévu. Il hurla ses ordres.

— On oublie les sommations ! Tir de deux DMP avant de quitter le hall ! Tir de trois flashs à la sortie ! On escorte, on monte dans les bagnoles et on se barre de là !

Les boucliers se dressèrent, la porte vitrée du hall s'ouvrit et les grenades DMP furent lancées par-dessus le cordon de policiers à l'extérieur. Au bout de deux secondes elles explosèrent, se fragmentant en une multitude de petits projectiles plastiques, fauchant la foule agressive au niveau des jambes et la dispersant un instant.

Ronan vérifia que la magistrate était prête à courir le plus vite possible, mais il ne vit qu'une fille apeurée, assise par terre, le regard absent, les bras enserrant ses genoux. Il l'attrapa par les épaules et la secoua franchement. Sans résultat.

Profitant de l'effet de la première salve, l'opération d'extraction débuta. Une première grenade flash fut envoyée. La violente impulsion sonore frappa les tympans des deux côtés de la ligne de front et la lumière aveuglante blanchit les rétines. Sam et Johanna profitèrent de la confusion pour réussir sans encombre le trajet jusqu'à la voiture. Toujours sous protection, les flics en tenue et Emy, queue entre les jambes, oreilles baissées, furent eux aussi escortés à bon port. En même temps qu'une nouvelle grenade flash, deux autres bourrées de lacrymogène furent dégoupillées et balancées dans la foule. Sous un bouclier, Coste porta le corps de la vieille dame jusqu'au camion des pompiers, portes arrière déjà ouvertes. Il y grimpa et déposa Rose sur le brancard avant de faire demi-tour. Un des pompiers cria :

— Restez ! On vous prend avec nous !

Sourd à la proposition, Coste sauta au bas du camion, se saisit d'un bouclier dans le fourgon de la CI et fit un sprint jusqu'à l'immeuble. N'y restait plus que Ronan dans le hall vide, la paralysie de la jeune magistrate lui ayant fait rater le départ. Il la secoua encore, beaucoup plus fort et elle sortit enfin de sa peur.

— Écoute-moi !

Il l'attrapa par la nuque et fixa ses yeux dans les siens.

— Écoute-moi ! On va sortir, d'accord ? C'est le bordel dehors, alors t'écoutes que ma voix, tu fais attention à rien d'autre, tu fermes les yeux et tu te laisses diriger. Dis-moi que tu m'as compris.

— Je t'ai compris.

À ce moment-là, elle l'aurait suivi n'importe où. Coste apparut, bouclier à la main.

— Vous voulez un café ou on se tire d'ici ?

Ronan enroula son bras autour de la proc' et la saisit fermement par les hanches. Coste leva le bouclier, décocha un coup de pied dans la porte et ils coururent comme jamais. Fleur Saint-Croix fut d'abord asphyxiée par le gaz lacrymogène qui lui brûla la gorge, le nez et les yeux. Une grenade assourdissante lancée pour diversion explosa en la faisant sursauter et elle sentit au même moment la chaleur du véhicule de police en feu. Elle fut poussée dans une voiture, entendit les portes claquer, les pneus crisser, les cris s'éloigner. Quelques secondes plus tard, quand elle osa rouvrir les yeux, il n'y avait plus de cité, plus de détonations. Juste leurs respirations saccadées, une ville dans la nuit et ce silence, presque bizarre.

— Tout le monde va bien ? s'assura Coste.

— Putain, c'était chaud.

— Limite, je dirais.

À l'arrière, Fleur restait agrippée au bras de Ronan. Au bout de quelques kilomètres, Coste apaisa les esprits en les forçant à retrouver une routine familière.

— On rentre au service. Johanna, tu mets la came au coffre. Sam, t'appelles les CI, la Canine, les pompiers et le commissariat de Malceny, je veux être sûr de n'avoir aucun blessé. Ensuite on prend un verre. Un verre ou quinze.

Il regarda dans le rétroviseur.

— Ronan, tu ramènes la petite ?

— Je m'en occupe.

16

Rue Mademoiselle dans le XVe arrondissement de Paris. Après un trajet silencieux de la banlieue à la capitale, Ronan se gara au bas de l'immeuble haussmannien et coupa le contact.

— Ça va aller, vous ?

— Non, pas du tout.

Malgré la voiture à l'arrêt, elle ne bougea pas.

— Vous ne me tutoyez plus, lieutenant ? demanda-t-elle avec un petit sourire.

— Désolé, j'ai tendance à oublier les formules de politesse dans certaines situations.

Fleur Saint-Croix se tourna légèrement afin de lui faire face.

— J'ai l'impression que vous m'avez sauvé la vie. Ça va changer nos relations.

— Vous exagérez. Je vous ai sortie d'un mauvais pas, tout au plus. S'ils avaient voulu nous faire plus de mal, ils auraient pris d'autres armes qu'une plaque d'égout et un cocktail Molotov. Pour les trafiquants, il n'y a que du négatif à attirer l'attention des forces de l'ordre. C'étaient juste des gamins qui ont tenté de nous intimider.

— Vous entendez quoi par gamins ?

— Je sais pas, entre dix et vingt-cinq ans.

Elle reprit sa position initiale et croisa les bras.

— J'ai vingt-cinq ans.

Ronan plissa le nez et articula « merde » sans le dire. Il se rattrapa tant bien que mal.

— Quoi qu'il en soit vous avez été très courageuse.

— Prostrée et tremblante, vous parlez d'une aventurière ! Mon cœur n'arrive pas à retrouver son rythme normal, je risque pas de fermer l'œil de la nuit.

Puis il y eut un silence. Le temps d'une décision.

— Tu veux que je monte ?

De toute façon, elle le lui aurait proposé.

— Pour le coup, ça va vraiment changer nos relations.

Une chance pour leur intimité qu'il n'y ait pas eu de caméra sous le porche de l'immeuble. Ni dans l'ascenseur ou les couloirs.

Deuxième partie

La Reine

17

Depuis dix ans, le Boxing Club de Malceny s'était installé dans un ancien hangar, aux limites de la ville. Dans les vestiaires vides, Markus patientait entre deux rangées de casiers en métal gris. Les bruits de la cérémonie ne lui parvenaient qu'en murmure. Assis sur un banc, poings serrés, Markus n'était plus là. Markus était déjà sur le ring.

Dans la salle principale, des chaises avaient été disposées en arc de cercle. Les premiers invités prenaient place, dans une excitation palpable. Une large banderole, accrochée aux arches du plafond, affichait en lettres d'or les initiales du club, « BCM ». Sur les murs, des affiches rouge et blanc annonçaient fièrement l'événement :

29 JUIN 2013 À 14 HEURES
INAUGURATION DE LA SECTION « BOXE ÉDUCATIVE »
En présence du maire de Malceny
Match de démonstration – Assaut courtois
MARKUS VS G.H. GORDAH

Markus, vingt et un ans, né au Bénin, était une bête de quatre-vingt-onze kilos pour un mètre quatre-vingt-quinze. Gokay Hasib Gordah, quatre-vingt-sept kilos pour un mètre quatre-vingt-cinq, était un Turc de vingt-six ans. Tous deux dans la catégorie poids lourds. Tous deux motivés par le même objectif : sortir de ce trou à coups de poing.

Assis au premier rang, monsieur Bastide, le directeur du club, dans son jogging BCM qui n'avait pas dû faire de sport depuis que son propriétaire avait passé le quintal, s'était penché vers madame le maire.

— La boxe éducative est normalement réservée aux huit-treize ans. C'est l'école du respect des règles. Il n'y aura que des touches, les coups ne seront pas portés. De la technique, uniquement de la technique.

— Ils m'ont l'air d'avoir un peu plus de treize ans, vos deux athlètes, ironisa l'élue.

— Markus et Gordah ? Ce sont les deux espoirs du club. Ils ne sont pas vraiment habitués aux assauts courtois, mais pour aujourd'hui, ils feront le spectacle. Ça va faire décoller les inscriptions.

En plus du sentiment irritant de perdre son temps, Andrea Vesperini, « madame le maire », se dit qu'elle allait assister à une séance inutile de touchettes entre deux colosses. Réquisitionné par la mairie, le photographe de *Bonjour Malceny*, la feuille de chou locale, immortalisait l'opération de proximité qui devait apporter un peu d'humain chez Vesperini. Débardeur de soie, mais porté sur un jean pour faire proche du peuple, elle s'était donc pliée à la ronde des poignées de main sous le regard de Maud, sa chargée de communication.

Le directeur détaillait maintenant à son invitée d'honneur les travaux entrepris grâce à la subvention de la mairie. Son ton doucereux trahissait les mois de négociations qu'il avait fallu pour en arriver là. Un bras de fer épuisant qui avait écarté le projet de réfection de la piscine municipale à son bénéfice. À six mois des élections, l'ouverture de la section « Boxe éducative » avait fini de vider la ligne du budget « Sport et vie associative ».

Micro à la main, l'arbitre se tenait sur le ring. Gordah sautillait en frappant des séries de coups dans le vide. La salle était pleine et les derniers venus allaient rester debout. La porte des vestiaires s'ouvrit. Markus traversa le hangar. Il se glissa entre deux cordes sans un regard pour le public. Sa concentration déformait les sons et les images autour de lui. Son univers se limitait désormais à ces trente-six mètres carrés.

Le directeur du club répéta encore une fois :

— Madame le maire, c'est un honneur de vous recevoir.

Elle n'en doutait pas une seconde mais lui servit un sourire ému.

— Monsieur Bastide, je me suis assez battue pour votre école, je n'aurais raté son inauguration pour rien au monde.

Elle fit un quart de tour vers son voisin de droite, la quarantaine, cheveux noirs, un visage à la peau accidentée et des traits sévères.

— Vous connaissez bien sûr monsieur Salah, mon adjoint en charge de la vie associative. Il a suivi votre projet avec beaucoup d'intérêt.

Bastide redoubla d'amabilité sirupeuse.

— Cher monsieur Salah, et vous aussi madame le maire, je crois que beaucoup de gens ici ont envie de vous remercier.

Vesperini se retourna pour vérifier la présence de son équipe. Maud, collante comme un chewing-gum, son secrétaire de mairie et son chef de cabinet. Son attention se reporta sur Maud.

— Vous êtes superbe avec vos cheveux détachés. On ne voit plus que vous !

La chargée de communication esquissa un sourire face à ce compliment piégé.

Sur le ring, l'arbitre donnait ses dernières instructions.

— Messieurs, c'est un assaut courtois. Vous en savez les règles. Serrez-vous la main. Au son de cloche, boxez.

Les deux corps prirent le rythme du combat sur une musique imaginée. Gordah commença une danse rapide et tournoya autour de son opposant. Markus le regarda faire, décalant simplement son corps à chaque mouvement. Puis les coups fusèrent. Le Turc débuta une combinaison de jab-jab-cross. Direct avant, direct avant et direct arrière qu'il doubla d'un direct croisé en se servant du bras tendu de son adversaire comme d'une glissière. Dès le premier coup, Markus avait reconnu la série à venir et avait laissé faire. Match de démonstration, lui avait-on dit.

Le portable de Maud se mit à vibrer. Elle jeta un coup d'œil au message reçu, ouvrit la pièce jointe et découvrit, avec vingt-quatre heures d'avance, la une du *Parisien* : « Western à Malceny – Règlements de comptes en série ». Elle tendit son téléphone à la maire assise un rang devant elle.

— Et merde, encore en première page, souffla Vesperini.

Sur le ring, Markus lança un direct arrière puis éloigna Gordah avec deux directs longs. S'il avait appuyé ses coups, il aurait fait des dégâts, mais ses poings s'arrêtaient juste avant, à la manière d'un chien en laisse qui vous claque ses mâchoires devant le nez.

Le portable serré entre ses doigts, Vesperini ne suivait plus le match. Ses yeux passaient de l'écran à sa chargée de com'. S'ensuivirent quelques messes basses inquiètes. Déjà trois meurtres. En plein été et sans autre actualité, les médias allaient en faire un feuilleton. Juste avant sa campagne de réélection ? Impossible.

Fin du premier round. Au son de cloche, le directeur se leva de sa chaise et se dirigea vers l'arbitre. L'invitée d'honneur étant plus intéressée par son téléphone que par le combat, Bastide décida de changer les règles. Lui et l'arbitre échangèrent quelques mots. À la reprise, les deux boxeurs reçurent de nouvelles instructions, à voix basse.

— Messieurs, on oublie la démonstration. Portez vos frappes. Réveillez-moi cette salle.

La cloche retentit. Gordah relança sa petite danse et tenta de nouveau son jab-jab-cross. Les trois coups furent évités calmement, déjà lus par Markus qui se déporta sur la gauche et asséna un crochet pleine tête. Le Turc atterrit dans les cordes qui se tendirent sous son poids, jusqu'à presque toucher Vesperini. La maire leva les yeux et croisa le regard du boxeur, un peu sonné. Maud se pencha pour poursuivre leur conversation mais, d'un geste de la main, Vesperini la fit taire. Le combat commençait à devenir distrayant. Bastide retrouva son sourire.

Gordah reprit ses esprits et baissa sa garde en défiance pour montrer qu'il en faudrait plus. Le plus arriva.

Il y a plusieurs combinaisons dans la boxe et chacune a son rythme. Le vite-vite-fort, le feinte-fort-fort, le fort-vite-fort. Markus opta pour la plus simple et la plus destructrice. Le fort-fort-fort.

Face au Turc qui reprenait confiance, il évita un premier direct, puis un second, avec la rapidité d'un match en accéléré. Alors que le deuxième coup finissait sa course dans le vide, Markus se cacha derrière sa garde, envoya deux crochets en pleine arcade qui aveuglèrent son adversaire. Il se recroquevilla en se tournant de trois quarts et se releva d'un coup. Son poing droit dissimulé par son torse n'apparut qu'au dernier moment et s'écrasa lourdement sur la mâchoire de Gordah. Sous la force de l'uppercut, ses deux pieds quittèrent le tapis, sa tête partit en arrière. Il cracha un épais filet de salive et de sang mêlés. Son corps, un instant en apesanteur, retomba dans un bruit sourd. La salle retint son souffle. Markus se plaça au centre du ring. Sans attendre le décompte de l'arbitre, il tendit ses deux bras haut dans le ciel en signe de victoire. Le public entier se leva. Les cris et les applaudissements, que la stupéfaction avait retenus quelques secondes, envahirent l'espace.

Au milieu des acclamations, Vesperini fixait Markus. Il avait écrasé son adversaire avec une violence inouïe et elle avait aimé ça. Au creux de son ventre se diffusait une chaleur, comme une excitation.

— C'est lui que je veux.

18

À l'arrière de sa berline, Vesperini avait enfin pu abandonner son sourire. Cette voiture était l'un des seuls endroits où elle pouvait se laisser aller, à l'abri des vitres fumées. Excédée, elle s'adressa à son chauffeur.

— Bon, il fout quoi Salah ?

Le chauffeur ne répondit évidemment pas.

Dans le hangar, Azzedine Salah, son adjoint, terminait une conversation avec Bastide pendant que Maud prenait soin d'effacer les photos désavantageuses, directement sur le boîtier du journaliste. Son travail de censure achevé, elle accéléra le pas vers les voitures de fonction et, sur le chemin, s'attacha les cheveux en arrière pour éviter tout nouveau « compliment », puis, en s'installant, elle avertit les deux autres passagers :

— Je vous préviens, on s'est encore fait épingler par la presse. La Reine est de très mauvaise humeur.

Baptiste Cardel, le chef de cabinet, ironisa :

— Heureusement qu'on ne partage pas la même voiture. C'est ce pauvre Azzedine qui va prendre.

Azzedine Salah venait en effet de monter dans la berline de tête, au côté de Vesperini. Lorsqu'il aperçut son visage fermé, il se félicita d'avoir de bonnes nouvelles.

— Ne vous inquiétez pas, Bastide va nous prêter Markus, j'ai réussi à le convaincre. Avec le merdier qui nous tombe dessus, on va en avoir besoin.

Vesperini le reprit.

— Ce merdier tombe sur moi, Azzedine, pas sur vous. Uniquement sur moi. Vous n'étiez pas censé les gérer, ces petits cons ? Dites-moi pourquoi ils sont en première page depuis une semaine ?

— Il faut prendre la température des cités. Je vais y aller. Je les connais bien, ces petits cons, comme vous dites.

Vesperini haussa le ton.

— C'est pour ça que je vous ai recruté, non ? Mais là ça suffit : les logements HLM pour leurs parents, les aides ménagères pour leurs grands-parents, des jobs municipaux pour leurs frères auxquels ceux-ci ne sont même pas obligés de se présenter. Et ce n'est pas fini ! On peut rajouter les voitures, les cartes d'essence illimitées... J'en ai pour cinquante mille euros par mois minimum pour les tenir en laisse. Et maintenant ils jouent à se flinguer entre eux. C'est comme ça qu'ils me remercient ?

— C'est pas si mal, après tout. Ça vous fait des frais en moins, non ?

Elle regarda son interlocuteur, partagée entre pitié et mépris.

— Vous connaissez les mygales, Azzedine ?

L'adjoint ne répondit pas. La question était rhétorique.

— La mygale est une araignée sédentaire. Elle se dissimule dans un coin de votre maison et elle n'en bouge plus. Si vous la délogez, elle reviendra. Sauf que vous ne saurez plus où. C'est là qu'elle deviendra dangereuse. Je n'ai pas dressé ces trois mygales pour qu'on me les crève. Elles se cacheront où, les trois prochaines ?

Comme il n'en avait aucune idée, Salah laissa passer l'orage. Un coup d'œil à sa montre, puis au programme qu'il avait imprimé, et il se baissa vers le chauffeur.

— Malceny-Bobigny en moins de dix minutes, c'est bon pour vous ?

L'homme au volant ne se retourna même pas.

— Large.

Vesperini retrouva son sourire affable.

— Vous savez que vous m'êtes indispensable, Azzedine ?

— Vous me le répétez souvent, madame.

— Bien. Quelle est la suite du programme ?

— La séance photo au SDPJ 93.

19

Ronan arriva avec deux bonnes heures de retard. Il croisa le chemin de deux flics de la section financière qui, juste après son passage, se pincèrent le nez et se frottèrent les yeux. Une fois à son bureau, il eut à peine le temps de s'installer dans son fauteuil que Sam, face à lui, détourna le ventilateur dans sa direction.

— Tu portes les mêmes fringues qu'hier.

— Tu vois que tu fais attention à moi !

— Rien à voir… t'empestes encore la lacrymo. J'imagine que t'as pas dormi chez toi ?

Ronan bascula son siège en arrière et ferma les yeux.

— Elle a un appartement dans lequel tu peux marcher. Je veux dire, avec des couloirs… J'ai jamais eu d'appartement avec un couloir. Chez moi c'est entrée, salon, cuisine, chambre, tout en bloc.

Sam leva le nez de son ordinateur.

— Vous êtes pas du même monde. Elle doit te trouver exotique.

— Ça m'a pas l'air d'un compliment.

— C'en n'est pas un.

Au même moment, Coste et Johanna s'entretenaient avec l'équipe du capitaine Sylvan dans les bureaux de la Brigade des stupéfiants. Cinq hommes et une femme dont le physique de toxicos et la tenue vestimentaire proche du sans-abri adoptaient la même ambiguïté que leur déco. Accrochée au mur de droite, une affiche des différents cachets d'ecstasy et des buvards LSD proposés sur le marché. Dans un coin, une armoire vitrée, pleine à ras bord de tous les échantillons de drogues connues dans de petits sachets scellés. Herbe, shit, coke, crack, héro, kétamine en poudre, opium, pilules diverses à effets variés, GHB, champignons hallucinogènes. Derrière le bureau de Sylvan, un drapeau de la Jamaïque sous un drapeau français et les photos de leurs plus belles prises de guerre. Sa préférée ? Celle sur le tarmac de l'aéroport de Roissy, à côté d'une palette de trois cent cinquante kilos de cocaïne pure. Au fond de la pièce, un tableau de briefing recouvert d'un drap. Après quelques indiscrétions malheureuses ou volontaires, les Stups ne faisaient plus confiance à personne et chacune de leurs opérations restait secrète.

— C'est particulier, dit Sylvan. On enquête sur des meurtres et toi, Victor, tu nous fais une belle saisie de came. T'as pas l'impression qu'on est assis dans les mauvais fauteuils ? En fin de compte, tu vois qu'on bosse ensemble.

Un des hommes de Sylvan déposa deux cafés à l'intention de leurs invités et, quand il proposa du sucre, sa voix fraîche et posée jura nettement avec son attitude générale de vieille serpillière.

— T'emballe pas. Je ne m'occupe que de Rose, répondit Coste au chef des Stups.

— Qui ?

— Rose, la petite vieille qu'on a trouvée au milieu des pains de drogue.

— Ton fameux concept. Pas de victime, pas de motivation.

Johanna prit part à la conversation.

— De toute façon, il vous reste au minimum une planque à découvrir. Les dealers ne mettent pas toute leur marchandise dans le même panier.

— Exact. On va envoyer quelqu'un en fin d'après-midi dans les quartiers de Malceny. Si le marché a repris, c'est qu'il y a encore du produit quelque part.

Sylvan se tourna vers la seule femme de son équipe, cheveux longs sous casquette noire.

— Chloé, tu peux faire la pute en manque ?

— Ah non, pas ce soir, j'ai mes parents à la maison.

*
* *

La salle de réunion avait été dégagée pour l'occasion. Les chaises entreposées ailleurs, ne restait que la table centrale sur laquelle les dix-huit pains de cocaïne et de résine de cannabis conditionnés avaient été installés à côté de la liasse de vingt-cinq mille euros. Bien visible, accrochée au mur du fond, une immense affiche sous cadre représentant l'insigne du SDPJ 93 : une vue du 36, quai des Orfèvres découpée selon la forme du département de la Seine-Saint-Denis. Assez moche, pour être honnête.

Pour l'être encore plus, il ne s'agissait pas là de la saisie du siècle, ni même de l'année, mais la maire de Malceny avait fait savoir qu'elle passerait au SDPJ 93 pour féliciter les policiers. Stévenin, le commissaire divisionnaire, savait reconnaître une bonne publicité pour son service et, d'office, s'était mis à la tête des opérations. La démarche de Vesperini n'était pas différente et, alors que la berline se garait sur l'emplacement gardé par deux policiers, elle s'inquiéta du peu de monde l'attendant au pied du bâtiment. Une bien faible couverture médiatique. Salah tenta de la rassurer.

— J'ai eu *Le Parisien*. Ils m'assurent une photo avec entrefilet. Il y aura probablement BFM aussi.

— Il y a toujours BFM.

Quelques instants plus tard, devant deux micros et une caméra, Vesperini choisit, dans son registre varié, la voix adaptée. Volontaire et intransigeante. Avec une pointe de vibrato.

— J'entends, dans d'autres villes, d'autres maires parler de l'intervention de l'armée. J'entends, dans d'autres villes, d'autres maires parler de dépénalisation. Mais j'entends surtout que l'on cherche à se dérober face à ses responsabilités. Ce ne sont pas les militaires qui dirigent une ville. Ce n'est pas d'autoriser, aujourd'hui, ce qui était illégal hier qui réglera le problème de nos cités et de cette jeunesse qui cherche ses repères. C'est un travail quotidien dont les acteurs sont l'État, la municipalité, la police et la justice. Un travail qui aujourd'hui donne tous ses fruits.

La chargée de com' mit rapidement fin à la série de questions embarrassantes. L'intérêt des journalistes portait évidemment moins sur la saisie de drogue que sur les meurtres, motif réel de leur présence. Dans l'ascenseur, elle seule et le photographe attitré de la mairie avaient accompagné Vesperini.

— À qui je dois ce discours ?

Maud hésita, craignant à nouveau les foudres.

— Je l'ai écrit ce matin. Il a été validé par votre chef de cabinet.

— Il était parfait.

Avant que les portes s'ouvrent, la Reine ajouta :

— Vous savez que vous m'êtes indispensable, Maud ?

20

— Tu veux un chien pour le remplacer ?

Monsieur Jacques ne leva même pas les yeux. Il attendait, prostré sur sa chaise, qu'ils s'en aillent.

Comme tous les samedis, il s'était rendu à l'association des anciens de Malceny, avec son coquart à l'œil, espérant y trouver Rose. Il avait attendu. Refusé une première table de bridge. Puis une deuxième, avant de partir sans donner d'explications. Il n'avait de toute façon jamais aimé les jeux de cartes.

— J'ai un voisin qui a une portée de rottweilers dans son garage. J'peux lui en tirer un si tu veux. Ça défend mieux qu'un chat.

Alors il était rentré chez lui. Pour la cinquantième fois, il avait composé le numéro de son amie, la seule à dire vrai, et la ligne de Rose avait sonné dans un appartement vide. Il était resté immobile, assis à la table de son salon, et s'il avait pu y crever ça l'aurait même arrangé. Ensuite il y eut le coup de sonnette. Les salauds qui avaient rôti Monsieur Chat. Et cette discussion improbable.

— Et puis les rottweilers c'est affectueux. Alors ? J't'en prends un oui ou merde ?

Jacques refusa poliment et le gamin en face de lui écrasa son joint sur la nappe cirée.

— Eh ben va te faire enculer, alors ! J'essaie juste d'être sympa.

Dans la cuisine, Colin fouillait le frigo, désespérément vide. Bibz sortit de la chambre du vieil homme, un lourd sac sur le dos contenant la marchandise à vendre pour la journée.

— Papi, tu devais pas avoir un truc pour moi ?

Jacques fouilla dans la coupelle à riens posée devant lui et, parmi quelques centimes, piles usagées et boutons orphelins, il saisit le double des clefs de son appartement. Bibz le lui prit des mains et se tourna vers ses deux complices.

— C'est bon, j'ai les clefs et j'suis chargé. On dégage.

La porte claqua. Monsieur Jacques se retrouva à nouveau seul, assis à sa table, dans un appartement silencieux où il n'entendait plus que sa propre respiration. Un appartement où ces enfants qui n'avaient plus rien d'innocent pouvaient dorénavant entrer à n'importe quelle heure du jour ou de la nuit. Il comprit alors un peu mieux le concept d'épée de Damoclès.

*
* *

Bibz déposa le sac à dos aux pieds du Boss et prit place à son côté. Face à eux, une trentaine de personnes avaient été convoquées. La réunion se tenait au rez-de-chaussée d'un immeuble. Un local associatif déserté aux murs nus et à la moquette arrachée dont la porte d'entrée mentionnait « A.M.H. », sigle de l'Amicale

Malceny-Haïti. Pas un des participants ne devait dépasser les vingt ans, excepté le Boss qui prit la parole.

— Certains d'entre vous travaillaient avec Souki. D'autres avec Bojan ou Laouari. Vous avez pu constater que vous êtes au chômage depuis une semaine. Je vous propose maintenant de vendre pour moi. Aucune obligation, pas de représailles. Si quelqu'un souhaite quitter la pièce c'est tout de suite.

Le concept de fidélité n'étant pas spécialement développé dans ce genre de commerce, personne ne bougea.

— Parfait. Un tour, c'est 10 heures-22 heures. Les tarifs de base, c'est cent euros la journée pour les guetteurs, deux cents pour le ravitailleur, deux cent cinquante pour le vendeur. Vous gagnerez plus si vous vendez plus. Pas d'arnaque de clients, pas de violences. Sur ce sujet c'est tolérance zéro. On a une marchandise à vendre et cette marchandise on peut la trouver partout ailleurs, alors les clients on les protège, on les fidélise. Interdit de recouper la came, on fournit de la qualité et il faut que ça se sache. Les comptes seront calculés en fin de semaine. Ce local sera considéré comme le « magasin » et les rendez-vous se feront ici même. Bibz vous distribuera chaque jour la quantité nécessaire. Pour connaître vos emplacements, voyez avec Colin.

Colin, toujours fringué trois tailles trop grandes, hocha la tête pour qu'on l'identifie et ses cheveux en friche s'agitèrent.

— Avant de partir, Driss vous remettra un portable. Ils sont *clean* et ne servent qu'au boulot. Il y a deux numéros enregistrés pour nous contacter en cas de problème, n'en rajoutez pas.

Dans l'assistance, parmi les casquettes et les capuches, un des gamins leva le doigt comme à l'école.

— Et pour les gardes à vue ?

— Elles seront payées. Deux cents euros par tranche de vingt-quatre heures si vous ne balancez personne. Si vous êtes déférés c'est deux cents de plus et si vous prenez une peine ferme, on paie l'avocat et on vous rémunère au cas par cas.

Une voix fluette se fit entendre.

— Les microbes, c'est obligé qu'ils fassent les choufs ?

— Oui, vous ne risquez pas la prison, alors les moins de treize ans restent guetteurs, ça change pas. Vous faites diversion si la police intervient et, si vous le pouvez, vous récupérez le sac d'approvisionnement.

Une autre main se leva :

— On peut être armé ?

— Négatif. Pas de flingues, pas de couteaux, pas de lacrymos. Vous faites de la vente, un point c'est tout. Si vous rencontrez des problèmes, vous en parlez ici mais vous ne réglez rien tout seuls. C'est moi qui me charge de votre sécurité. D'autres questions ?

Le Boss avait fait le tour du sujet en quelques notions accessibles à tous : introduction sur les lois régissant les secteurs concurrentiels, minimisation des risques, protection des employés, salaires, compensations financières et garanties juridiques.

Quand la distribution fut terminée, les « commerciaux » quittèrent le local. Le Boss avait une nouvelle mission et il congédia Driss et Colin pour se retrouver seul avec Bibz.

— J'ai besoin de toi ce soir. Tu vas rendre une visite à un vieil ami. Apprends son adresse par cœur. 23, avenue Victor-Hugo.

— 23, avenue Victor-Hugo. Pas de problème. Quel genre de visite ?

— Ça dépendra de lui. Tu iras avec ton équipe habituelle. Je te rajoute une autre personne, par sécurité.

— Je le connais ?

— Tout le monde le connaît. C'est Markus.

— Ouais, c'est clair que niveau sécurité on sera tranquilles. Et le nom du type ?

— Salah. Azzedine Salah.

— Jamais entendu parler.

— T'es bien trop jeune. Ce gars fait partie de l'ancienne école.

21

Dans la salle de réunion du SDPJ 93, Vesperini avait posé en compagnie de Stévenin devant une table couverte de drogue et d'argent. Les journalistes n'étant généralement pas bienvenus dans les locaux de police, c'est le photographe officiel de la mairie qui se chargea du portrait souvenir. Avant de partir, madame le maire souhaita rencontrer les policiers à l'origine de la saisie et en fit part au commissaire.

Dans son bureau, Coste faisait le point avec son équipe sur une affaire qui avait beaucoup de mal à décoller. Sam en fit un résumé qui ne motiva personne.

— Rose Carpentier. Veuve. Des enfants et petits-enfants disséminés sur toute la France, mais aucun proche dans le coin. Casier vierge et aucune piste.

— Même si on trouve les types qui sont passés chez elle, on pourra pas leur imputer sa crise cardiaque avec certitude, ajouta Ronan. Tu sais qu'on va dans le mur, là ?

Johanna abonda dans leur sens.

— Il suffit de laisser Sylvan et Jevric serrer la bande

de petits cons qui met Malceny à feu et à sang. Y aura très probablement nos gars dans le lot.

— C'est ça votre solution ? Attendre que les Stups interpellent pour faire notre marché ? râla Coste.

Personne ne répondit. Son équipe faisait front et même lui n'arrivait pas à se convaincre qu'ils avaient tort. En plus, il faisait beau et chaud. Vraiment chaud. Tout le monde avait mieux à faire que de rester dans les bureaux. Il se rendit à l'évidence.

— Bon, cassez-vous ! Prenez votre après-midi, je ne veux plus vous voir avant demain. Je vous appelle si on a du nouveau.

Sam pensa immédiatement poker en ligne. Ronan, lui, commençait déjà à organiser sa soirée avec une toute jeune magistrate.

— Merci p'pa, dirent-ils en chœur.

Rien ne faisait plus plaisir à Johanna qu'un moment partagé avec ses enfants. Elle se pencha vers Victor et l'embrassa sur la joue.

— T'es un chou, chef.

En moins d'une minute, le bureau se vida et Coste se sentit pas mal seul. Il décrocha son téléphone fixe et composa un numéro. Il n'eut pas besoin de se présenter.

— C'est comment ?

— C'est joli. Et calme. Il y a une rivière, l'eau est glacée mais on peut faire trempette du bout des pieds. Il y a un jardin, aussi. En gros je me fais chier et, bizarrement, ça fait énormément de bien. Et toi ? Tu es sur quelque chose ?

— Une petite vieille dont personne n'a rien à foutre.

— Sauf toi j'imagine.

120

— Malheureusement, cette fois-ci, je ne vois pas trop quoi faire.

— Je te laisse trois jours et tu te crées un nouveau fantôme ?

Il entendit derrière elle le chant d'un oiseau et le son d'un clocher d'église, comme si elle lui avait envoyé une carte postale par téléphone.

— Ça a l'air bucolique.

— Quoi ? Tu parles de ces putains de piafs et de la cloche ? À longueur de journée ça rend dingue mais il paraît que c'est comme la circulation à Paris, au bout d'un moment, on s'y fait. D'ailleurs, en parlant de Paris, mon père y est retourné. Des problèmes à sa clinique. Rien de grave, mais il est persuadé d'être le seul à pouvoir les régler.

— Et madame ?

— Elle attend sagement son retour. J'assiste à ça depuis que je suis en âge de comprendre. Je me suis même promis de ne pas être ce genre de femme. Résultat, je fais des allers-retours quotidiens pour passer du temps avec elle. Leur maison n'est pas très loin, je te l'avais dit ?

— Oui, je m'en souviens bien.

— Sinon… Je te manque ?

Il fallut quelques secondes à Coste avant de trouver les bons mots.

— C'est possible.

Il fallut moins de temps à Léa pour trouver les siens.

— Sale con.

En sortant de son bureau, il croisa une jeune femme aux cheveux attachés en arrière et au tailleur parfait qui semblait chercher son chemin.

— Vous êtes perdue ?

— Le commissaire Stévenin m'a dit que je pourrais trouver le capitaine Coste au Groupe crime 1. Je suis Maud Jeansac, l'attachée de communication de madame le maire. Elle voudrait le féliciter personnellement pour la saisie sur Malceny.

Public relations, un de ses points faibles. Coste prit son air le plus innocent.

— Vous venez juste de le rater, mais je lui transmettrai le message.

22

Comme chaque jour, la file d'attente était interminable. Dépôt de plainte, main courante ou tout simplement besoin d'écoute, le commissariat de Malceny ne
désemplissait qu'à la nuit tombée, et encore. La jeune
fille de l'accueil recevait, informait ou dirigeait vers
les services adéquats sans presque jamais lever le nez
de son ordinateur.

— Bonjour mademoiselle, je viens pour…

La fliquette coupa son interlocuteur sans politesse
sur un ton blasé et monocorde. Le mélange faisait très
mauvais effet.

— Pièce d'identité ou titre de séjour, siouplaît.

Un permis de conduire apparut sous son nez et elle
nota les nom, prénom et heure de présentation. Landernes, Jacques, 17 h 15.

— C'est pour quoi ?

Le vieil homme reprit là où il en était.

— Je n'ai pas de nouvelles d'une amie depuis quelques jours. Elle ne répond plus à son téléphone et n'est
pas venue aujourd'hui à un rendez-vous que nous
avions. Je m'inquiète un peu.

— Écoutez monsieur, on n'a pas un véhicule de libre depuis ce matin. À tous les coups elle va vous donner de ses nouvelles dans pas longtemps. C'est toujours la même histoire. Repassez dans vingt-quatre heures si elle ne s'est pas manifestée.

Puis la jeune fliquette fit l'erreur de lever les yeux sur un vieil homme ratatiné dans un costume trop chaud, un demi-sourire triste comme accroché par l'habitude. Juste pour ne pas ennuyer les autres et laisser croire que l'on va bien. Sur le permis de conduire toujours entre ses doigts, le jeune Jacques Landernes avait les cheveux longs et une vie pleine de promesses. Pas toutes tenues, semblait-il. Quarante ans plus tard il était là, face à elle, le regard embué de larmes retenues.

— C'est parce que c'est mon amie…

Elle s'en voulut de son piètre accueil et sortit de sa robotisation presque instantanément.

— Donnez-moi son nom et son adresse, je vais demander à une patrouille d'aller faire un tour.

De son écriture penchée et serrée, monsieur Jacques nota. Papier en main, la fliquette se rendit au bureau du chef de poste.

— On n'a pas de bagnole de libre.

— Je sais, on n'en a jamais. Rends-moi service tu veux, insère ça entre deux missions, ça va prendre cinq minutes. Une petite vieille qui fait silence radio. Pas de nouvelles depuis quelques jours…

Le chef de poste posa son café et attrapa le papier.

— Rose Carpentier ? Attends, ça me dit quelque chose.

Il fit rouler sa chaise jusqu'à son écran d'ordinateur et pianota sur le clavier.

124

— Risque pas d'en donner, elle est morte hier.

La policière accusa le coup.

— Merde. Je lui dis comment, moi ?

— Tu lui dis rien. Tu lui confirmes qu'on envoie un équipage et tu prends ses coordonnées. Je vais aviser la PJ.

23

Vesperini avait consacré la fin de cette journée aux tâches administratives et c'était bien assez pour la mettre de mauvaise humeur. Face à elle, sur son bureau, des piles de parapheurs qu'elle n'avait pas eu envie d'ouvrir. À chaque page un projet, une demande, un événement, une dépense, des ennuis. Sur la table de réunion, à quelques mètres devant elle, d'autres parapheurs. Sur la commode en bois noir derrière elle, encore des parapheurs. Et pas plus envie de les ouvrir que les premiers.

Salah passa la tête dans l'entrebâillement de la porte, trois classeurs sous le bras.

— Vous vouliez me voir, madame ?

— Azzedine ! Entrez.

Le whisky à température ambiante fit éclater les glaçons dans un bruit de verre brisé. L'adjoint appréciait ces discussions privées, intimes, pendant lesquelles il lui semblait que Vesperini s'autorisait à tomber le masque. Au bout du deuxième mandat et de presque huit années de collaboration, ils en connaissaient trop l'un sur l'autre. Toute possibilité de conflit était donc neutralisée.

Ils étaient maintenant dans deux fauteuils, côte à côte.

— Les élections sont dans moins d'un an et dans cinq mois je commence ma campagne.

— Vous êtes inquiète ?

— Je suis inquiète de ne plus avoir la main sur certains quartiers. Avec ce qu'ils nous ont coûté ! D'ailleurs je ne sais même plus combien.

— J'ai pris leurs dossiers chez Delsart, votre trésorier magicien.

— Au point où en est ma journée… Je vous écoute.

— Saïd Laouari. Un logement HLM pour lui et ses parents. Une voiture. Des vacances en Thaïlande pour six. Trois années d'affilée, il a dû apprécier. Un job pour sa sœur à la bibliothèque municipale.

— Je ne vois même pas quelle tête il pouvait avoir. Poursuivez.

— Bojan Sasha. Tarif habituel de vacances et logements sociaux, mais lui nous coûtait un peu plus cher avec son association, l'Amicale Malceny-Haïti. Il était certainement incapable de placer Haïti sur une carte mais ça nous a semblé une bonne idée. Après le tremblement de terre de 2010, le pays avait la cote et personne ne risquait de fouiller. Vingt mille euros par an depuis trois ans.

— Qu'on prenait où, déjà ?

— Sur la ligne budgétaire des aménagements urbains pour handicapés. Là non plus, personne n'oserait mégoter, ni vérifier.

— Pourquoi son nom me dit quelque chose ?

— C'est le malin de l'équipe. Celui qui vous a arnaquée aux dernières élections. Il avait réussi à récolter plus de six cents procurations.

— Bojan Sasha ! Il a attendu que je sois en ballottage et me les a revendues à prix d'or juste avant la fermeture des bureaux de vote. L'arroseur arrosé, on s'est bien fait avoir sur ce coup. Intelligent. Ensuite ?

— Le dernier est Karim Souki. Tous ses frangins sont aux espaces verts de la ville, enfin c'est ce que dit leur contrat d'embauche. Trois des voitures de la municipalité sont parties chez ses cousins en Algérie. Avec « Malceny Ville d'Avenir » sur les portières, ça doit faire bel effet dans le désert. On l'envoyait tous les ans en famille aux sports d'hiver et deux de ses grands-parents sont en maison de retraite à nos frais.

— C'est plus une mairie, c'est la maison du Père Noël.

— Pour le coup, ça va vraiment vous faire des frais en moins.

La réflexion manquait d'esprit et elle lui porta un regard condescendant.

— Salah, vous me prenez pour un mécène ? Si je paie, c'est que derrière je gagne plus que je ne dépense. J'ai besoin d'eux pour la paix sociale. J'ai besoin d'eux pour me récupérer les votes de tous ceux qui ne savent même pas lire ou foutre un bulletin dans une urne. J'ai besoin d'eux pour calmer leurs copains quand ça vire à l'émeute. J'ai besoin d'eux pour régler discrètement quelques mésententes avec mes adversaires et pour pourrir leur campagne. J'ai besoin d'eux pour tant de choses que je ne peux pas m'en séparer. Si absurde que cela puisse paraître, ces voyous font partie de mon staff.

— Ça n'a rien d'absurde… et puis ça vous permet de citer Victor Hugo, vous adorez ça.

— Sartre, Azzedine, c'est Sartre. « J'ai les mains plongées dans la merde et dans le sang. Jusqu'aux coudes. Et puis après ? Est-ce que tu t'imagines qu'on peut gouverner innocemment ? »

Vesperini consulta sa montre et rallongea les deux whiskies.

— Il ne faut pas que je tarde. J'ai l'anniversaire de ma fille ce soir.

— Douze ans, c'est ça ?

— Oui. C'est encore un bébé.

Dès qu'elle abordait le sujet d'Estelle, elle devenait vulnérable, presque attendrissante. Jamais très longtemps. Elle se ressaisit rapidement.

— Maud vous a remis le programme de demain ?

Salah lui tendit un planning horaire précis. Elle détailla le document et fronça le nez.

— C'est bien ce que je craignais. Le déjeuner chez les petits vieux de la maison de retraite.

Salah se fit rassurant.

— Ça vous bloquera moins d'une heure. Votre chef de cabinet prendra la suite des opérations. On les emmène en car pour une dégustation de chocolat à soixante bornes d'ici.

— Pauvre Baptiste ! Mais… Ce n'est pas un peu trop tôt pour une opération séduction ? Dans quelques semaines, ils auront tout oublié de cette journée.

— Ils ne sont pas tous séniles, mieux vaut avancer par paliers. On fera plusieurs sorties de ce genre. Il faut les habituer pour qu'ils ne soient pas surpris lorsqu'on les conduira en bus au bureau de vote.

— Pour gagner cinquante voix maximum, quand les trois dealers m'en rapportaient au moins mille cinq cents !

Le message ne pouvait pas être plus clair, et Salah le comprit aussitôt.

— J'attends 21 heures, que le soleil commence à se coucher, que les cités se réveillent, et je partirai aux infos. Et vous, vous avez une petite fille qui doit s'impatienter...

Il récupéra ses trois classeurs et s'apprêtait à quitter le bureau quand Vesperini ajouta :

— Azzedine ?

— Madame...

— Faites attention à vous.

24

Face au miroir sur pied de sa chambre, Azzedine ôta son costume.

Il en avait fait, du chemin, depuis les quartiers.

À son premier mandat, Vesperini avait lourdement insisté pour mettre en place une grande opération de recrutement pour des emplois jeunes. Le discours officiel comportait les mots insertion, seconde chance et lutte contre le chômage. C'était surtout l'occasion d'identifier ceux qui pourraient à l'avenir servir de relais entre les quartiers sensibles et la mairie.

Azzedine avait donc fait partie de ces trois cent cinquante « infra 5[1] » dont les casiers judiciaires et les contacts dans les cités l'intéressaient plus que leur CV. La plupart d'entre eux avaient été virés en moins de deux mois, mais lui avait tenu le coup. Après un poste d'animateur, pour vérifier son engagement et sa docilité, il devint « relais quartier », puis salarié à plein temps en tant que responsable jeunesse. L'équipe de

1. Dans la graduation de l'Enseignement, le niveau 5 représente le CAP/BEP. Les « infra 5 » sont donc les personnes qui n'ont pas le niveau CAP/BEP.

Vesperini lui donna de l'importance mais aussi quelques avantages pour qu'il se sente redevable. Un bon salaire, une centaine d'heures supplémentaires fictives par mois pour le rendre encore meilleur. Quand il se mit en couple, le logement HLM, et, tombé du ciel, un job de secrétaire de mairie pour sa compagne. Malgré leur toute récente séparation, il avait tenu à ce qu'elle le garde et Vesperini y avait consenti. Au deuxième mandat, il fut élu au conseil municipal et décrocha le poste d'adjoint à la vie associative, qu'il occupait depuis maintenant six ans.

Oui, il en avait fait, du chemin…

Il rangea soigneusement son costume, passa un vieux jean, des baskets et une chemise ample. Au fond de son armoire, derrière une pile de pulls, il se saisit d'une bombe lacrymogène de la taille d'un mini-extincteur de voiture. Cadeau de la police. Enfin, de la police municipale. Celle de Vesperini. Il l'accrocha à sa ceinture et, malgré les trente centimètres du spray sous pression, sa chemise réussissait à le dissimuler. Il venait peut-être des quartiers, mais il avait embrassé une carrière qui pouvait le faire passer pour un vendu. Y retourner risquait de ne pas être si facile. À force d'être isolées, ces cités cultivaient leur différence, leur opposition, au point d'établir leurs propres codes de vie et leurs propres lois. Pour la grande majorité, il n'était plus l'un des leurs, mais une *poucave* passée du côté des friqués. Un peu de prudence était donc nécessaire.

Il regarda par la fenêtre le soleil commencer sa descente et, lorsqu'il décida que le moment était venu de partir à la pêche aux informations, la sonnette de l'entrée retentit. Sa fille était avec son ex-femme et son ex-femme le détestait. Il n'attendait donc personne en particulier. D'un geste bref, il vérifia que la lacrymo était toujours bien accrochée.

Quand il ouvrit la porte, il eut l'impression d'en avoir une autre devant lui, plus imposante.

— Markus ?

Derrière le boxeur, Salah reconnut deux adolescents dont il fréquentait les frères, il y a des années de ça.

— Colin ? Driss ? Vache, vous avez poussé…

Il aurait très bien pu ne pas faire attention au gamin, presque trop jeune pour être dehors à cette heure, si ce dernier ne s'était pas fait remarquer.

— Vas-y ferme ta gueule, c'est pas une réunion de famille.

Bibz le poussa sur le côté et pénétra dans l'appartement. Pour en avoir commis quelques-unes, Salah faisait la différence entre une visite et une descente. Malheureusement pour lui, les quatre individus semblaient avoir opté pour le second choix. Et puis il y avait leurs gants, à un moment de l'année où personne n'avait particulièrement froid. Il tenta d'apaiser la tension qui s'installait.

— J'allais justement voir les grands du quartier. Avec tout ce qui se passe, je m'inquiète. Je voulais vérifier si je ne pouvais pas faire quelque chose pour vous.

D'un revers de main, Bibz envoya balader au sol tout ce qu'il y avait sur la table du salon puis s'assit dessus en mettant les deux pieds sur une chaise.

— C'est cool de ta part. Justement, tu peux faire quelque chose pour nous.

Salah savait qu'il ne devait pas se montrer agressif, mais se laisser faire était une tout aussi mauvaise idée.

133

Il mit de côté le microbe juché sur sa table et s'adressa aux autres, potentiellement plus dangereux.

— Écoutez les gars, vous m'avez l'air bien vénères mais je sais pas pourquoi. Markus, tu peux m'expliquer s'il te plaît ?

Le boxeur resta immobile dans un coin et ne répondit pas. Colin et Driss baissèrent les yeux. Bibz n'avait pas bougé. Il laissait sa colère s'installer.

— Eh... J'te parle et tu me regardes même pas ? C'est un manque de respect ça, fils de pute.

Salah n'en revenait pas. Le gamin, haut comme une poubelle et à peine quarante kilos tout mouillé, menait la danse. Il n'allait pas s'abaisser à le craindre. Une seconde fois, il l'ignora.

— Colin, Driss... ma daronne vous a gardés quand vous étiez petits. Merde, dites-moi ce qui se passe !

Bibz regarda à gauche et à droite, comme s'il cherchait quelque chose. Il sauta de la table, fit les quelques pas qui les séparaient et se posta devant lui.

— T'as un chat ?

— Quoi ? Non, j'ai pas de chat.

Le gamin eut l'air désolé et soupira.

— Bon, ben à l'ancienne alors. Markus, mets-lui la tête dans le lavabo.

Sidéré, Azzedine en oublia la bombe lacrymogène à sa ceinture. Markus le souleva jusque dans la cuisine. Arrivé devant l'évier, il le saisit par les deux épaules et lui mit la tête sous le robinet.

— Putain les gars ! Vous faites quoi, là ?

Bibz ouvrit l'eau chaude à fond.

— Bon, enculé, t'as environ vingt secondes avant que ça brûle un peu.

— OK, OK, qu'est-ce que tu veux ?

— Ah ça y est ? Tu me vois maintenant ?

De froide, l'eau passa à tiède. Une fois tiède, la température augmenta plus rapidement et Salah se mit à hurler dans un nuage de vapeur.

— Je te vois ! C'est bon je te vois ! Je te jure que…

Un millier d'aiguilles rougies à vif transpercèrent son cuir chevelu, ses oreilles et ses joues au fur et à mesure que l'eau lui cuisait la peau. Sa phrase se termina en un hurlement continu. Quelques soubresauts forcèrent Markus à resserrer son étreinte. Colin, probablement le plus sensible des trois, tenta de mettre fin à la séance.

— C'est bon là, non ? Ça devrait aller.

Alors que Bibz avait évalué à dix secondes de plus le temps nécessaire à se faire estimer à sa juste valeur, Azzedine dégagea Markus d'un coup de hanche, passa la main sous sa chemise et arrosa alentour. Les trois gamins prirent le jet de lacrymogène en pleine figure et s'écartèrent de lui en toussant et en se frottant les yeux. Les brûlures sur son visage étaient encore vives, pourtant ce n'était pas le moment de souffrir. Azzedine dirigea le spray vers Markus mais, avant qu'il ait atteint sa cible, le poing du boxeur s'écrasa sur son visage.

K.-O. en un coup.

Quand Salah se réveilla, il y eut un moment de flottement. Ce moment lors duquel on se dit que tout cela n'a pas existé. Il était assis sur son canapé, l'extincteur lacrymogène à ses pieds. Les quatre agresseurs face à lui, pas encore très nets. Vu la douleur qu'il ressentait, il estima que son nez n'était pas à la bonne place et le sang sur sa chemise le lui confirma. La réalité le rattrapa bien vite.

— Ça va. T'es courageux comme bonhomme, reconnut Bibz.

Pour que l'air devienne respirable, les fenêtres du salon avaient été ouvertes. Driss tenait un mouchoir à la main et Colin toussait encore un peu. Markus se porta au niveau de Salah et lui tendit un téléphone.

— Tiens. Ça va décrocher. C'est pour toi.

Son oreille droite le brûlait encore. Malgré tout, il y colla le portable. Il ne reconnut pas la voix. Il écouta.

— Monsieur Salah, bonsoir. J'espère que vous êtes en bon état ?

Azzedine attribua sans difficulté les rôles à chacun. Dans son appartement les hommes de main, au bout du fil le commanditaire. Et lui, la victime. Mauvais rôle.

— Non. Vos gars m'ont cramé la gueule…

— Parfait, alors vous êtes attentif. Si j'en crois les journaux, vous avez perdu trois de vos protégés cette semaine. Pour vous dire la vérité, je n'y suis pas étranger.

Salah respirait fort, apeuré plus que souffrant.

— Vous vous plantez, je suis personne, moi. Je suis juste un adjoint de mairie. Je n'ai aucun pouvoir !

— Ne vous sous-estimez pas. Vous êtes bien plus que cela, Azzedine. Vous êtes le lien entre les deux extrémités de cette ville. Entre ceux que l'on montre et ceux que l'on cache. Vous savez comment les choses fonctionnent. Et par-dessus tout, vous avez l'oreille de Vesperini.

Salah respira un peu mieux. S'ils le considéraient comme un messager, alors il avait peut-être une chance de s'en sortir. Coopérer était la seule option.

— Et je dois lui dire quoi ?

— Vous le savez déjà. Nous souhaitons être vos nouveaux protégés.

— C'est leurs territoires que vous voulez ?

— Avec leur récente mort, je crois que le problème des « ter-ter » s'est réglé de lui-même.

— Alors des locaux, pour vendre tranquillement ? Je peux vous les fournir. Indétectables. En centre-ville.

— Le centre-ville ? Qu'est-ce qu'on ferait là-bas ? Ce n'est pas chez nous. À moins d'un kilomètre de nos cités on est déjà étrangers. Vous vous trompez sur nos intentions. Le job de dealer, c'est comme celui de footballeur, les carrières sont courtes et il faut assurer l'après. Passer nos journées assis dans un coin de hall à écouler notre came, barrette après barrette, gramme après gramme, vous pensez vraiment que c'est notre but ? Avec un avenir qui hésite entre la prison et le cercueil ? Nous voulons plus, monsieur Salah. Nous voulons tout. Nous vendons de la drogue pour tenir les quartiers et nous tenons les quartiers pour vous être indispensables. C'est le seul moyen d'obtenir votre attention. Le seul moyen d'exister. En fait, tout ça est un peu votre faute. Si on ne vous fait pas peur, vous nous abandonnerez, tout simplement.

— Dites-moi ce que vous voulez. Je ferai mon possible. J'en parlerai à Vesperini.

La réponse fut courte et Salah ôta le téléphone de son oreille pour s'adresser aux trois intrus.

— Vous devez me remettre une liste ?

Driss fouilla la poche de son jean et en sortit un papier plié en deux qu'il tendit à l'adjoint de mairie. Ce dernier le parcourut, ligne après ligne, puis rapprocha le portable de son oreille. La conclusion n'allait pas leur plaire.

— C'est impossible. Ce que vous demandez est juste impossible. Pas maintenant. On est à moins d'un an des élections et les caisses sont vides. Pour les logements, les bagnoles, les CDI et le reste c'est jouable, je peux négocier, mais deux cent mille euros, même si vous me mettez encore la gueule sous l'eau bouillante, on ne les aura jamais. On a déjà tapé partout.

— Et pourtant, vous devrez trouver une solution. Avec la dernière saisie des flics, on peut tenir les territoires encore deux semaines, au maximum. Il va bien falloir aller faire un tour en Espagne pour nous ravitailler. Il nous faut du liquide. Beaucoup de liquide.

— Vous ne comprenez pas, il vous suffirait juste d'être patients. D'attendre la réélection et les nouveaux budgets.

— Patients ? La patience, c'est de la faiblesse.

À ce point de la conversation, le Boss savait déjà qu'il avait visé trop bas. Il poursuivit sur un ton rassurant.

— Mais nous vous avons bien assez ennuyé, Azzedine. Il se fait tard. Mes hommes vont vous laisser tranquille.

La conversation semblait terminée mais Salah savait qu'en rendant le portable il serait, lui aussi, terminé. Face à son silence, Bibz le lui arracha des mains.

— Boss ?

— On en tirera rien. Il faut passer à l'interlocuteur suivant.

— Et lui ?

— Qu'il serve de message. Sois inventif.

Le jeune garçon raccrocha et fourra le téléphone dans sa poche. Il réfléchit quelques secondes puis se tourna vers Salah.

— Alors comme ça, t'aimes la lacrymo ?

Salah fut allongé de force sur le canapé. Driss lui attrapa fermement les bras pendant que Colin enserrait ses jambes. Bibz s'assit sur son torse mais, avec l'énergie du désespoir, Salah se contorsionna pour échapper à leur emprise. Déséquilibré, Bibz reprit le contrôle de la situation en appuyant son poing sur la trachée d'Azzedine, à presque la briser. Une technique simple qui empêcha ainsi tout mouvement à sa proie. Le gamin se retourna et interpella Markus. Son ton autoritaire de petit soldat porté par une voix enfantine glaçait le sang.

— Oh ! Tu nous donnes un coup de main ou quoi ?

Le boxeur était resté en retrait, refusant de comprendre ce qui était en train de se passer.

— On n'a jamais dit que ça irait jusque-là, protesta-t-il.

— Ça ira jusqu'où le Boss l'a décidé.

— Sans moi. Vous êtes tarés... Je me casse d'ici.

Markus les regarda une dernière fois, dépité, et quitta la pièce. Colin et Driss étaient ravis que quelqu'un, pour une fois, ait su fermer la gueule du psychopathe en culottes courtes. Psychopathe qui, face à cet affront, commençait déjà à bouillir et ses deux complices en firent les frais.

— Le Boss réglera ça avec Markus, ils se connaissent. Mais vous, c'est à moi que vous aurez affaire si on termine pas le boulot.

Bibz se saisit de l'extincteur lacrymogène dont il enfonça l'embout dans la bouche de l'adjoint. Colin et Driss resserrèrent leur étreinte. Bibz lui pinça le nez et envoya le gaz incapacitant à jet soutenu. Salah tenta vainement de ne pas respirer mais au premier contact du gaz avec les muqueuses de sa gorge la douleur devint insoutenable et il hurla, expulsant tout l'air de ses poumons. Quelques secondes d'étouffement et il ne put qu'inspirer à fond et les remplir à nouveau, mais cette fois-ci la lacrymogène remplaça l'oxygène. Il mourut en moins de vingt secondes après quelques convulsions.

Les effluves de gaz n'ayant épargné personne, les trois envoyés du Boss se dégagèrent rapidement et foncèrent à la fenêtre, à la recherche d'air frais, crachant, toussant, salive aux lèvres, morve au nez. Ils se nettoyèrent ensuite le visage à grande eau. Une fois remis, Bibz regarda la scène, insatisfait. À ses yeux, le message n'était pas assez démonstratif.

— Colin, va me chercher une casserole.

Le manche dans une main, de l'autre il enfonça la bombe lacrymo dans la bouche du cadavre et l'ajusta dans l'alignement de la gorge, comme s'il s'apprêtait à planter un clou.

Au premier coup de casserole, la mâchoire s'ouvrit en deux. Au second coup, l'extincteur s'enfonça aux trois quarts, gonflant la gorge démesurément, ne laissant sortir que quelques centimètres de tube métallique.

Bibz fit un pas en arrière, inclina la tête comme s'il estimait un tableau. C'était beaucoup mieux ainsi.

25

Depuis le début de la soirée, Sam avait perdu partie sur partie. Il s'inscrivit à une nouvelle table de poker en ligne et pria pour que les cartes lui soient plus favorables. Contre toute attente, à la première main, il reçut deux as. Et un texto de Coste.

Karl De Ritter sortit de sa douche. Du plat de la main, il désembua la glace et s'inspecta. Il banda fièrement les muscles et estima que Johanna n'était pas à plaindre. Il s'attendait à la trouver lascive et allongée mais, quand il entra dans la chambre, elle était assise sur le rebord du lit, en culotte et tee-shirt moulant, portable à la main. Le regard désolé qu'elle porta sur son mari mit un terme à leur soirée.

— Sérieux Jo, bientôt il va falloir prendre rendez-vous pour baiser !

Karl passa une chemise et descendit lui faire couler un café pendant qu'elle se préparait. Il s'en voulait déjà de sa réflexion.

Avant de partir, elle passa par la chambre des petits et, le plus doucement possible, s'approcha de leur cou pour respirer leur odeur.

Ronan et Fleur Saint-Croix arrivèrent ensemble au 23, avenue Victor-Hugo, sur la commune de Malceny. Ce qui, évidemment, n'échappa à personne. Coste et le reste de l'équipe étaient déjà sur place et chacun eut la décence de ne faire aucune réflexion. Tout du moins, pas sur l'instant. Ronan jeta un coup d'œil au cadavre et se posta dans un coin du salon. Fleur se plaça à l'opposé, comme s'ils ne se connaissaient pas. Une jeune gardienne de la paix terminait de faire son compte rendu, calepin en main.

— Un appel 17 Police secours anonyme à 22 h 15. La victime s'appelle Azzedine Salah. Il est adjoint au maire. On a trouvé la porte ouverte, pas de dégradation au niveau de la serrure. La victime connaissait proba- blement ses agresseurs.

— Tout doux les conclusions cinéma, tempéra Coste. Ça veut juste dire que la victime a ouvert la porte, rien de plus. À des étrangers ou à des familiers, tu ne peux pas t'avancer.

La fliquette referma son calepin, un brin vexée d'avoir voulu briller devant la PJ et de s'être plantée. Ses deux collègues en uniforme affichaient un sourire narquois. Elle était la plus jeune de l'équipage et sou- vent cantonnée à rester à l'accueil du commissariat. Avec cet épisode, elle allait certainement se faire mettre en boîte un bout de temps. Toutefois, Coste n'avait pas pour habitude de rabaisser les gens et se rattrapa en lui laissant une seconde chance.

— OK. Ensuite, tu ferais quoi ?

Ronan et Johanna s'adossèrent au mur, intéressés, et écoutèrent. La jeune gardienne de la paix se ressaisit et recouvra son aplomb. Du regard elle embrassa la scène de crime. Une cuisine américaine, ouverte sur le salon. Une grande table avec six chaises autour. Pas mal de désordre au sol. Un large canapé et le corps inanimé, bouche ouverte, dents cassées, gorge déformée, les yeux grands ouverts. Elle se lança.

— D'abord l'Identité judiciaire pour les traces et indices. Vu l'odeur de lacrymo qui reste encore, ils ont dû pleurer ou cracher. Ça fait pas mal d'ADN, tout ça.

— Je suis d'accord, dit Coste, mais j'ai moins d'espoir que toi. Tu ne sens rien d'autre ?

Fleur Saint-Croix se rapprocha de l'équipe.

— Il fait quoi, là ?

Ronan sourit en se souvenant comment Victor l'avait recruté de cette même manière, huit ans plus tôt, sur une scène de crime.

— Il regarde ce qu'elle a dans le ventre.

La fliquette passa de la cuisine au salon, tentant d'accrocher un nom à l'odeur tenace. Ses deux collègues se marraient déjà un peu moins.

— Ça sent… le propre, la piscine, le chimique… Merde, ça sent la javel.

— C'est ça. Ils en ont probablement aspergé tous les endroits où ils sont passés. Ton ADN a dû en prendre un coup.

— Alors… ce sont des pros ?

— Non, tu vas encore trop vite. Ça peut très bien être juste des types qui regardent les séries télé, comme tout le monde. Notre métier n'a plus de secrets depuis longtemps. Sinon, dans l'immédiat, tu n'oublies rien ?

— Si vous parlez de l'enquête de voisinage, cette fois-ci c'est vous qui allez un peu trop vite, capitaine. À Malceny, on appelle cet immeuble la Citadelle. Vous vous trouvez dans l'HLM le plus luxueux de la

143

commune. Trente logements sur six étages. Quinze appartements occupés par des proches de madame Vesperini, notre maire. Amis, famille ou collaborateurs. Dix autres occupés par des cadres de la préfecture. Les cinq restants ont été obtenus par la voie normale.

— C'est-à-dire ?

— En payant un droit d'entrée de quinze mille euros à la responsable HLM de Malceny. Enfin l'ancienne, parce qu'à l'heure où je vous parle elle a été dénoncée et s'est fait renvoyer. Ici, les loyers modérés profitent aux salaires élevés. Croyez-moi, quand il y a un souci à la Citadelle, on a plutôt intérêt à intervenir au plus vite, vu le statut des locataires. Alors votre enquête de voisinage à presque minuit, avec tout le respect que je vous dois, je vous la laisse.

De l'entrée, une voix menaçante interrompit leur conversation.

— Mais savez-vous seulement qui je suis ?

L'accès à l'appartement était gardé par un policier en faction qui n'en menait pas large car, oui, il savait très bien qui elle était. Dans le salon, la jeune gardienne de la paix souffla à l'intention de la PJ :

— Ça... c'est Vesperini.

Cette fois-ci, Coste ne put se dérober et vint à sa rencontre. Il se présenta et tenta d'apaiser les esprits.

— Madame le maire, mes respects. Capitaine Victor Coste, SDPJ 93. Les techniciens de l'Identité judiciaire devraient arriver sous peu. D'ici là, vous comprendrez, j'espère, que la scène de crime doit être préservée. Mais si vous avez la moindre question...

La maire était restée accrochée aux derniers mots du policier.

144

— Scène de… crime ? Mais je pensais que c'était un accident. Que s'est-il passé ?

— D'après nos premières constatations, le décès serait dû à un étouffement mais il nous faut plus de temps, madame, nous venons juste d'arriver. D'ailleurs, comment avez-vous été mise au courant si vite ?

Un peu plus loin dans le couloir, une jeune femme qui jusque-là était restée silencieuse s'approcha. Coste la reconnut tout de suite.

— Bonsoir capitaine, Maud Jeansac, je suis la chargée de communication de madame le maire.

Elle se présentait à lui pour la seconde fois. Il lui serra la main, un peu gêné de lui avoir menti quelques heures plus tôt. Ils échangèrent un regard entendu.

— J'habite au dernier étage. J'ai aperçu les lumières des gyrophares et je me suis inquiétée. Je pensais moi aussi à un simple accident. Quand j'ai vu qu'il s'agissait de l'appartement de monsieur Salah, j'en ai immédiatement avisé madame Vesperini.

Visiblement dévastée, cette dernière mit un peu de temps à assimiler la nouvelle. Puis elle reprit part à la conversation.

— Capitaine, je sais que ces derniers temps vous avez beaucoup à faire sur ma commune et, bien sûr, je ne minimise pas l'importance de vos autres enquêtes, mais je voudrais avoir la certitude que celle-ci mobilisera toute votre attention. Monsieur Salah était plus qu'un collaborateur, c'était un ami. Vous aurez de nos services une coopération absolue.

Elle se tourna vers sa chargée de communication.

— Maud, vous établirez une liste de tous ceux qui travaillent ou ont travaillé avec Azzedine et vous la remettrez au capitaine.

— J'imagine que vous ferez partie de cette liste, ajouta Coste à l'intention de la maire.

— Et je serai la première à être entendue si vous le souhaitez. J'ai quitté monsieur Salah aujourd'hui même à 20 heures passées.

— Vous a-t-il dit s'il devait rencontrer quelqu'un en particulier ce soir ?

Vesperini réfléchit un instant. Le meurtre survenait au moment où elle avait demandé à son adjoint d'aller prendre la température des quartiers… La coïncidence lui semblait curieuse.

— Nous avons parlé de l'anniversaire de ma fille, du programme de demain et nous en sommes restés là. Non, je ne vois pas.

— Nous aurions besoin de procéder à une perquisition dans son bureau. Votre accord écrit nous faciliterait les choses.

Une série d'images envahit l'esprit de Vesperini. L'agenda professionnel. Les dossiers. Les fichiers informatiques. Elle aurait tout intérêt à devancer les policiers et à effectuer un premier tri dans les affaires de son adjoint. Sa nuit ne faisait que commencer.

— Ni porte fermée, ni obstruction, vous aurez accès à tout. Maud, je vous charge de faciliter le travail de la Police judiciaire. Au moindre problème, avertissez-moi.

Elle se tourna vers Coste.

— Capitaine, nous vous laissons travailler et restons à votre entière disposition. Je connais personnellement la famille de monsieur Salah, je me chargerai de leur annoncer son décès, si vous n'y voyez pas d'inconvénient.

Coste n'en vit pas et, après une poignée de main à chacune des deux femmes, il put retourner dans l'appartement. Ronan procédait à ses constatations, à bonne distance du cadavre pour ne pas polluer la scène de crime. Johanna et Sam se trouvaient dans le bureau, ouvrant les tiroirs et fouillant les classeurs. À ce stade de l'enquête, le moindre bout de papier pouvait avoir son importance. Fleur Saint-Croix s'approcha de Coste.

— Bien capitaine, évidemment je vous saisis de l'enquête. Vous ferez en sorte de…

Elle hésita un instant et changea son fusil d'épaule.

— Faites comme vous savez faire. Mais j'attends un compte rendu détaillé pour demain 9 heures.

Elle ne put s'empêcher, avant de quitter l'appartement, de jeter un dernier regard à Ronan qui, sans discrétion, lui adressa un clin d'œil.

— Ça va, tu nous l'as attendrie la petite, remarqua Coste lorsqu'elle fut partie.

— Ouais, je lui ai un peu parlé de toi. Elle sait que l'enquête filera droit et qu'elle n'a pas à s'inquiéter.

— Tu fais attention à toi avec cette histoire, j'espère ?

— Marrant, Sam m'a déjà prévenu. Mais entre nous, recevoir des conseils de couple par Victor Coste… Tu m'excuses si je m'étouffe un peu ?

Touché, Coste n'eut pas le temps de trouver la repartie : la fliquette s'adressa à lui.

— Capitaine, si vous n'avez plus besoin de nous, on est appelés en renfort sur un différend familial qui dégénère pas mal.

— Aucun problème, vous nous faxerez votre rapport d'intervention au plus vite ?

Elle acquiesça, mais alors qu'elle se dirigeait vers ses deux collègues, une information lui revint en mémoire.

— Une dernière chose, capitaine. Le chef de poste du commissariat de Malceny vous a téléphoné aujourd'hui ?

— Pas à mon souvenir.

Il regarda Ronan qui lui fit non de la tête.

— J'ai pris mon service à l'accueil, en fin d'après-midi. Un vieil homme s'est présenté. Jacques quelque chose. Il s'inquiétait de ne pas avoir de nouvelles d'une amie à lui. Rose quelque chose. Une dame âgée qui serait morte hier. C'est bien vous qui êtes sur cette affaire ?

— Rose Carpentier ?

— Oui, Carpentier, c'est ça. Vous avez l'air surpris. Apparemment mon supérieur a bouffé la com'…

— Une connaissance de Rose, on en cherche une depuis vingt-quatre heures ! s'exclama Coste.

Il se saisit du calepin de la jeune gardienne de la paix et nota son numéro de portable.

— C'est mon perso. Je veux ses coordonnées dès que tu pourras, même en pleine nuit. Tu t'appelles comment ?

— Émilie, capitaine.

— Arrête avec tes « capitaine », conclut Victor avec un sourire.

Quand elle fut partie, Ronan leva le nez de ses notes. Son chef de groupe était perdu dans ses pensées, en compagnie de Rose.

— Ça y est, on a remis un euro dans la machine. Victor, si un jour je me fais buter, c'est toi que je veux sur l'enquête.

— Sois pas con. Si un jour tu te fais buter, ce sera probablement par Sam et je ne pourrai rien faire.

Ronan éclata de rire.

— Et la fliquette ? Tu mets une option dessus ?

— Dans quelques années. Elle est encore trop jeune.

26

Sam était arrivé au service à 8 heures. Il n'était pas spécialement matinal, mais il savait qu'une heure plus tard l'été transformerait la ville en sauna. Il tenait donc à profiter d'un bref moment de fraîcheur.

Derrière son ordinateur, il retraça la dernière nuit de monsieur Salah grâce aux cellules techniques activées par son portable. La géolocalisation corroborait les informations données par Vesperini. Le téléphone était allé de la mairie à son domicile et n'en avait pas bougé jusqu'à l'agression. Rien de concluant de ce côté.

Par acquit de conscience et même si l'adjoint de mairie était une victime, il entra son identité dans les fichiers du STIC[1]. Connaître ses éventuelles erreurs de jeunesse pouvait permettre de mieux appréhender le personnage. Sam ne fut pas déçu. Estomaqué, il lut la longue liste des infractions qui lui étaient attribuées.

---

1. STIC : Système de traitement des infractions constatées. Base de données qui enregistre, entre autres, toutes les infractions commises sur le territoire national, l'identité des auteurs, de leurs complices et des victimes.

— C'est une blague... ça ne peut pas être le même !

Il vérifia l'orthographe, la date de naissance, s'y reprit à deux fois mais le résultat ne changea pas. Il poursuivit ses recherches sur les complices connus et ce qui s'afficha sur son écran le fit bondir de sa chaise.

— Oh putain, c'est Noël !

Lorsque Sam entra en trombe dans le bureau de Coste, le reste de l'équipe n'en était encore qu'au premier café et voir autant d'énergie, si tôt, les rappela à leur fatigue. Ils avaient passé une bonne partie de la nuit chez l'adjoint au maire et n'étaient rentrés chez eux que pour quelques heures.

— Les gars, j'ai du lourd. Attention, c'est du billard à trois bandes, va falloir être concentrés. Je parle surtout pour toi, Ronan.

Ronan lui fit un doigt d'honneur et Sam se lança :

— Notre victime d'hier, monsieur Salah, n'a pas toujours été un bon garçon. Il a même eu pas mal de problèmes avec la justice.

— C'est pas obligatoire pour entrer en politique ? ironisa Johanna.

— De gros problèmes, précisa-t-il alors. Il a fait de la prison à deux reprises. Une première fois pour un cambriolage à vingt et un ans. Une deuxième fois à vingt-six, pour trafic de stups. Interpellé pendant un « go-fast » entre Amsterdam et Paris. Seize kilos d'herbe dans le coffre, deux ans ferme pour lui et son complice. Karim Souki.

D'abord cette impression de connaître le nom, comme s'il se baladait dans la mémoire sans pouvoir s'accrocher à un visage ou à un événement. Puis le souvenir se précisa et enfin chacun s'exclama :

151

— Karim Souki ! Le gars aux genoux percés ?

— Le mort au chocolat !

Coste se saisit des recherches de Sam pour les parcourir attentivement.

— On connaît vraiment une personne en regardant ses fréquentations. Je crois que nous venons de faire un peu plus connaissance avec madame Vesperini. Sam, appelle l'hôtel de ville et convoque madame le maire pour demain matin, si son agenda le permet.

Encore tout excité, Sam voulut accélérer les choses.

— Pourquoi pas tout de suite ?

— Parce que j'attends quelqu'un.

*
* *

Coste déposa les deux tasses brûlantes sur son bureau. Vu sa courte nuit, il fondait beaucoup d'espoirs sur les effets de la caféine. Monsieur Jacques se saisit de l'une d'elles et souffla doucement dessus. Il avait été convoqué à 10 heures et s'était présenté avec trente minutes d'avance. Du temps, Jacques en avait énormément. Veste en tweed, pantalon de velours et canne posée contre sa jambe, sa seule tenue vestimentaire donnait une idée de son âge.

— Monsieur Landernes, je vous remercie de vous être déplacé.

L'homme ne leva pas les yeux de son café. Il chuchota presque :

— A-t-elle souffert ?

— Je vous demande pardon ?

— Je m'inquiète du silence de mon amie le samedi auprès du commissariat et je suis convoqué le lendemain

152

par les services de la Criminelle. Sans vouloir faire de conclusions hâtives, je crains de comprendre.

Comme à son habitude dans ces situations, Coste évita les longues phrases.

— Elle est morte d'une crise cardiaque vendredi soir à son domicile. Et non, elle n'a pas souffert.

Monsieur Jacques sembla soulagé de l'apprendre et son regard s'échappa vers l'extérieur, à travers les fenêtres du bureau.

— Vous souhaitez que nous suspendions l'audition ? Je peux vous laisser seul un instant si vous préférez, proposa Coste.

— Non, poursuivons s'il vous plaît.

Victor ouvrit un dossier devant lui et approcha le clavier de son ordinateur.

— Comment avez-vous rencontré Rose ?

— Au club de bridge des anciens de Malceny. Vous l'appelez Rose ?

Le flic ne sut quoi répondre.

— C'est amusant, reprit monsieur Jacques. On appelle souvent les vieilles personnes par leur prénom, comme si elles étaient redevenues des enfants.

— Vous lui connaissiez des ennuis ?

— Oui, probablement les mêmes que les miens.

— Je ne vous parle pas de problèmes de santé, nous nous comprenons bien ? J'ai peur que vous ne soyez pas au courant de toutes les activités de madame Carpentier…

Monsieur Jacques reposa son café sur le coin de la table et lissa son pantalon du plat de la main.

— Je préférais quand vous l'appeliez Rose, mais si vous parlez de la drogue qu'elle cachait chez elle, rassurez-vous, j'en ai tout autant dans mon armoire.

Coste suspendit ses notes et repoussa le clavier devant lui. En silence, il but une gorgée de son café. Surprenant comme une simple phrase peut chambouler votre journée. Il fouilla dans sa poche et en sortit un paquet de cigarettes.

— Ça vous dérange ?

— Je vous en prie, j'ai fumé pendant trente ans. D'ailleurs… aujourd'hui…

Victor lui tendit le paquet dont une cigarette dépassait. Le vieil homme s'en saisit du bout des doigts, se rapprocha de la flamme du briquet et aspira comme s'il sortait d'une longue apnée. Il retrouvait un vieux démon avec un bonheur délicieux. Il tira une nouvelle bouffée avant d'ajouter :

— J'imagine que l'on reprend tout depuis le début ?

*
* *

Pour la suite de son histoire, le vieil homme eut un peu plus de public. Sam et Ronan s'étaient installés dans le fauteuil et Johanna était restée debout, bras croisés, dans un coin de la pièce. Coste avait décroché son téléphone pour ne pas être dérangé. Un peu gêné au début, Jacques retrouva de son assurance au fil des mots.

— Je m'appelle Jacques Landernes. J'ai soixante-dix-huit ans. Je suis veuf et j'ai une fille qui demeure aux États-Unis. Elle est ma seule famille. J'habite sur Malceny depuis près de quarante ans. J'ai rencontré Rose Carpentier au club de bridge et depuis, tous les samedis, nous nous voyions là-bas. Un jour, j'ai été agressé en bas de chez moi. Le lendemain, un jeune homme m'a abordé dans la rue pour savoir si je voulais arrondir mes fins de mois et bénéficier d'une protection. C'est comme ça que je me suis retrouvé avec une valise pleine de drogue et un salaire de trois cents euros mensuels. Je savais que Rose rencontrait les mêmes problèmes d'insécurité et de fins de mois difficiles, alors je lui ai parlé de cette opportunité.

Il s'arrêta quand il remarqua que le flic ne retranscrivait pas ses déclarations.

— Vous ne notez rien ?

— Parce que je ne sais pas encore ce que je vais faire de vous. Ne vous arrêtez pas, poursuivez.

Jacques rassembla ses idées.

— Nous n'avions que quelques instructions à respecter. Être à notre domicile les mercredis et samedis soir et prévenir de la présence de policiers dans l'immeuble. Il n'y a jamais eu aucun changement dans notre entente. Jusqu'à vendredi dernier. Quand trois gamins sont entrés chez moi pour me dire qu'ils reprenaient les affaires.

— Vous ne les aviez jamais vus ?

— Jamais.

— Et la marque sur votre visage, c'est leur carte de visite ?

Avec le silence comme réponse, le vieil homme toucha sa pommette gauche, encore endolorie.

— Vous pourriez les décrire ?

— Deux de seize ans environ. Un Arabe, et un Blanc avec des vêtements bizarres qui ne lui allaient pas. Mais ce n'est pas eux qui semblaient diriger. C'était le plus petit. Un jeune Noir d'à peine treize ans. Ses amis ont dit son prénom, plutôt un surnom…

155

il m'échappe toujours. Pour leurs visages, je n'arrive pas à me l'expliquer, mais ils se sont effacés.

— Rassurez-vous, c'est tout à fait normal. Près d'un quart de nos victimes ne reconnaissent pas leur agresseur. Nous appelons ça l'effet tunnel. Avec le stress et la peur, votre esprit s'est concentré sur autre chose, le reste ne s'est pas imprimé.

Sa survie. Monsieur Chat. Rose… Le flic avait raison : il n'avait pensé à rien d'autre.

— Pour le meneur, vous êtes sûr de l'âge ? Je sais qu'on est mature plus vite sur le 93 mais ça reste un peu jeune.

— Croyez-moi, c'est lui qui m'a frappé.

Coste n'avait toujours pas appuyé sur la moindre touche de son clavier. À écouter ces aveux, il ne voyait qu'un homme creusant sa propre tombe. Tour à tour, il regarda les membres de son équipe, inhabituellement silencieux.

*
* *

Voilà près de trente minutes que Jacques Landernes patientait sagement dans la salle d'attente du service. Sans surveillance ni menottes. Lui qui pensait se retrouver directement en cellule, les méthodes de ces flics commençaient à lui paraître de plus en plus étranges.

Vu la chaleur, Johanna s'était retrouvée de mission sodas frais. Les bras chargés de cannettes glacées, elle monta les escaliers jusqu'au dernier étage du bâtiment. Au fond d'un couloir, elle en emprunta d'autres plus étroits et aux marches plus hautes qui menaient à une porte qu'elle ouvrit de l'épaule pour atterrir sur le toit plat du SDPJ. La journée, l'endroit était souvent utilisé pour des discussions privées. On s'y expliquait à mots crus, pour mettre les points sur les « i » ou avouer ses erreurs, à l'abri des regards et des oreilles indiscrètes. Parfois, en fin d'après-midi, on y décapsulait quelques bières pour fêter une belle affaire.

Elle y rejoignit le reste de l'équipe. Le soleil tapait sur leur nuque, trop chaud, presque désagréable. Un tabouret, un vieux fauteuil bancal à trois pieds et des chaises dépareillées étaient posés sur le revêtement granuleux couleur asphalte. Les autres avaient déjà pris place et elle opta pour le fauteuil.

— Alors ? Vous pensez qu'ils étaient amants ? s'amusa Ronan.

Jacques et Rose, en couple dans le malheur. Johanna repensa à Jack et Rose, les deux amoureux du *Titanic*, son film préféré avec *Mad Max* et *L'Exorciste*. Elle garda cette réflexion pour elle.

— Si t'as trop de sensibilité pour le claquer en garde à vue, poursuivit Ronan, je le fais à ta place. Il est quand même bien mouillé dans un trafic de stupéfiants, ton ancien.

— Je sais, répondit Coste. Et ce serait même la meilleure option pour lui. Mais la hiérarchie ne permettra jamais qu'il soit placé en garde à vue. Ils vont vouloir l'utiliser. À un moment ou à un autre, les dealers devront se ravitailler. Donc si on l'interpelle maintenant et qu'on saisit la drogue, ils ne reviendront jamais à l'appartement. Personne ne va vouloir rater cette chance. Les Stups vont se servir du vieux comme appât. Attendre que les types se pointent et les serrer. Ce ne seront que de petits lieutenants, mais Sylvan leur mettra la pression pour connaître l'identité de leur patron, sur lequel il voudra coller l'exécution des trois caïds.

— Et Jacques ? s'inquiéta Johanna.

— Après l'interpellation des dealers à son domicile, Jacques sera considéré comme une balance, avoua Ronan. Une semaine, maximum deux, avant de le retrouver mort.

— C'est ce que je voudrais faire entendre à Sylvan, souffla Coste.

— Il est assez intelligent pour comprendre qu'on n'essaie pas de résoudre trois meurtres en en provoquant un quatrième. Ça reviendrait tout simplement à lui mettre un contrat sur la tête.

— En fait, ce n'est pas Sylvan qui m'inquiète, précisa Victor. C'est Jevric. Elle va le sacrifier sans remords. Passer à côté d'une interpellation médiatique, c'est comme si tu lui enlevais ses trois pains au chocolat du matin. Les griffes vont sortir.

27

— Alors là, tu peux toujours aller te faire foutre, Coste !

Réaction prévisible. Il aurait bien voulu s'entretenir seul à seul avec Sylvan dans un premier temps, mais Lara Jevric, le chef du Groupe crime 2, devait avoir un GPS pour toujours se trouver exactement à l'endroit où on ne la voulait pas. Quand Victor était entré dans le bureau des Stups, elle était déjà affalée sur leur canapé, profitant de leur café et des gâteaux au miel du ramadan, cadeau de la *oumaïma*[1] d'un de leurs équipiers.

Après l'éclair, il laissa passer le tonnerre.

— Et je peux savoir pourquoi c'est toi qui as entendu le petit vieux nourrice ? J'ai pas rêvé quand t'as fait la fine bouche devant le patron sur cette affaire de stups ? Désolée, il faut le laisser rentrer chez lui, coller une équipe à son dom' et attendre l'heure du ravitaillement. On peut toujours lancer une demande de protection de témoin si ça s'envenime.

---

1. *Oumaïma* ou *oumayma* (phonétique) : terme affectueux signifiant « petite maman » en arabe.

— Arrête, Jevric, s'irrita Coste. Si ça s'envenime, on le saura uniquement quand on sera au-dessus de son cadavre. Que votre interpellation se fasse chez lui, ou même à quelques mètres, si elle a le moindre rapport avec lui, il est mort. Et ta protection des témoins, c'est déjà une galère à faire accepter pour des affaires de terrorisme, alors imagine pour un retraité qui baigne dans un vulgaire trafic de banlieue. Tu rêves.

Pire que cela elle n'en ignorait rien, mais comme c'était positif pour sa carrière les dommages collatéraux devenaient acceptables. Jevric allait tirer une deuxième salve d'arguments quand Sylvan la coupa d'une voix neutre.

— Je suis d'accord avec Victor.

L'imposante capitaine, toujours échouée sur le canapé, manqua de s'étouffer avec une corne de gazelle et le sucre glace lui fit une petite moustache. Le chef des Stups profita de ce qu'elle était occupée à reprendre son souffle.

— Ta technique est bonne, Lara, mais elle fait courir un danger à notre unique témoin. On parle de came et de cadavres et Victor nous parle du seul type vivant de la procédure. Ce serait bien de le garder en l'état, non ? On trouvera une autre manière, à un autre moment.

Coste tira parti de cet allié inespéré.

— Vous pouvez faire une surveillance photo pour identifier les ravitailleurs. Vous pouvez aussi mettre une caméra chez le vieux.

Jevric n'en revenait pas.

— Tu me parles surveillance et prise de renseignements alors que c'est le quatrième meurtre qui s'affiche

160

sur le tableau de la Crime en moins d'une semaine. Tu ne penses pas qu'on devrait passer à l'action ?

— Et Landernes deviendra le cinquième.

— De toute façon, de quelle manière tu comptais le sortir de là ?

— On peut l'interpeller. Version cirque. En pleine journée, avec cinq bagnoles, en faisant le plus de bruit possible. On saisit la came, on le place en garde à vue. Il sera déféré, jugé, il va prendre du sursis et personne ne se doutera qu'il a balancé. Le tribunal ne donne jamais de ferme pour des nourrices, elles sont considérées comme des victimes, et Jacques ne risquera rien. Ni du côté de la justice, ni du côté de la rue.

Puis Coste prit sur lui en lui parlant plus doucement.

— Lara, il y a ce que le Code pénal te dit de faire et il y a ce qu'il est juste de faire. Tu ne vas pas risquer la vie d'un pauvre type pour serrer une paire de crevures qui à la fin ne balanceront jamais la tête de réseau. Ils ont plus peur des représailles que de l'uniforme.

Les arguments des deux flics tenaient droit. Elle sembla, sinon convaincue, tout du moins résignée. Et contre toute attente, elle céda.

— Vous ferez comme vous voudrez. Et puisque vous avez l'air d'accord, je vous laisse expliquer tout ça à Damiani et au taulier. Pas sûr qu'ils vous suivent.

*
* *

Damiani ne fit pas dans la morale, ni dans l'humain. Elle se rangea derrière une conclusion proche de la comptabilité. Une affaire de stups qui capote plutôt que la menace d'un nouveau cadavre, le calcul avait été rapide. Elle n'avait plus qu'à faire avaler la pilule au patron.

Dans la salle d'attente du SDPJ, Jacques Landernes patientait sagement, comme un élève convoqué chez le proviseur, ignorant que son sort se jouait à quelques mètres de là. Les flics du Groupe crime 1 n'étaient pas plus avancés, suspendus à la décision de leur hiérarchie. Coste décida de prendre un peu d'avance.

— Johanna, prépare-moi un procès-verbal de placement en garde à vue. Il faudra ensuite aller chercher le matos chez lui. Sam, avertis la Canine et les Compagnies d'intervention, cette fois-ci on n'y va pas en sandalettes et serviette de plage. Ronan...

Au même moment, le nom de Fleur Saint-Croix s'afficha sur son portable et le personnel l'emporta sur le professionnel.

— S'il te plaît Victor, tu me laisses juste deux minutes ?

Il n'attendit pas la réponse et s'apprêtait à sortir pour plus d'intimité.

— Salut toi. T'es déjà allée sur le toit en verre du Grand Palais ? J'ai un pote qui...

Il s'arrêta au beau milieu de la pièce et de sa phrase. Son sourire disparut.

— Tu te fous de moi ? C'est complètement ridicule.

Dans le bureau, tout le monde avait suspendu son activité.

— Carrément ! Tu me donnes du lieutenant Scaglia, maintenant ?

Le reste de la conversation ne lui laissa guère la parole et il raccrocha sans même un au revoir.

— Tu t'es fait plaquer ? demanda Sam. Je t'avais prévenu.

— J'aurais préféré. Jevric vient de nous court-circuiter.

Le registre convenait bien au personnage mais Coste refusa d'y croire.

— Impossible. Elle s'est rangée de notre côté il y a moins de quinze minutes. Comment a-t-elle vendu son histoire à la proc' ?

— Elle lui a promis une interpellation dans la semaine en cours. Une interpellation qui les rapprocherait des trois meurtres. Nous, on patauge et elle lui propose du concret. Saint-Croix n'a pas réfléchi long-temps. Une équipe s'installe chez le vieux Jacques cette nuit.

Johanna serra les poings.

— Putain, j'ai vu des salopes de toutes les sortes, mais elle, elle fait la synthèse.

La porte du bureau s'ouvrit et Damiani passa timi-dement la tête.

— Je sors de chez le patron. Vous viendriez pas de vous faire baiser par Jevric ?

28

Pour la deuxième fois de la journée, l'équipe supportait un soleil inamical sur le toit plat du SDPJ 93.

— Ils disent qu'ils vont loger le vieux dans une chambre d'hôtel, le temps de la procédure, commença Ronan.

— Ça doit correspondre à leur idée de protection des témoins. Et après un séjour dans une chambre pourrie de Formule 1, il rentre chez lui et tout le monde aura oublié ? Je veux bien que les dealers ne soient pas tous futés mais c'est pas non plus des poissons rouges. Ils sauront s'en souvenir. C'est complètement inconscient, s'emporta Sam.

De Ritter s'inquiétait de ne pas voir son chef de groupe plus concerné que cela. Comme s'il avait déjà tourné la page. Elle s'était pourtant attendue à ce qu'il entre en collision frontale avec Jevric et que le service entier se mette à pétiller, mais il restait immobile, juché sur le rebord du toit, comme s'il cherchait dans la ville une solution au problème.

— Là, Victor, ce serait bien que tu aies une idée.

Il se retourna vers eux.

— On va faire comme si on poursuivait une journée normale. Johanna et Ronan, vous partez en perquisition dans le bureau d'Azzedine Salah. Présentez-vous d'abord à Vesperini et dites-lui que je vais bientôt la convoquer. Sam, tu passes par mon bureau, j'ai quelques recherches informatiques à te demander.

— Et après ?

— J'ai des coups de fil à donner.

— Certainement pas, s'opposa Ronan. Tu nous as fait le même coup l'année dernière avec la famille Soultier[1]. T'es le premier à nous parler d'équipe et, dès que ça chauffe, tu la joues en solo.

Pour leur protection uniquement, et ils le savaient tous. Mais Coste avait pris sa décision depuis longtemps et il estima que chacun était assez grand pour faire son propre choix.

— D'après toi, à quelle heure les Stups vont s'installer dans l'appart' ?

Pas vraiment la peine d'en rajouter. Ses trois équipiers souriaient déjà. Ronan fit part de son expérience.

— En plein milieu de la nuit. Y a du monde dans les cités jusque 2 heures du matin. Mettons 3 heures… Les premiers travailleurs décollent à 5 heures. L'idéal, ce serait vers 4 heures du mat'.

— On va faire ce à quoi je pense ? s'affola Sam.

— Mais oui, mon p'tit, répondit Ronan avec un large sourire.

Avant de quitter le toit, ils s'offrirent deux minutes au soleil, perchés à vingt mètres au-dessus du sol, assis

1. Lucas et Margaux Soultier : personnages principaux du roman *Code 93*.

sur les chaises dépareillées, les yeux fermés. Johanna posa sa main sur la nuque de Coste.

— Tu sais quoi Victor ?

— Non.

— Tu mets une bonne dose de n'importe quoi dans nos vies. Et je t'en suis reconnaissante.

— Mes chatons, je ne suis pas sûr qu'un enlèvement soit du meilleur effet sur vos CV, conclut-il.

Peut-être la suite serait-elle catastrophique. Peut-être un orage de merde se préparait-il au loin. Mais là, juste là, c'était un chouette moment.

29

Jacques comprit rapidement son erreur. Il s'était mis en danger en allant voir les flics, bien plus qu'en continuant son baby-sitting de stupéfiants. Il s'en voulait d'avoir pris la mauvaise décision en choisissant le droit chemin. Coste lui avait expliqué en détail le projet de Jevric. Puis le sien, un peu plus « hors piste ».

— Je viens chercher votre protection et vous me sacrifiez, c'est ça ? Même si je vous suis, ça ne change rien. Vous n'allez pas me cacher indéfiniment. J'aurais voulu mourir dans mon sommeil, pas dans un micro-ondes.

— Pardon ?

Il n'avait tout simplement pas envie de leur raconter.

— Ce n'est rien, oubliez.

Coste tenait dans sa main le résultat des recherches demandées plus tôt à Sam.

— Vous pourriez aller chez vous, loin de Malceny.

— Chez moi ? Mais je n'ai pas d'autre chez moi.

— Et votre maison de Chanclair, dans la Drôme ?

Jacques les regarda comme s'ils avaient fouillé dans ses poches.

— Comment connaissez-vous cet endroit ?

Sam entra en scène.

— Par les fichiers SPI[1] des impôts. Pas très compliqué. La question que je me pose, c'est pourquoi être resté si longtemps dans un coupe-gorge, alors que vous avez un point de chute quand même plus adapté pour votre retraite.

Cette réflexion plongea le vieil homme dans ses souvenirs et il ne semblait pas prêt à en sortir.

— Monsieur ?

La voix de Ronan n'eut aucun effet. Johanna réalisa alors qu'ils avaient raté quelque chose. Elle utilisa un ton rassurant, le même qu'avec ses enfants.

— Quel est le problème avec cette maison ?

Jacques prit une inspiration et leur expliqua.

— Ma femme y a passé ses derniers jours. C'est aussi bête que ça. Je n'ai jamais eu le courage d'y retourner depuis. Vous dites maintenant que cette maison pourrait me sauver la vie ? Je ne réussis pas vraiment à apprécier l'ironie, mais… peut-être est-il temps d'affronter mes fantômes.

Il lui fallut quelques secondes de plus avant d'accepter l'idée.

— Alors, si j'ai bien compris, vous m'embarquez dans la nuit avant que l'autre équipe n'arrive et vous me déposez au train du matin ?

— C'est un peu plus subtil que ça. Les premières semaines, il faudra appliquer les mêmes règles qu'une cavale. Si on a trouvé votre baraque dans la Drôme en

1. Fichier SPI : Simplification des procédures d'imposition. Rassemble les diverses impositions dont les taxes foncières et l'ensemble des adresses de taxation. Permet de connaître avec exactitude les biens immobiliers d'une personne.

moins de deux minutes sur nos fichiers, il n'en faudra pas plus à Jevric pour y envoyer une équipe. Il vous faut un sas, un endroit dont personne ne se doutera, mais ça, je m'en occupe. Pour ce soir, vous serez hébergé chez Sam.

— Une cavale… murmura Jacques pour lui-même.

Jamais il n'aurait cru que ce mot pourrait faire partie de son vocabulaire. Encore moins à son âge.

— Et en attendant ?

— Je vous emmène au bureau des Stups. Vous les écoutez, vous êtes d'accord avec tout ce qu'ils vous disent et on se charge du reste.

Jacques les regarda, calmement, les uns après les autres. Ces quatre flics qu'il venait de rencontrer il y a à peine quelques heures le décontenançaient totalement.

— Pourquoi faites-vous ça pour moi ? Vous aussi vous vous mettez dans une situation compliquée. Vous n'avez rien à y gagner. Et tout ça pour un inconnu ?

— C'est le drame de nos vies, ironisa Johanna. On consacre nos journées et nos nuits à aider de parfaits étrangers sans être capables de faire attention à ceux qui nous sont proches.

*
* *

Coste avait poliment viré tout le monde de son bureau pour téléphoner à Léa.

— C'est comment ?

— Ça devient de plus en plus agréable, alors c'est de plus en plus dur de n'avoir personne avec qui le partager.

— Même les piafs et la cloche ?

— Arrête, c'est ce qu'il y a de mieux, en fait. Et puis je passe beaucoup de temps avec ma mère. Elle a eu la mauvaise idée de tomber amoureuse d'un homme qui ne pense qu'à son boulot. Tu crois que ça peut être dans les gènes ?

Comme elle l'emmenait là où il voulait aller, Coste ne releva pas la pique.

— Justement, j'ai besoin de ton aide. Enfin, de celle de ton père. Il est à sa clinique ?

— Il n'en sort presque pas. Mais honnêtement, je pensais être présente le jour où vous vous rencontreriez. T'as besoin de quoi, dans une clinique privée parisienne ?

— D'une chambre pour y cacher une victime, le temps de mon enquête.

— Vous n'avez pas de programme de protection des témoins ?

— C'est marrant. Toi aussi tu crois à ça ?

Léa Marquant laissa s'écouler quelques secondes de silence.

— Promets-moi que c'est sans danger.

— C'est sans danger.

*
* *

Pour assurer une discrétion totale, Jacques Landernes avait été déposé par un flic des Stups à deux stations de bus de chez lui. Il avait marché le reste du trajet et mis à profit ce moment de calme pour faire le point.

L'horloge du salon indiquait 18 heures lorsqu'il

ouvrit la porte de son appartement. Il n'alluma pas la lumière et garda même sa veste sur le dos. Par la fenêtre, il scruta cet environnement qu'on lui proposait de fuir. Les groupes de gamins en bas des halls, tout juste bons à tenir les murs. D'autres, autour d'une voiture de sport bien au-dessus de leurs moyens, toutes portes ouvertes, musique à fond. Et le bruit incessant des scooters trafiqués. Une grande cour de récréation sans école autour.

Il se remémora les instructions de Coste : « Vous n'aurez que quelques heures pour vous préparer. »

Dans son placard, il commença par faire, parmi ses vêtements, le tri de ce qu'il devait prendre et de ce qu'il pouvait se permettre d'abandonner. Heureusement, Jacques ne versait pas dans le superflu et bientôt, tout le contenu du placard fut transféré dans son petit sac de voyage. Il termina de le remplir en se confectionnant un nécessaire de toilette et y ajouta quelques serviettes. Puis il se plaça face à l'armoire vitrée du salon et à toute une vie de souvenirs.

« Vous devrez voyager léger et ne prendre qu'un seul bagage. »

Ainsi, le troc débuta : un costume complet contre trois épais albums photo. Il sacrifia les serviettes et put sauver les babioles *made in USA* envoyées par sa fille au cours des dernières années. Enfin, il estima que son beau manteau bleu noir en alpaga ne valait pas une sélection de ses livres préférés, *L'Attrape-cœurs* de Salinger en premier choix. Il fit l'échange et jeta le manteau en boule sur son lit.

« Bien sûr, vous prendrez… le reste. »

Derrière un carton de vieux livres se trouvait une valise rigide. Il la tira d'un coup sec et la posa sur le lit. Il en inspecta encore une fois le contenu, espérant peut-être que, par chance, les gamins soient passés dans la journée, aient tout emporté, le libérant ainsi de ses obligations. Mais tout était bien là. Désespérément au complet.

Puis il jeta un coup d'œil à son manteau bleu noir, pris de remords.

À 22 h 30 Sam chargea dans son coffre les deux bagages. Il monta ensuite dans la voiture où le vieil homme l'attendait en silence, canne entre les jambes. Il s'étonna de son accoutrement.

— Vous ne crevez pas de chaud, avec ce manteau ?

— Je n'ai plus de place dans mon sac de voyage et je n'ai pas non plus réussi à m'en défaire. Un cadeau de ma femme. Du bête sentimentalisme.

Bien que les premiers épisodes puissent se révéler hasardeux, Sam lui rappela la finalité du projet.

— Dans peu de temps, vous serez dans votre maison de campagne et vous verrez que tout cela en valait la peine.

— Je le souhaite, Sam. Je peux vous appeler Sam ?

Le flic lui sourit et démarra.

Quelques rues plus tard, il se gara à une dizaine de mètres du commissariat de Malceny et Jacques s'en amusa.

— Vous avez changé d'avis ? Vous me livrez aux autorités ?

— Rassurez-vous, ce n'est pas vous que je livre. Je reviens dans une minute.

Le vieil homme le regarda sortir et le suivit dans le rétroviseur jusqu'à ce que le coffre ouvert lui cache la scène. Sam tira la valise de drogue vers lui. Quand il le souleva d'un coup sec, le bagage s'ouvrit et tout son contenu se déversa : une partie des pains de drogue dans le coffre, l'autre au sol, tandis que le pistolet glissait sous la voiture. Pendant une seconde, Sam eut la sensation que tous les éclairages publics se braquaient sur lui et que toutes les alarmes de voitures allaient hurler de concert pour l'accuser. Mais rien. Personne autour, pas de témoin gênant. À la hâte, il ramassa les pains de cannabis et de cocaïne puis attrapa l'arme sous la carrosserie. Il referma soigneusement la valise qu'il secoua pour en éprouver la solidité. Si cet incident venait à se répéter dans l'enceinte du commissariat, les conséquences seraient certainement plus embarrassantes.

Une fois rassuré, il se dirigea vers l'entrée. De l'extérieur, il aperçut une fliquette au bureau de l'accueil. Exactement là où elle devait être. À bientôt 23 heures, il n'y avait dans la salle d'attente qu'un homme qui tenait un mouchoir ensanglanté sous son nez et une femme pendue à son téléphone portable. Personne ne ferait attention à lui. Sam chercha la casquette de base-ball roulée dans la poche arrière de son jean et l'enfonça sur sa tête. Les yeux baissés, il entra, déposa le colis juste devant le bureau et fit demi-tour.

Comme il était convenu, la jeune gardienne de la paix ne le retint pas et si l'équipe de Jevric venait, plus tard, à le lui demander, elle ne se souviendrait que d'un vieil homme courbé s'aidant d'une canne pour marcher, sans autre précision. Jevric en conclurait que le vieux avait paniqué et fui son appartement.

Elle prit ensuite son téléphone et envoya à Coste un texto des plus courts.

Message d'Émilie : « Paquet reçu. »

Puis elle alla annoncer au chef de poste qu'un colis suspect se trouvait à l'entrée.

30

Arrivé au pied de son immeuble et alors qu'il attrapait le sac de voyage de Jacques, le regard de Sam fut attiré par un petit paquet sombre, tout au fond du coffre. Il tendit le bras pour s'en saisir.

Un pain de cannabis d'un kilo, échappé de la valise un peu plus tôt, se retrouvait maintenant dans ses mains. Il leva les yeux au ciel.

— Sérieusement ? À moi vous faites ça ?

N'importe qui d'autre dans l'équipe aurait passé ce test sans difficulté. Mais il traînait depuis son adolescence une vilaine manie dont il avait beaucoup de mal à se défaire.

— Tout va bien ? l'interrogea son invité.

Il fourra précipitamment le paquet dans son sac à dos.

Jacques Landernes restait là, un peu bête, planté au milieu du salon de Sam, dans un décor qu'il ne comprenait pas vraiment. Dans un coin, une vieille borne de jeux vidéo comme il en existait dans les salles d'arcade. Posées devant un écran géant, trois consoles de jeu et un fatras de manettes. Face à un canapé presque trop accueillant, une table qu'on ne voyait plus, recouverte d'un amas de revues informatiques, de matériel électronique, d'un nécessaire à soudure et d'un ordinateur allumé. Au mur, une affiche originale sous cadre du premier film *geek* de l'histoire, *Tron*. Le vieil homme eut l'air ennuyé.

— Je ne risque pas de déranger vos enfants ?

Sam embrassa son salon du regard et éclata de rire.

— Ouais, je vois ce que vous pensez, mais je suis le seul gosse de l'appartement. On va dire que j'ai du mal à grandir.

Il tenta de mettre Jacques à l'aise en lui montrant sa chambre. Une autre télé au mur, un lit *king size* qui faisait quasiment la taille de la pièce et un énorme réveil balle de tennis qu'il lui suffisait de jeter rageusement tous les matins pour qu'il se taise.

— J'ai changé les draps, ne vous inquiétez pas. Demain on vous conduira à votre planque. D'après Coste, c'est un chouette endroit. Je vous laisse vous installer, j'imagine que vous avez envie de vous poser un peu.

Jacques ne répondit pas, s'assit sur un coin du lit et mit les mains sur ses genoux. Il tourna la tête vers la fenêtre qui donnait directement sur un autre immeuble, beaucoup plus grand, avec d'autres fenêtres, d'autres chambres, d'autres vies. Il se demanda s'il échangerait la sienne, s'il en avait la possibilité.

— OK, je vous ai perdu, là, constata son hôte. Bon, je serai à côté si besoin.

Sam envoya un texto à Coste pour lui dire que tout allait selon le plan prévu. Puis il se rendit à son bureau où il approcha une lampe à bras articulé. Devant lui, un pain de cannabis d'un kilo dans son *smell proof bag*. Comme un gosse qui n'aurait qu'un cadeau de Noël, il l'ouvrit avec de grandes précautions et, à peine libérée, l'odeur vint envahir ses narines. Il ne put réfréner un sourire de satisfaction. Pas coupé, malléable, belle couleur. Du pur shit.

— Je n'en ai jamais goûté.

Pris en faute, Sam sursauta.

— Putain Jacques ! Tu m'as foutu la trouille…

Il se reprit rapidement.

— Pardon, vous m'avez fait peur. Tout va bien ?

— Oui, tout va bien. Je me dis juste que j'aurais peut-être mieux vécu cette aventure à vingt ans. C'est beaucoup de stress.

Puis il regarda sur la table ce que la lampe éclairait.

— C'était pas censé être dans la valise, ça ?

Sam prit deux secondes et se lança dans une explication acrobatique.

— Oui. Mais non. C'est normal. On prend toujours une partie pour analyse, en fait. Pour connaître la provenance et identifier les… les réseaux, en fonction du… trajet qui…

— Faites comme vous voulez, je m'en moque.

Jacques fit demi-tour et se dirigea vers la chambre. Ses pas étaient si lents qu'ils en devenaient tristes. Sam se remémora tout ce par quoi le vieil homme était passé.

— Attendez… beaucoup de stress vous m'avez dit ?

*
* *

177

Le fou rire qui les prit ne les quitta pas avant un bon quart d'heure. Après avoir attentivement observé la manière de faire et tiré quelques bouffées, Jacques avait tenté de rouler le premier joint de sa vie, mais le résultat avait été catastrophique autant que biscornu. Ils le fumèrent malgré tout.

Ils se confièrent l'un à l'autre. Sam lui raconta pourquoi il vivait seul. Jacques lui parla du syndrome de Peter Pan ; puis de sa femme et de leur rencontre. Sam lui avoua les raisons qui l'avaient poussé à devenir flic. Jacques lui expliqua pourquoi il s'appelait Landernes et plus Leinberg.

L'un comme l'autre avaient rarement eu l'occasion de se livrer avec autant d'honnêteté. Et l'un comme l'autre n'avaient pas passé une si bonne soirée depuis… Depuis trop longtemps.

Plus tard, la télé s'alluma, ils se mirent à l'aise et, à la faveur d'un troisième joint, ils se marrèrent comme des gosses devant une rediffusion du *Bal des Vampires* que leur offrait le câble. Surtout la scène avec le vampire gay. À la fin du film, Jacques dut s'y reprendre à deux fois pour se redresser sur le canapé.

— Je vous l'accorde Sam, l'effet est agréable.

Il attrapa le pain de résine encore collante et le fit tourner dans ses mains.

— Dommage que cela pourrisse les cités.

— On peut le voir comme ça. C'est aussi ce qui les fait vivre. Une des raisons pour laquelle l'État refuse de dépénaliser. La vente de cannabis rémunère une partie de cette population dont on ne sait pas quoi faire. Si on leur retire ce gagne-pain, ils devront trouver une autre source de revenus. Braquages, prostitution, enlèvements. C'est un moindre mal dans une situation sans issue.

— Un moindre mal qui a tué Rose.

Cette fois-ci, Sam n'eut aucun argument à lui opposer.

— Et qui me force à tout abandonner pour me lancer dans une… comment dites-vous déjà ?

— Une cavale, Jacques. Une cavale.

Cette conversation plongea le jeune flic dans une certaine gêne que son invité remarqua aussitôt. Il n'avait pas voulu cela.

— Je vois tout ce que vous faites pour moi. Vous êtes une bonne personne, Sam. J'ai été content de vous rencontrer, lui glissa Jacques avant de rejoindre sa chambre.

*
* *

À 4 heures du matin, le capitaine Vincent Sylvan entra dans l'immeuble et, à dix minutes d'intervalle, son binôme le suivit. Jevric et Chloé – la seule femme du Groupe des stups, toujours cachée sous sa casquette noire – avaient emprunté le parking souterrain. Ils se retrouvèrent tous dans la cage d'escalier et commencèrent à grimper les quatorze étages. Au sixième, Jevric soufflait déjà comme un buffle.

Face au paillasson « bienvenue », elle toqua doucement à la porte. Puis encore. Au bout d'une minute, Sylvan frappa franchement, sans plus de résultat. À l'intérieur de l'appartement, le téléphone sonna dans le vide et, furieuse, Jevric raccrocha. Le binôme de Sylvan avança une hypothèse.

179

— On a peut-être été pris de court ? Faudrait quand même vérifier, non ?

Celui qui a l'idée en supporte les conséquences et il fut bon pour un aller-retour voiture, afin de chercher le bélier dans le coffre, et remonter les quatorze étages. Après deux coups bien sentis, la porte céda. Jevric se rua dans chacune des pièces et jura tout autant de fois. Il ne lui fallut pas longtemps pour saisir.

— Enfoiré de Coste ! S'il croit que je vais le laisser faire ! Je vais le détruire. Putain, je vais le détruire ! J'en ai rien à foutre qu'il soit 4 heures du mat', j'appelle le taulier.

Sylvan s'efforça vainement de la calmer.

— Arrête, Lara, t'es sûre de rien. Le vieux a bien vu qu'on le mettait en danger. Il a pu prendre peur et se casser sur sa propre initiative. Tu crois réellement que Coste aurait kidnappé notre objectif ?

Jevric serra les dents pour retenir tout un flot d'insultes avant de se mettre à fouiner dans chaque recoin. Trouver une quantité de drogue suffisante lui permettrait au moins de ne pas passer pour une totale incompétente lors de son compte rendu à la magistrate. Alors qu'elle était à quatre pattes, en train d'inspecter le dessous du lit, les deux flics des Stups se rapprochèrent de leur chef de groupe. Ils se parlèrent à voix basse sans se regarder.

— Tu crois que c'est Coste ?

— Évidemment que c'est Coste, répondit Sylvan, un sourire sur le visage.

— Comment peux-tu en être certain ?

— La victime avant tout ! Il agit selon son propre code. Il n'y a rien de plus simple à comprendre qu'un homme qui suit un code. Je l'ai juste sous-estimé.

— Et la came dans tout ça ?

— Ça reste un flic. On devrait en entendre parler dans les prochaines heures, je ne suis pas inquiet.

— On peut dire qu'il a des couilles, souffla Chloé.

— On peut le dire.

Lara Jevric sortit de la chambre encore plus en colère, si cela était possible, de n'avoir rien trouvé.

— Vous parlez de quoi ? leur demanda-t-elle, agressive.

Sylvan reprit les choses en main sans pour autant s'énerver.

— Déjà, tu vas baisser d'un ton parce qu'on s'est tous fait avoir, comme toi. Le vieux était un allié à moitié convaincu, on aurait dû le surveiller dès sa sortie de nos bureaux. Ensuite on ne peut pas repartir sans avoir la certitude qu'il n'y a plus de marchandise, alors quitte à aboyer, appelle la Canine.

Pour réquisitionner la Brigade cynophile, elle devait passer par la Salle d'information et de commandement. Sa requête précisée, son interlocuteur s'amusa de la coïncidence.

— Vous cherchez des produits stupéfiants ? Les collègues de Malceny ont eu plus de chance que vous. On leur en a carrément déposé une valise pleine à l'accueil.

Elle manqua de lâcher son téléphone.

— À quelle heure ? hurla-t-elle.

— 23 heures, pourquoi ?

— Annulez les chiens, conclut-elle avant de lui raccrocher au nez et de se retourner vers Sylvan, comme s'il était complice.

— La came est au commissariat de Malceny. C'est lui ! Je suis sûre que c'est lui !

31

Au petit matin, madame le maire s'engouffra à l'arrière de sa berline. Le chauffeur connaissait les règles. Ne répondre que si on lui parlait. Toutes politesses de protocole et discussions anodines étaient proscrites. Ne jamais sortir de la voiture pour lui ouvrir la porte. Elle n'était ni présidente, ni handicapée et, dans une des villes les plus pauvres de France, l'idée d'un serviteur véhiculait un mauvais message. Le trajet se fit donc en silence jusqu'à ses bureaux de l'hôtel de ville.

Vesperini avait dormi par tranches de vingt minutes d'un sommeil agité. Ses traits tirés la vieillissaient de dix ans et le manque de repos, depuis le début de cette semaine infernale, la rendait irritable et cassante. Enfin… bien plus qu'à l'accoutumée. Convoqués à la première heure, Baptiste Cardel, son chef de cabinet, et Maud Jeansac n'avaient échangé que deux phrases avant de la rejoindre.

— Comment va la Reine ?

— Elle est d'humeur à couper des têtes.

Une fois assis en face d'elle, ils firent profil bas.

— En politique on s'autorise vingt-quatre heures d'apitoiement. Après, il faut réagir, commença la maire.

Cardel déposa devant elle une liste de prétendants éventuels à la place tragiquement libérée par Azzedine Salah. Il pointa du doigt le premier nom.

— Bruno Chabert pourrait être un bon choix. Il connaît les missions de la branche « vie associative ». Il a un bon contact avec les principaux acteurs sociaux de la ville. Sport, culture, activités extrascolaires, il pourra reprendre tous les dossiers sans trop perdre de temps. Il m'a souvent exposé de très bonnes idées et il a une réelle confiance dans le concept de politique en tant que tissu social. C'est un vrai militant.

Elle le regarda, absolument dépitée.

— Mais de quoi vous parlez, Baptiste ? Vous êtes con ou quoi ? La politique en tant que tissu social ? C'est quoi, ces divagations d'énarque ? Vous n'allez pas me coller un type qui va tout chambouler. Manquerait plus que cette ville s'intéresse à la politique ! Il y a quarante-trois mille habitants pour un taux record d'abstentions de 72 % et on aurait plutôt intérêt à ce que ça ne change pas. Moins on n'a de votants et plus il est simple d'influer sur le cours d'une élection, c'est mathématique. Mathématique, pas politique !

— Alors quelles sont les qualités que vous cherchez, madame ?

— Je veux quelqu'un qui ait ses entrées dans les quartiers et dans les zones de non-droit. Quelqu'un qui y soit respecté. Je ne vais quand même pas vous y envoyer dans votre petit costume ? Comment pensez-vous que les autres communes se débrouillent ? Vous voulez que je vous donne des exemples ? À Élisy, le nouveau responsable des maisons de quartier sort tout juste de prison, vous pensez qu'il leur sert à quoi ? À Véry-sous-Bois, le directeur de la caisse des écoles ne sait ni lire ni écrire, vous croyez qu'ils l'ont trouvé où ? Encore mieux, à Courcel, le responsable du service des emplois aidés convoque directement dans son bureau les détenus en fin de peine. Il leur fait des fausses fiches de paie au kilomètre pour qu'ils récupèrent un job plus vite et se les mettre dans la poche. Chaque mairie fait comme elle peut pour s'assurer les services d'anciens délinquants, et « ancien » n'est pas vraiment une condition sine qua non. C'est ce profil qu'il me faut. Je ne veux pas d'un nouveau politicien, je tape dans un bureau il en tombe cinq. Je veux un homme de terrain. Et quand je parle de terrain, je parle de terrain miné, vous saisissez ? Fouillez dans notre vivier, ça ne devrait pas être trop compliqué. Cherchez parmi les médiateurs, les animateurs sportifs, la voirie, les espaces verts et tous les autres postes dans lesquels on a fourré nos infra 5.

Les infra 5 ! Les ignares en somme, pensa Cardel, qui avec son cursus scolaire impressionnant eut l'impression qu'on lui demandait de faire les poubelles.

— Je vais vous préparer une nouvelle liste, madame.

— Bon, et sur le plan médias, on ressemble à quoi ?

Maud Jeansac parcourut ses notes et pria pour ne pas se faire allumer.

— L'enquête est en cours concernant Salah, donc personne n'ose trop se prononcer ni faire de lien avec les trois meurtres de cette semaine.

— Il n'y en a aucun mais ils ne manqueront pas d'en inventer. Je vais passer pour une sorte de mafieuse, si ça continue.

Vu ce qu'il venait d'entendre, cela correspondait parfaitement à ce que pensait Cardel. Il cilla mais ne broncha pas. Maud poursuivit.

— Je ne serais pas surprise que vous soyez contactée rapidement par le ministre de l'Intérieur. Il souhaite faire une intervention sur la commune. Il s'est d'ailleurs déjà exprimé ce matin.

— Lisez-moi ça.

La chargée de com' toussa pour s'éclaircir la voix.

— « Je veux mettre un terme à la délinquance liée aux trafics de drogue. Nous avons tous, collectivement, la responsabilité d'agir. Il est plus que jamais nécessaire de focaliser de fortes capacités d'investigations sur les quartiers ou les ensembles d'immeubles gangrenés par les trafics. C'est pour moi un point incontournable dans la réflexion que doit mener la Direction centrale de la police judiciaire, de même que le renouvellement de l'approche des milieux criminels et du ciblage des têtes de réseaux. »

— Je m'en tire plutôt pas mal, se rassura Vesperini.

Mais Maud n'avait pas terminé.

— En fait, vous arrivez plus tard dans le discours. Je poursuis ?

Le regard sombre qu'elle reçut et l'absence de réponse l'y invitèrent.

— « Mais le travail de la police et de la justice ne peut être qu'une réponse aux conséquences de cette délinquance. Il faut travailler en amont. C'est tout d'abord à la commune et aux élus locaux que revient la responsabilité d'une politique de prévention et d'insertion dans le cadre d'un mouvement fédérateur appuyé par un réseau de confiance constitué de l'ensemble des partenaires. Cette coopération prend forme au sein du CLSPD, le Conseil local de sécurité et de prévention de la délinquance. Un outil dont je me charge de vérifier l'efficacité en me rendant très prochainement sur le terrain. Des résultats : voilà le cap ! »

De la liste de candidats que lui avait remis Cardel un instant plus tôt, ne restaient que de petits morceaux de papier entre les doigts de Vesperini, déchirés au fur et à mesure du discours lu par Maud.

— Bientôt ça va être ma faute, maugréa-t-elle. Ce type réussirait à se faire briller avec une éponge sale. Heureusement que nous sommes de la même couleur politique, il aurait été capable de me crucifier ! Baptiste, contactez le dir-cab du ministre et demandez-lui ce qu'il prévoit. Débrouillez-vous comme vous voulez mais, s'il prépare une visite sur Malceny, j'attends d'en connaître tous les détails. S'il espère faire de la récupération, je veux être dans le champ de la caméra.

Elle bascula en arrière dans son fauteuil.

— Bien, s'il n'y a rien d'autre, je voudrais me retrouver un peu au calme.

Maud s'apprêtait à se lever quand elle se souvint du message déposé par sa secrétaire le matin même sur son bureau.

— Le moment est probablement mal choisi, mais le rabbin de la synagogue Heikhal Torah vous demande confirmation… pour la bar-mitsva de son fils.

Vesperini fronça les sourcils et souffla.

— J'allais l'oublier, lui.

— On peut aussi voir ça plus tard, madame.

— Absolument pas. Il y a des sujets qu'on ne remet pas au lendemain. Juifs et musulmans, ce sont deux communautés que je ne veux pas avoir contre moi. Combien elle me coûte, cette bar-mitsva ?

— Trente-cinq mille euros.

Cardel ouvrit les bras en signe d'impuissance.

— On est dans le rouge sur toutes les lignes. Terminer votre mandat en roue libre sans se faire épingler par la Cour régionale des comptes sera déjà un exploit.

— Arrêtez de trembler, Baptiste. On dirait une adolescente à sa première nuit. Vous me faites de la peine, parfois. Personne n'a envie de mettre le nez dans le fonctionnement des mairies. Pour faire bien dans l'opinion, le gouvernement a décidé de contrôler le budget des communes mais ce sont les maires qui nomment leur trésorier. Et Delsart, mon trésorier, ne bougera pas d'une oreille. C'est quand même le fils de mon ex-beau-frère, ça compte encore la famille, non ?

— Et où pensez-vous trouver cette somme ?

— Dites-moi, l'ANRU[1] nous a bien accordé une subvention pour la MJC[2] ?

— Oui, enfin, pas grand-chose. Quarante mille euros pour la réfection de la salle principale qui a brûlé.

— Parfait. On fera faire un coup de peinture à cinq mille euros facturé quarante et on aura nos trente-cinq mille. Ce n'est quand même pas à moi de vous expliquer comment ça fonctionne. Maintenant si vous voulez bien, j'ai vraiment besoin de…

Le voyant rouge qui s'alluma silencieusement sur son téléphone de bureau lui confirma que sa journée allait être interminable. Prête à mordre, elle appuya sur le bouton correspondant.

— Quoi ?

1. ANRU : Agence nationale de rénovation urbaine.
2. MJC : Maison de la jeunesse et de la culture.

— Désolé de vous déranger, madame, un appel que vous voudrez prendre. Monsieur Salah. Enfin… son père.

Tout agacement quitta aussitôt Vesperini. Cardel et Maud n'eurent besoin d'aucune invitation et se levèrent en même temps. Dans son bureau maintenant vide, la maire se recentra un court instant. Un jour plus tôt, elle avait tenu elle-même à faire l'annonce du décès auprès de la famille.

— Passez-le-moi.

Déclic et transfert de communication.

— Monsieur Salah, madame le maire à l'appareil. Comment tenez-vous le coup ?

— Plutôt bien. Merci de vous en inquiéter.

La voix au téléphone lui parut étonnamment posée.

— Si je peux faire la moindre chose pour vous ou votre famille, n'hésitez surtout pas à me le demander. Je ne peux qu'imaginer votre peine et la difficulté de ce deuil.

— C'est gentil, mais n'ayez pas d'inquiétudes, la mort d'Azzedine n'a pas été si compliquée que cela. Je ne m'avancerai pas en disant qu'il n'a pas souffert, mais d'après mes hommes l'histoire s'est réglée en quelques minutes.

Vesperini éloigna le combiné de son oreille comme s'il était brûlant. Un frisson lui parcourut le dos et, sur ses avant-bras, ses poils se levèrent doucement. Chose rare, elle ne sut quoi dire.

— Quoi qu'il en soit, poursuivit son interlocuteur, je suis content d'entendre que nous sommes sur la même longueur d'onde, car j'ai effectivement quelque chose à vous demander. Pour être honnête, j'avais déjà fait cette requête auprès de monsieur Salah, mais sa réponse ne nous a pas satisfaits.

— Qui êtes-vous ? finit-elle par articuler.

— Mauvaise question. Que voulez-vous serait plus approprié.

La stupeur des premières secondes passée, Vesperini tenta de ne pas perdre la face.

— Vous ne me faites pas peur. Dès que j'aurai raccroché, j'appellerai la police et ils remonteront cet appel.

Elle l'entendit sourire à l'autre bout du fil.

— Je vous y invite, c'est le 17. Mais vous n'en ferez rien car nous savons tous les deux pourquoi votre adjoint est mort. Vous avez récemment perdu trois de vos collaborateurs officieux, de ceux dont on ne fait pas la publicité.

— J'ignore de quoi vous parlez.

— Je comprends votre méfiance, surtout au téléphone. Certains de vos homologues, dans d'autres communes, ont été victimes d'enregistrements déplaisants. Alors laissez-moi continuer seul. Nous avons donc repris leurs territoires et leur commerce, mais ce n'est qu'un moyen, certainement pas un but.

— Que voulez-vous d'autre alors ?

— Rien de plus qu'un avenir.

Un avenir dont quatre morts sont les fondations, pensa-t-elle.

— Il y a d'autres manières.

— Justement non. Vous ne respectez que ceux qui vous menacent. Si nous cessons de vous faire peur, vous nous écraserez. Maintenant, avec le trafic en ma possession, je suis le premier employeur des cités. Je peux les tenir en laisse, ou les lâcher sur vous. De plus, je ne crois pas que nous devrions nous opposer. Travailler ensemble serait plus productif. Une élection approche, si mon sens civique ne me trompe pas. Vos deux premiers mandats ont été un succès. Je peux vous aider à décrocher le troisième. Vous assurer les voix de tous les quartiers, récolter les procurations, transformer chacune des sorties de campagne de vos adversaires en cauchemar, vous promettre le calme lors des vôtres et assurer votre sécurité.

Vesperini répéta sa phrase intérieurement avant de la formuler. Surtout, ne rien dire qui pourrait être utilisé contre elle.

— Je ne vois toujours pas ce que vous attendez de moi.

— C'est pourtant simple. Vendre de la drogue génère beaucoup d'argent, mais ce n'est ni plus ni moins que de la roulette russe : une sorte de pari sur quelques années. Ce que nous voulons, c'est une situation stable. Un après. Faire partie de la société. Une vie sans crainte, sans violence ni danger, dans un environnement propre et agréable. Cela peut vous paraître ridicule car vous êtes habituée à ce genre de confort, et vous oubliez le luxe que représentent ces évidences. On ne réalise la vraie valeur de l'oxygène que lorsqu'on étouffe. On ne veut rien d'autre qu'une vie normale, comme on la voit à la télé. Un emploi, un salaire, un logement. Pas seulement pour moi, mais pour mon équipe. Une centaine de personnes et leurs familles dont je vous fournirai la liste en temps voulu. Mais ce n'est malheureusement pas encore le sujet.

Il fit une pause et le ton de sa voix changea.

— Une importante partie de notre marchandise a été saisie il y a trois jours et un ravitaillement s'avère nécessaire. Vous avez une semaine pour débloquer la somme de deux cent mille euros.

Vesperini se trouva dans l'impossibilité de répondre. En tout cas, pas sur le registre de la vérité. Elle venait de demander à Cardel de lui sélectionner un candidat issu des quartiers et le Ciel lui en offrait un. Le Ciel ou l'Enfer ? Quoi qu'il en soit, celui-ci était trop dangereux mais surtout bien trop cher et, avec toute la bonne volonté du monde, la somme exigée lui était, à ce stade de son mandat, inaccessible. Elle se cacha derrière une fausse morale.

— Vous êtes fou. Vous êtes tout simplement fou ! Comment pouvez-vous penser une seconde que je puisse collaborer avec un assassin ?

— Il va pourtant falloir vous faire à cette idée.

— Ou sinon ? On me découvrira morte moi aussi ? Mais vous n'aurez plus personne à menacer. Après moi il n'y a rien, ou alors bien trop haut pour vous.

Elle respira calmement. Dans la sécurité de son bureau, niché dans son hôtel de ville, au centre de sa commune, elle trouva une once de courage. Ou d'inconscience.

— Je ne vous crains pas.

Sa main tremblait encore, quelques minutes après avoir raccroché. La Reine venait de refuser une alliance dans un contexte où celle-ci lui aurait cependant été favorable.

Malgré son refus, elle commença à réfléchir.

32

Un peu avant 10 heures du matin, Coste entra dans le hall de la clinique du docteur Marquant. Une bâtisse en cercle, à la manière d'un beignet « *donut* » sur deux étages, avec en son centre un immense jardin privé. Au prix du mètre carré parisien et surtout dans le VIIIᵉ arrondissement, autant d'espace vert pour une petite sélection de clients friqués frisait l'indécence.

Dans son chemisier bleu avec prénom brodé dessus, une superbe secrétaire au sourire figé était rivée derrière son comptoir en inox brillant. À un mètre d'elle, son clone. Au-dessus de chacune de ces hôtesses, un écran de télévision géant diffusait en boucle un film publicitaire sur la clinique Alcedonia et les services qu'elle offrait. Quelques patients déambulaient, d'autres, en peignoir, parlaient entre eux, mais aucun n'avait l'air bien malade. Si on ajoutait la musique *lounge* diffusée à volume réduit, l'endroit aurait pu passer pour le dernier spa à la mode.

Un des chemisiers bleus sourire figé s'anima et ouvrit les bras comme si elle présentait les lieux.

— Bienvenue monsieur. Comment puis-je vous aider ?

Il lui colla sa carte bleu-blanc-rouge sous le nez.

— Police judiciaire. Criminelle. Je viens voir le docteur Marquant.

Le visage s'assombrit instantanément. D'un coup d'œil inquiet et pressant, elle envoya son clone à la recherche du patron. Coste en profita donc pour faire quelques pas. Il parcourut le couloir et longea la baie vitrée qui offrait à tous la vue de l'apaisant jardin intérieur. Derrière lui, à une dizaine de mètres, un ascenseur ouvrit ses portes et un homme en blouse blanche en sortit, accompagné par une infirmière. Ils firent un pas de côté pour poursuivre leur conversation. À chaque phrase du docteur, la jeune fille répondait par un rire trop innocent pour être honnête. Regard par en dessous et air mutin, elle se saisit d'un calepin sur lequel elle griffonna quelque chose. Elle arracha la feuille de papier, la plia en quatre et la glissa dans la poche du docteur. Docteur... Il y a des métiers, comme ça, qui marchent bien avec les nanas. Comme les types qui jouent de la guitare sur la plage. Ils ont toujours plus de succès. Dans le métier de Coste, les filles arrivaient généralement cabossées, en pleurs, ou mortes. C'était plus difficile.

L'hôtesse d'accueil vint troubler la sérénade. Elle se pencha à l'oreille de son patron, lui chuchota une phrase et leurs yeux se dirigèrent d'un coup vers le flic. Un peu trop précipitamment, le docteur fit un pas en arrière et l'infirmière entreprenante rangea son calepin et poursuivit son chemin, tête baissée. Conjointement, les deux hommes firent les quelques mètres qui les séparaient.

— Docteur Marquant ?

— Capitaine Coste ?

— Je ne vous dérange pas, j'espère ?

— Pas le moins du monde, rétorqua le toubib, manifestement mal à l'aise. J'attendais votre venue. Léa m'a expliqué la situation.

Une fois dans son bureau, Coste prit un peu plus de temps pour dévisager son éventuel beau-père. Cheveux argentés en une coupe parfaite, manucure et stylo Montblanc. Un mur de diplômes et sur le bureau en verre opaque, l'hypocrite photo de famille avec une Léa d'à peine dix-huit ans, accrochée à son bras, totalement heureuse. Coste eut un pincement au cœur.

— C'est inhabituel de pouvoir aider les forces de l'ordre.

— Je vous l'accorde. C'est une requête assez particulière. Nous cherchons à protéger un témoin. Je dois sortir des règles et je voudrais que cela reste entre nous. Je crois que vous pouvez comprendre.

Le message était assez clair.

— Vous m'assurez que nous ne risquons rien ?

— Si vous n'enregistrez pas ce monsieur sous son nom, je ne vois pas ce qui pourrait mal se passer.

— Parfait. Je vous ai fait préparer une chambre au calme pour une semaine complète, ça ira ?

— Deux semaines seraient plus sûres, le temps de notre enquête.

Comme il lui était difficile de refuser, Marquant donna son accord et les deux hommes se serrèrent la main.

— Si vous le voulez bien, je vous laisse voir la suite avec nos hôtesses d'accueil.

De retour dans le hall, Coste aperçut Sam et Jacques en proie à cet émerveillement de courte durée que provoque le luxe.

— T'as pas intérêt à lâcher Léa, Victor. Quand on a une belle-famille comme ça…

Il se retourna vers le vieil homme dont toutes les hésitations venaient d'être balayées par le sourire d'une infirmière.

— En plus, le personnel a l'air charmant. Tu vas être bien là, mon Jacques. *Good bye* Malceny. Regarde, y a même une forêt privée !

— Vous passerez me voir, Sam ?

— Tu sais, la discrétion, c'est capital. C'est une période où il vaut mieux la jouer profil bas. Par contre…

Il sortit de son sac à dos un téléphone portable visiblement neuf.

— Je t'ai ouvert une ligne et il y a une carte prépayée. Je t'ai déjà enregistré mon numéro et celui du chef, au cas où. Mais t'inquiète pas, regarde ce paradis, dans dix minutes tu m'auras oublié.

Jacques fouilla dans la poche intérieure de son manteau bleu noir et lui tendit un livre aux pages cornées par cent lectures. *L'Attrape-cœurs*.

— C'est mon livre préféré. Je crois que vous vous y retrouverez un peu.

Sur le trajet vers la voiture garée à l'entrée de la clinique, Coste ne put s'empêcher de constater le trouble de son équipier.

— Tu l'aimes bien, dis-moi ?

Sam était orphelin. Ce n'était pas un drame. Enfin, ça n'en était plus un. De toute façon, chacun avait sa propre dose de malheurs et avec leur job, ils avaient même droit à celui des autres, cela leur permettait de relativiser. Il n'y avait donc aucune raison de plonger dans le pathos.

— Ça va. J'ai pas fait de transfert paternel. Merci de t'en soucier. En parlant de famille… Comment t'as trouvé beau-papa ?

— Accompagné.

— Ah, merde.

33

Un feu rouge les arrêta et Sam alluma la radio des infos en continu. Le ministre de l'Intérieur terminait son discours : « Des résultats : voilà le cap ! » Puis le présentateur enchaîna sur la surprenante découverte d'une quantité importante de drogue déposée au commissariat de Malceny, comme un simple objet trouvé.

Sam fit le fiérot.

— Cool, ils parlent de moi ! En tout cas ils sont rapides, les journaleux.

— C'est pas eux qui sont rapides, ce sont les collègues qui dégainent vite leur portable. À deux cents euros le scoop, chaque rédaction a un contact dans les commissariats. Les flics deviennent les premiers indics des journalistes.

Sam estima que c'était le bon moment, s'il y en avait un.

— À ce sujet. Jette un œil dans la boîte à gants.

Comme il en connaissait le fonctionnement, Coste envoya un petit coup de pied dedans et elle s'ouvrit aussitôt. Sur un beau kilo de résine de cannabis.

— Tu m'expliques ?

— La valise s'est pétée, c'est tombé dans le coffre. Je ne l'ai vu qu'après.

L'explication parut satisfaire son chef qui se contenta d'un laconique « OK ».

— C'est tout ?

— Que tu l'aies volé ou pas, tu l'as rapporté. Alors oui, c'est tout.

— De toute façon j'ai arrêté.

— Quand ?

— Hier soir, vers 2 heures du mat'. Et pour de vrai, c'est tombé de la valise.

Alors qu'ils n'étaient plus qu'à une dizaine de kilomètres de leur service, le portable de Coste vibra. Un message émis par Ronan.

« Jevric te cherche partout. Pour info t'es à Malceny en enquête de voisinage. »

*
* *

La première chose qui attira le regard de Sam une fois dans le bureau du Groupe crime fut le sac de boulangerie en papier blanc, posé sur la table et vide. Il s'adressa à Johanna et à Ronan qui travaillaient séparément sur leurs ordinateurs.

— Vous auriez pu nous en garder.

— P'tit déj' offert par les Stups.

— Ça ne change rien, bande de morfales.

— Tu m'as pas compris. Cadeau des Stups, tel quel. Vide.

Coste ne put s'empêcher d'éclater de rire.

— Comme l'appartement qu'on leur a laissé hier soir. Pas mal. Ils ont le sens de l'humour.

Sam préféra ne pas se réjouir trop vite.

— Je ne suis pas sûr que Jevric le partage complètement.

Et comme si son prénom avait été sifflé en ultrasons, elle déboula dans la pièce, sans frapper et à la limite de la rage.

— T'étais où, Coste ?

— Bonjour Lara. À Malceny, en enquête de voisinage. Ronan ne te l'a pas dit ?

— Si, t'inquiète. Ton perroquet a parfaitement retenu la leçon. Il est où le vieux ?

Sam n'apprécia pas cette familiarité. Tout du moins pas dans la bouche de Jevric.

— Il s'appelle Jacques Landernes et aux dernières nouvelles c'est vous, capitaine, qui en aviez la responsabilité.

— Toi, tu fermes ta gueule ! Écoute-moi bien, Coste, si tu crois que tu vas t'en tirer aussi facilement, tu te mets le bras dans l'œil. Des flics comme toi, c'est la honte de la police. Quand j'en aurai terminé avec ton cas...

Elle n'eut pas le temps de finir sa phrase que Johanna s'était levée et la dominait désormais de toute sa hauteur.

— Je te conseille de te calmer sur les insultes et les menaces. La galanterie freine probablement ces messieurs mais, me concernant, t'es à deux doigts de t'en prendre cinq dans la gueule.

Jevric foudroya Coste du regard, comme si elle attendait de lui une réaction, mais par son silence il confirma l'unité de l'équipe et elle quitta le bureau, furieuse.

Elle avait été blessée. Il faudrait s'en méfier cent fois plus.

*
* *

Sylvan détailla le sac plastique que Coste venait de déposer sur son bureau. Il l'ouvrit et découvrit un kilo de shit en carré épais et marron. Sur la table basse, au centre de la pièce, avaient été empilés le reste des pains de drogue, l'arme et les munitions. Il croisa les bras et s'enfonça dans son siège. C'était à Coste de parler.

— Tu as fait ton procès-verbal de pesée ?

— Ce matin.

— Tu peux rajouter un kilo de cannabis tombé pendant le transfert ?

— C'est faisable.

Réponses laconiques sur ton monocorde, Coste eut du mal à lire Sylvan.

— On est comment, toi et moi ? osa-t-il.

Le chef des Stups hésita un instant, le visage fermé. Puis certaines images de la soirée lui revinrent à l'esprit.

— Je devrais t'en vouloir, mais je n'y arrive pas. De toute façon mon équipe ne me suivrait pas. Je crois qu'ils t'aiment bien. Nous non plus, on ne s'arrête pas toujours au feu rouge. Et puis, par-dessus tout, il y a eu la tête de Jevric.

— J'aurais payé pour la voir.

— Quand elle a compris ce qui se passait, elle a juste éclaté comme un pop-corn.

Il lui raconta le reste, dans les détails, en s'attardant évidemment sur la crise de nerfs mémorable à laquelle ils avaient assisté.

Une fois la situation désamorcée, Coste s'apprêta à quitter la pièce. Malgré leur discussion courtoise, Sylvan lui adressa un dernier conseil.

— Coste ?

Le flic se retourna.

— Une fois. Pas deux.

34

Bien évidemment, le commissaire divisionnaire Stévenin avait tenu à accompagner lui-même madame Vesperini dans le bureau du Groupe crime où elle avait été convoquée.

Obséquieux. Coste n'avait pas utilisé ce mot depuis des années, mais lorsqu'il vit entrer son chef de service, presque voûté de respect, il lui revint immédiatement en mémoire. Obséquieux que c'en était presque gênant.

— Capitaine. Vous auriez pu vous déplacer à l'hôtel de ville. Madame le maire a sûrement autre chose à faire que de venir jusqu'à notre service.

Vesperini mit un terme aux politesses.

— J'imagine que l'emploi du temps de votre capitaine est tout aussi chargé que le mien et, indirectement, j'en suis un peu responsable. Je crois que ma commune lui donne beaucoup de travail.

Rassuré, Stévenin quitta la pièce sans oublier d'adresser à son officier une mimique qui semblait vouloir dire tout à la fois, « faites ça bien », « soyez poli » et « ne me mettez pas dans la merde ».

Désormais seule avec Coste, Vesperini prit place en face de lui, non sans éprouver une certaine gêne à se

202

retrouver de ce côté-ci du bureau. Elle avait plus l'habitude de mener que de se laisser diriger.

— Comment tenez-vous le coup ?

Cette première question la déstabilisa. Elle ne s'attendait pas vraiment à parler d'elle. Et puis il y avait ce regard un peu triste, d'une extrême douceur et, pourtant, sans aucune innocence. Le regard de ceux qui savent de quoi sont capables les hommes et qui en gardent le secret. Sans se l'expliquer, elle se sentit en confiance.

— Bien. Je suppose. Je parle régulièrement de violence et de criminalité dans mes discours. C'est tout autre chose d'être personnellement touchée.

— Je comprends. Depuis combien de temps côtoyiez-vous monsieur Salah ?

— Nous travaillions ensemble depuis huit ans.

Coste ouvrit le dossier devant lui pour en extraire un document qu'il tendit à Vesperini.

— Et à quel point le connaissiez-vous ?

Dans les mains de la maire, la fiche STIC d'Azzedine Salah, une photo de lui un peu plus jeune et la longue liste de ses infractions. Elle lui rendit le document.

— Aussi bien que ça. Vous pensez que je ne vérifie pas de qui je m'entoure ?

— J'en aurais été surpris. Peut-être pourriez-vous, alors, m'expliquer les raisons de ce choix…

Elle sembla organiser ses idées pendant quelques secondes.

— Il faut d'abord que vous compreniez, capitaine, que je ne suis pas de ce genre d'élus qui préfèrent payer une amende plutôt que de construire des logements sociaux. J'ai bon nombre de quartiers difficiles et de cités qui peu à peu creusent un écart avec le reste de ma commune. Je ne tiens pas à ce qu'ils deviennent une ville dans la ville. Je veux les associer à notre avenir. Mais pour cela, je dois d'abord les comprendre. Comprendre ce qui nous sépare pour redonner du sens au vivre ensemble. Comment voulez-vous assurer une politique de réduction des inégalités sociales si on ne connaît pas spécifiquement ces inégalités ? Certains de mes adjoints n'ont jamais mis les pieds dans les cités et ont trop peur pour le faire un jour.

— D'où votre intérêt à engager un homme comme monsieur Salah.

— Même si ce n'est pas son passé de délinquant qui m'a poussée à ce choix, dans un sens, c'est quand même cela. Il connaissait toutes les facettes d'une misère qui pousse parfois à la faute. Il savait leurs espoirs car il avait fondé les mêmes. Il savait ce qui les révolte car il avait été révolté avant eux. Il représentait un moyen de communication, un lien nécessaire. Les petits délinquants ou trafiquants qui gangrènent ces quartiers n'en représentent qu'une partie infime. Je veux m'intéresser à tous ceux qui les subissent en silence. Je veux les remettre au cœur de nos priorités et leur donner un droit à l'expression. Je veux qu'ils s'intègrent à leur ville. J'ai un taux de participation aux élections municipales quasiment nul. Je suis donc l'élue pour qui personne n'a voté ! C'est ma légitimité qui est remise en cause. Il faut reconquérir la souveraineté populaire, que les habitants ne regardent pas la politique avec défiance mais avec intérêt, confiance et espoir. La politique comme tissu social, ce n'est quand même pas une utopie ?

Coste n'avait évidemment pas appuyé sur une seule touche de son clavier.

— J'apprécie votre ferveur. Et des hommes au profil de monsieur Salah, vous en employez beaucoup ?

— Capitaine, les communes sont les béquilles de l'État. Nous devons pallier son indifférence, son désintérêt. Chaque année, en France, cent cinquante mille enfants sortent du système éducatif sans diplôme ni qualification. Je ne rejette pas la faute sur l'école publique, elle est un de mes premiers combats. Je lui voue une confiance absolue, mais elle non plus n'a pas les moyens de ses missions. On alloue deux fois plus de budget à un élève parisien qu'à un élève de banlieue. Résultat, sur ma commune, seuls 30 % des enfants issus de milieux défavorisés ont décroché le BEP alors que la moyenne nationale est de 80 %. D'après vous, à la sortie, qui donne du travail aux 70 % restants ? La municipalité, en grande partie. Et s'il n'y avait d'inégalités que dans l'école ! Je dois assurer ce que d'autres considèrent comme acquis. Logement, santé, emploi et même, plus tragiquement, de quoi manger. Les trois quarts des gamins n'ont même pas les moyens de se payer la cantine ! Pour beaucoup, tout cela n'est que le minimum vital, mais dans ces quartiers, c'est un rêve, un aboutissement. On ne réalise la valeur de l'oxygène que lorsque l'on étouffe. Par ailleurs...

Elle s'arrêta au beau milieu de sa phrase.

— Donc, vous ne notez absolument rien...

Coste avait compris depuis longtemps qu'il ne tirerait pas grand-chose de cette audition.

— Si, justement j'allais m'y mettre. Nous commençons ?

Elle lui répondit, vexée :
— Je vous en prie.
— Nom ?
— Vesperini.
— Prénom ?
— Andrea.

35

Estelle Vesperini avait sauté une classe. À douze ans, elle terminait sa quatrième et sa mère se félicitait quotidiennement de l'avoir placée dans le privé. « L'école publique, comme la paix dans le monde, c'est une belle promesse, mais dans l'attente de l'une ou de l'autre, armons-nous et protégeons nos gosses », avait-elle dit un jour au proviseur du collège Charles-Germain-de-Jouy qui lui avait répondu en riant bien fort qu'elle avait beaucoup d'esprit.

Dernière semaine avant les vacances, plus de contrôles et presque plus de devoirs. Dans cet établissement d'excellence réservé aux têtes blondes régnait une inhabituelle atmosphère décontractée. Un certain relâchement avant la plage et les parasols qui avait permis à Estelle de fanfaronner tout au long de la journée tant elle était fière de son cadeau d'anniversaire : le dernier Smartphone avec toutes les nouvelles options qu'elle n'utiliserait jamais, mais que ses copines lui jalousaient et c'était bien là le seul but.

Le scooter se gara à quelques mètres de la sortie, conducteur casqué. Assis à l'arrière, Bibz s'était vissé sur la tête une casquette qui cachait une partie de son visage lorsqu'il le baissait. Calé entre ses jambes, un fusil à mini crosse sur laquelle on pouvait lire « SPYDER EMR-5 ». À 17 h 30, la cloche de la chapelle privée du collège sonna la fin des cours. De la poche de son jogging, il sortit une feuille de papier sur laquelle avait été imprimée une page Facebook. On y voyait une toute jeune adolescente, souriante, accompagnée de ses meilleures amies. Statut : « Bientôt en vacances ! » Suivi de trois *smileys* hilares.

Un groupe compact de gamines, comme un banc de sardines surexcitées, franchit le porche du collège. Des éclats de voix enfantins, des rires et des discussions animées. L'impression que tout ce qui n'avait pas été dit dans la journée devait l'être maintenant, pendant ce court passage entre l'enceinte de l'école et l'extérieur.

Bibz scanna chacun des visages, à la recherche de sa cible. Après le peloton de tête, il aperçut Estelle, en retrait. Entourée de ses copines. Les mêmes que sur sa page Facebook. Le scooter démarra et, à bonne distance, suivit le groupe. À dix mètres du collège, Bibz tapa sur l'épaule du conducteur.

— Vas-y, approche-toi.

— Tu veux pas attendre qu'elle soit seule ?

— Parle pas, approche-toi je te dis.

Le scooter fit une embardée et changea de voie. Arrivé à proximité des jeunes filles, Bibz sortit son arme et tira version gangster. En rafale, sans même chercher à viser.

Estelle fut touchée au cou. Le rouge tacha le col de sa chemisette. Un autre projectile atteignit sa tête, et ses cheveux se colorèrent. Deux autres explosèrent sur son sac à dos. Ses camarades n'avaient pas été épargnées et l'une d'elles se tenait le visage dans la main. Entre ses doigts coulait un liquide écarlate.

Passé le moment de stupeur, elles se regardèrent, toutes salies de peinture.

*

* *

Vesperini monta deux à deux les marches de bois du grand escalier central du collège. D'un pas pressé elle parcourut le couloir jusqu'aux services de la direction et, sans toquer, fit irruption dans un bureau décoré d'une carte de la Gaule, d'une autre de la France et d'une dernière du monde. Estelle était là, assise sagement, avec, à ses pieds, son sac à dos barbouillé de rouge. Face à elle, le proviseur, au maximum de l'embarras. Il avait fallu que ça tombe à une semaine des vacances. Il avait fallu que ça tombe sur la petite Vesperini ! Il avait vu rapidement les parents des autres adolescentes agressées, mais tenait à réserver une attention particulière à Estelle.

Andrea attrapa sa fille et l'inspecta sous toutes les coutures.

— Ça va maman. C'est que de la peinture…

La maire se retourna et tira à boulets rouges sur celui qu'elle considérait comme responsable.

— Que s'est-il passé ? Où sont ces petits cons ? Et leurs parents ?

Estelle eut l'occasion de voir son proviseur, si craint, se liquéfier.

209

— Madame, ce ne sont pas des élèves du collège. Probablement des petits délinquants du public.

Deux ans plus tôt il avait aboli l'uniforme obligatoire dans son établissement. Un groupe de jeunes filles en souliers vernis, chaussettes blanches remontées, dont la même tenue grise et blanche les étiquetait cathos fortunées, attirait autant de racisme et de regards de travers qu'une kippa ou qu'un voile. Il poursuivit :

— Ce n'est certainement que de la jalousie. Cela se produit souvent. Mais je compte appeler la police.

Andrea Vesperini attrapa sa fille par la main, la sortit du bureau et l'assit sur une chaise du couloir, contre le mur. Normalement, être assise sur une de ces chaises signifiait un mot sur le carnet et un retour compliqué à la maison. Mais pour une fois, les rôles étaient inversés et les foudres ne tombaient pas sur un élève.

Estelle twitta : « Ma mère engueule le proviseur. 2 toute façon ma mère engueule tout le monde. L'école c pas la prison. La prison, c chez moi. s'8-d-goutée. »

*
* *

19 h 30, pavillon de la famille Vesperini.

Andrea passa la tête dans l'entrebâillement de la porte et vit son Estelle studieuse travailler. L'adolescente avait juste eu le temps de planquer son Smartphone sous le livre d'Histoire. Comme sa mère, sa chambre semblait avoir été surprise par son passage brutal de petite fille sage à peste rebelle. Sur les murs bleu et rose de l'enfance s'étalaient maintenant des posters aux images et couleurs ultra-agressives de chanteurs de rap et de groupes gothiques, juste pour agacer. Andrea entra et s'adossa au mur.

— Je n'ai pas envie de cuisiner.

— C'est plutôt une bonne nouvelle.

— Qu'est-ce qui te ferait plaisir. Chinois, indien, pizza, burgers, sushi ?

— Choisis. Tout me va.

Elle s'approcha et passa une main dans les cheveux de sa fille.

— Je t'aime.

— Tu peux pas faire autrement, c'est animal. C'est pour la protection de l'espèce. On a vu ça en cours.

À cet âge, chaque signe d'affection envoyé revenait en boomerang avec une bonne dose de cynisme ou d'indifférence.

— Si vous avez prévu de vivre encore quelques années ici, je vous conseillerais de faire moins d'esprit, jeune fille.

— Rassure-toi, je compte partir me prostituer au Qatar. Tu seras tranquille.

Deux secondes de silence. Estelle regarda enfin sa mère et elles éclatèrent de rire.

— Moi aussi, je t'aime. Sushi ça sera très bien.

Dans sa cuisine impeccable, Vesperini fouillait dans le tiroir à prospectus quand le téléphone de maison retentit. Elle attendait cet appel depuis quelques heures et ne laissa pas le temps d'une seconde sonnerie.

— Bonsoir madame. J'étais en entraînement, je n'ai eu votre message que maintenant.

211

— Monsieur Bastide, bonsoir. J'ai besoin de vos services.

Estelle n'avouerait pas à sa mère que, malgré son apparent détachement, s'être fait canarder comme un vulgaire pigeon à la sortie de son école l'avait quand même bien ébranlée. D'un coup, elle se sentit oppressée, seule dans sa chambre. Elle descendit l'escalier pour aller chercher un peu de compagnie au salon. D'abord les premières marches, d'un pas pesant d'ado. Elle entendit alors, venant de la cuisine, quelques bribes d'une conversation. Elle poursuivit son chemin sur la pointe des pieds, pour mieux espionner.

— Je me fous de son agenda sportif, Bastide. Vous pensez vraiment être en mesure de discuter ?

Sa mère lui tournait le dos, visiblement très agitée. Face à elle, la fenêtre donnant sur leur jardin, éclairé par un chemin de lumière qui menait jusqu'à la grille d'entrée.

— Je ne vous demande pas si c'est possible, je vous explique juste comment ça va se passer. Si je n'ai pas ce que je vous demande, vous pouvez considérer votre club comme fermé, c'est assez clair ?

Vesperini raccrocha à la fin de sa phrase, sans laisser le temps d'une réponse que de toute façon elle n'attendait pas. Elle se retourna encore furieuse et changea immédiatement d'attitude quand elle aperçut Estelle, assise à la table de la cuisine, qui la regardait.

— T'es obligée de terroriser tout le monde ?

Prise en faute, elle tenta de se justifier.

— Mais je fais ça pour toi, ma chérie.

— Te donne pas cette peine, bougonna Estelle en quittant la pièce.

À nouveau seule dans sa cuisine, Andrea activa l'interrupteur à côté de la fenêtre et le jardin disparut dans la nuit.

*
* *

Au matin, Estelle fourra ses livres de cours dans son sac à dos ainsi que son téléphone chargé à bloc pour une nouvelle journée. Petit déjeuner expédié, elle lut le mot laissé sur la porte du frigo à son intention.

« Appelle-moi pour me dire si tout s'est bien passé – love – ta méchante maman. »

Elle sourit, ouvrit la porte et attrapa deux briques de jus d'orange. Avant de sortir, elle se regarda dans la glace de l'entrée. Baskets rouges, jean slim et tee-shirt rayé de trop de couleurs. Le plaisir de porter n'importe quoi quand on a douze ans. Elle descendit les quelques marches allant du perron au jardin qu'elle traversa, franchit la grille et observa les alentours. Adossé au capot d'une voiture, elle aperçut un colosse noir d'une vingtaine d'années, jogging, cheveux rasés. De larges épaules et des bras bien trop musclés. Pourtant, elle ne se sentit pas plus intimidée que ça et marcha dans sa direction. La voix du jeune homme tenait les promesses de son physique, grave et légèrement agressive.

— C'est toi Estelle ?
— Ouais. Et toi ? Comment tu t'appelles ?
— Markus.
— Pour de vrai ? Markus ! La classe !

Elle fouilla dans son sac.

— Tu veux un jus d'orange ?

— Vas-y, balance.

Elle décolla la paille de la brique, perça l'opercule et tendit le tout à son garde du corps.

— Bon. Elle est où, ton école ?

36

Vesperini avait compris le message. Facile, il avait été écrit directement à la peinture sur sa fille. Lorsque madame le maire arriva à l'hôtel de ville, elle s'efforça de ne pas rediriger ses envies de meurtre sur son staff. Seul le texto qu'elle reçut, à 8 h 30 pile, l'apaisa légèrement.

« Saine et sauve, cool le baby-sitter ! »

Elle n'avait pas eu besoin d'argumenter énormément pour convaincre sa fille de l'intérêt d'une protection rapprochée. L'air de rien, l'idée plaisait à Estelle. Ce côté star harcelée ou princesse en danger, c'était carrément mieux qu'un Smartphone pour frimer devant les copines.

Puis Vesperini avait passé le reste de la nuit les yeux grands ouverts, à ressasser la proposition pourtant inacceptable d'un vulgaire criminel. Évidemment les méthodes étaient discutables, même en politique, mais plus sa réflexion avançait, plus elle comprenait son intérêt. Mieux que cela, tout s'imbriquait au-delà de ses espoirs. À tel point que les dommages collatéraux en devenaient acceptables. Son regard se posa sur sa fille encadrée sur le bureau. Sur la photo était scotché un trombone déplié au bout duquel était accrochée une cigarette, comme un ver au bout d'un hameçon. Elle avait arrêté à la naissance d'Estelle et voilà douze ans que cette cigarette la narguait. Elle appuya sur la touche « secrétariat » de son poste fixe.

— Vous fumez toujours ?

À la fenêtre de son bureau, elle toussa sa première taffe. Les autres passèrent plus facilement, balayant douze années de persévérance. Lorsque son téléphone sonna, elle sursauta comme une adolescente prise en faute et jeta sa cigarette.

— Le père de monsieur Azzedine Salah pour vous.
— Passez-le-moi.

Déclic et transfert de communication. En une fraction de seconde, la rage d'une mère remplaça toute considération professionnelle.

— Espèce d'ordure !
— Bonjour à vous aussi, madame.
— Comment avez-vous osé ?
— Vous ne voyez pas les choses sous le bon angle.
— Le bon angle ? Vous vous foutez de moi ?
— Mes obstacles sont généralement abattus. Certains sont même torturés. Votre fille n'a eu que ses vêtements salis. Vous le voyez mieux, maintenant, le bon angle ?
— Ça ne change rien. Vous n'auriez pas dû. Il suffisait de me laisser un peu de temps pour réfléchir.
— Considérez cela comme un coup de pouce. Une motivation à réfléchir plus vite.
— Promettez-moi de ne plus jamais l'approcher.

— Vous qui en faites tant, vous croyez encore aux promesses ? Si nous revenions plutôt au sujet qui nous intéresse…

— Votre argent ?

— Votre réélection.

— Ce que je vous ai dit hier est la stricte vérité. Nous n'avons plus un sou en caisse.

— Sauf qu'hier votre phrase se terminait là, alors qu'aujourd'hui j'ai l'impression qu'elle a une suite.

— Je crois avoir une solution. Mais je vais avoir besoin de vous.

— Comment comptez-vous vous y prendre ?

— C'est simple. Je vais provoquer une étincelle. Je voudrais que vous vous chargiez de l'incendie.

TROISIÈME PARTIE

L'embrasement

37

Des cris de joie. Des véhicules en tous sens bloquant la circulation. Des roses par dizaines sur chaque pare-brise. Quelques coups de klaxon pour participer à la liesse, d'autres pour manifester son énervement d'avoir été pris en otage dans un embouteillage de bonheur. Et au milieu de ce bouquet de fleurs géant, une voiture de la police municipale, coincée comme toutes les autres, victime d'un mariage dans le 93.

Deux flics en tenue s'escrimaient à faire la circulation pour désengorger la place alors que le troisième membre de l'équipage, pendu à sa radio, faisait son rapport.

— Ouais, c'est confirmé chef, un bordel en « Tétris », ça va prendre du temps. On ne peut pas avoir un renfort de la nationale ?

Planqué dans les locaux de la police municipale de Malceny, Henri Gonthier, dit « Riri » ou « Tintin » et seulement dans son dos « le gros con », terminait son café, ses rangers noires sur la table.

— Bien sûr. Vous voulez pas le RAID aussi ? Manquerait plus qu'on dise que la municipale ne sait même pas gérer un mariage. Bon, c'est quelle marque ?

— Vous entendez quoi par là, chef ?

Résigné, le chef ôta ses pieds de son bureau et s'apprêta une nouvelle fois à dispenser un enseignement plein d'expérience et de tolérance.

— Pour connaître la marque, tu regardes les voitures. Si c'est Porsche et Ferrari de location, c'est de l'Arabe. Si c'est des BMW et des Mercedes, c'est de l'Africain. Et si c'est cette putain de limousine blanche à six portes, c'est de l'Asiatique.

— Bon, ben, c'est de l'Africain alors, répondit le flic, dépité.

Gonthier avait depuis longtemps dessiné sa propre carte du monde. Il y avait les bons, qui recouvraient une bonne partie de l'Europe, même si celle de l'Est avait ses mauvais élèves. Venaient ensuite les neutres, ceux qui ne faisaient de vagues qu'entre eux, localisés sur la totalité de l'Asie : Pakistanais, Chinois, Japonais et autres. Enfin, les mauvais, qu'il avait situés en Afrique, Nord et Sud sans distinction. L'Amérique, l'Océanie et les pôles ne faisaient pas partie de son atlas.

— Faites semblant d'être débordés, que ça nous retombe pas sur la gueule, mais surtout n'intervenez pas. Si on l'empêche de danser, le Noir devient sanguin. Quand ce sera calme vous quitterez les lieux.

« Gros con » lui allait tellement bien.

Gonthier se rendit à la salle de repos dans l'idée d'y voler un croissant qui ne lui était pas destiné. Il ouvrait grand la bouche pour en croquer la moitié d'un coup quand son téléphone portable sonna dans sa poche. Rien ne l'irritait plus que d'être empêché de grignoter. Mais rien ne le mettait plus au garde-à-vous qu'un

222

appel de Vesperini, sa plus haute hiérarchie. Le doigt sur la couture du treillis, il écouta les instructions puis osa remarquer :

— Ça va quand même être tendu, non ?

Le ton monta au bout du fil et il se ratatina sous le poids de l'autorité.

— Loin de moi cette idée, madame le maire. On fera comme vous demandez. Je dis juste que ça va être tendu.

38

Pendant le ramadan, le Prophète conseille de casser le jeûne un peu avant la prière du soir de *Salat al maghrib*. Un verre d'eau, quelques dattes, toujours en nombre impair. Juste de quoi oublier la faim et ne pas être déconcerté par les gargouillis d'un ventre vide. Le vrai repas ne venait qu'après. Les hommes allaient donc à la mosquée et les femmes restaient au foyer, car si le Livre autorisait leur présence dans le lieu saint, c'était sans grande conviction. « N'interdisez pas aux femmes de s'y rendre. Toutefois, prier chez elles est préférable. »

Le rite une fois respecté, il était temps de se retrouver en famille, soit dans sa propre maison, soit invité ailleurs, pour partager une cuisine tout à la fois épicée et sucrée. Les quartiers s'animaient et la ferveur religieuse rapprochait les habitants, même si les confessions pouvaient varier.

À Malceny, dans la cité des Cosmonautes, majoritairement musulmane, on pouvait sentir cette ambiance encore mieux qu'ailleurs. En son centre, une place ronde accueillait quelques commerces surplombés par quatre tours si immenses qu'elles semblaient venir du ciel pour toucher le sol. Tour Armstrong, tour Aldrin, tour Gagarine et tour Baudry. Le dernier des voyageurs spatiaux était moins connu que les autres, mais lors de la réunion du conseil municipal organisée pour le choix des noms, celui de Jean-Loup Chrétien n'avait pas été retenu. Certains habitants du quartier n'auraient probablement pas apprécié de vivre dans une tour Chrétien, le choix de Baudry releva donc du politiquement correct.

Au crépuscule, le soleil, bien qu'invisible, offrait encore une demi-heure de lueur, entre chien et loup. À ce moment de la soirée, on voyait encore sur la place pas mal d'hommes en djellaba de retour de la mosquée, nombre de femmes voilées et quelques-unes, bravant la loi, dans un niqab qui ne laissait libre que le regard. Tous en chemin pour faire leurs dernières courses ou rejoindre leurs proches. Un tableau de vie plutôt paisible si ce n'était les trois véhicules de la municipale et leurs neuf passagers en uniforme, bloquant la sortie principale de la cité.

Les habitants leur jetaient des coups d'œil. Certains, intrigués, se demandaient si un crime avait été commis. D'autres, plus inamicaux, semblaient s'offusquer de leur simple présence. Dans le véhicule le plus en retrait, Gonthier les observait en retour, déjà inquiet. L'état de stress visible de leur chef ne rassurait évidemment aucun des passagers et en moins de dix minutes, alors que rien ne s'était passé, les trois flics furent sur les dents.

Trois autres étaient assis dans le véhicule de tête, une petite estafette aux portières bleu-blanc-rouge, et à bord non plus, ça ne sentait pas le courage.

— C'est ridicule, souffla le conducteur.

— C'est surtout très risqué pour une simple contravention, ajouta un des policiers municipaux à l'arrière.

— Il est 22 h 20, ils n'ont rien bouffé de la journée, ils sont fatigués, sur les nerfs, il fait encore trente-huit degrés et nous, on va toucher à leur meuf et à leur religion ? Ce serait pas le début d'une idée à la con, ça ?

— Y a plus qu'à prier pour ne croiser aucune burqa.

Par la radio embarquée de l'estafette, la voix nasillarde de Gonthier lança le début des hostilités.

— À toutes les voitures, on en a une. Batman à 10 heures. Avec moi, deux effectifs de chaque voiture, en contrôle sur objectif. Les conducteurs restent en stand-by.

Sur la place, encore une quarantaine de personnes. Les six uniformes sortirent de leurs véhicules, convergèrent pour ne former plus qu'un groupe et se dirigèrent vers un couple. Un homme en djellaba, accompagné d'une femme intégralement voilée. La scène devint rapidement le centre d'intérêt de tous et les portables se mirent à filmer. Les flics se postèrent en triangulation : deux devant pour la prise de contact, deux sur le côté pour assurer leur protection et deux derrière pour contrôler les éventuels débordements. Une sensation de piège s'abattit sur les hors-la-loi. Gonthier prit la parole et rien que le ton de sa voix aurait irrité les oreilles de n'importe qui. Comme les caniches à maman, sa peur s'était transformée en agressivité. Il gonfla le torse et croisa les bras.

— C'est interdit le niqab, madame. Papiers d'identité.

L'homme à son côté s'interposa et avec une douceur étonnante tenta d'apaiser la situation.

— On faisait juste les courses, chef. On rentre à la maison tout de suite, vous nous verrez plus.

— C'est pas à la carte. Vous ne choisissez pas ce qui vous arrange.

Pour éviter tout esclandre et ne rien gâcher de ce jour de fête, la femme lâcha la main de son mari, la plongea dans son sac et en sortit un titre de séjour portant une photo au visage découvert. Elle la tendit au policier.

— Ouais, ben ça peut être n'importe qui. Ça peut même être un homme si ça se trouve. Faut baisser le voile pour que je contrôle.

Autour du chef, ses subordonnés échangèrent des regards anxieux.

Un premier scooter emprunta la rue piétonne qui longeait les commerces et, arrivé sur la place, freina à une dizaine de mètres d'eux. Un second remonta une voie en pente qui menait aux caves de la tour Aldrin. L'un des policiers constata que la foule avait doublé en moins d'une minute et qu'un nouveau groupe d'une trentaine d'adolescents s'était réuni au pied de la tour Gagarine. Sans savoir d'où elles venaient, les insultes commencèrent à fuser, d'abord relativement correctes.

— Racistes !

— Barrez-vous de là, bande de bâtards !

Certains des flics se préparèrent. Une main se posa sur une lacrymo. Des doigts se serrèrent autour d'une matraque. L'homme en djellaba essaya de les raisonner.

— S'il vous plaît, ne faites pas ça. Pas ici.

Le bon sens du musulman n'eut aucun effet sur Gonthier qui, transpirant de trouille, haussa le volume.

— C'est vous qui compliquez les choses. Si elle ne baisse pas le voile, on est obligé de l'embarquer. Monsieur peut venir avec si ça le rassure.

Il accompagna la parole du geste et attrapa fermement le bras de la jeune femme pour la tirer vers lui. À son tour, le mari posa une main sur le bras de Gonthier.

Il n'en fallut pas plus.

« Je vais provoquer une étincelle », avait dit Vesperini.

Des voix aux tonalités diverses se répercutèrent sur les murs des tours.

— Fils de putes !

— Laissez-la tranquille, enculés !

Les scooters démarrèrent au même moment et tournèrent autour de la scène. Une brique grise explosa aux pieds des policiers qui instinctivement sortirent matraques pour certains, pistolets pour d'autres, et jetèrent partout des regards affolés. L'homme en djellaba les supplia.

— Laissez-nous partir… et partez aussi, s'il vous plaît.

Mais Gonthier ne lâcha pas sa prise. Non loin, le groupe de trente qui s'était formé plus tôt baissa les capuches et s'entoura le visage d'écharpes.

« Vous vous chargerez de l'incendie », avait conclu la maire.

Arrivés à leur niveau, les gamins les encerclèrent. L'un d'eux passa derrière un flic et lui porta un coup sec derrière la nuque, faisant voler sa casquette bleue.

— Eh ! Nous non plus tu vois pas nos gueules. Tu veux pas nous embarquer ?

Gonthier se mit à braquer son arme à l'aveugle, sans viser personne en particulier. Un gamin qui avait une tête de moins que lui se posta en face et posa son torse sur le canon.

— Tu vas faire quoi ? Tu vas me tirer dessus ? Donne-moi ton *gun*, pédé, je vais te montrer comment on s'en sert.

Alors qu'il lui tenait tête, un autre se faufila et arracha l'extincteur lacrymogène accroché à sa ceinture. Le policier se retourna et chercha à identifier le voleur, déjà perdu dans la foule. Gonthier se trouvait en plein effet tunnel, dépassé par le stress, son cerveau n'enregistrait que la moitié des informations et il ne réalisa que trop tard que chaque membre de son équipe avait été isolé et se retrouvait cerné par une dizaine d'assaillants.

Les autres policiers utilisèrent leur lacrymo. Le gaz gicla en tous sens et un jet soutenu atteignit la femme en burqa qui cria de douleur et s'effondra. Dopés par leur agressivité, les gamins toussèrent mais aucun ne quitta l'affrontement. Une explosion à laquelle personne ne fit attention retentit au loin. Des coups de poing au visage, des coups de pied dans les jambes. Un scooter se faufila jusqu'à eux et, à l'arrière, le passager casqué leva son bras, barre de fer à la main. Elle s'écrasa violemment sur l'épaule d'un des flics qui chuta au sol en hurlant, clavicule brisée. Miraculeusement, les six policiers réussirent à se regrouper et, faisant de grands moulinets à l'aide de leurs matraques, parvinrent à reculer tout en soutenant celui qui avait été blessé.

Arrivé à proximité des voitures, Gonthier comprit alors pourquoi aucun des collègues restés en arrière n'avait jugé bon de venir en renfort. Deux d'entre eux peinaient à sortir le troisième par la porte d'un des véhicules en feu. Sous une pluie de cailloux, les pare-brise s'étoilèrent et les carrosseries se gondolèrent. Un des projectiles ouvrit le front de Gonthier qui se mit à saigner abondamment.

Tant de stress et de peur que plus rien ne se faisait selon les règles d'intervention. Quatre policiers grimpèrent dans la voiture la plus en retrait, cinq autres s'entassèrent dans l'estafette en première position et Gonthier se mit au volant. Sans vérifier, il recula à fond et, dans un bruit de tôle, cartonna de plein fouet la voiture qui n'avait pas encore démarré, pliant l'aile et froissant le capot. La foule s'approchait d'eux. Seuls quelques mètres les séparaient maintenant. Gonthier tenta à nouveau de s'échapper, fit un demi-tour et passa la première qu'il fit rugir jusqu'à ce que le compteur indique cinquante kilomètres-heure.

Alors qu'il sortait de ce guêpier presque sain et sauf, il enclencha la seconde et appuya de toutes ses forces sur l'accélérateur, presque debout sur la pédale. Parvenu au croisement situé entre la sortie de la cité et la voie publique, il ne regarda ni à gauche ni à droite, et un scooter apparut comme en image subliminale avant de s'encastrer dans la portière. Le deux-roues fit un salto, le conducteur glissa sur le capot et atterrit à deux mètres devant eux. Le type juché derrière lui vola littéralement au-dessus de la voiture pour s'écraser vingt mètres plus loin, laissant échapper la barre de fer qu'il tenait encore à la main. La force du choc le fit rebondir une fois, puis il dérapa, totalement désarticulé. Sans s'attarder ni réfléchir, Gonthier redémarra.

— Putain qu'est-ce que tu fous ? On peut pas partir ! hurla l'un des policiers.

— Ta gueule ! Si on reste, on est morts ! Appelle les pompiers, c'est tout ce qu'on peut faire !

L'estafette s'enfuit dans un bruit de casserole, un pneu crevé par la carrosserie déchirée, jante à même le bitume. L'autre véhicule avait dû atteindre des records de vitesse et devait se trouver déjà à l'abri, dans les locaux de la police municipale.

Le conducteur du scooter se releva péniblement et, contre toute indication de sécurité, ôta son casque. Driss chercha en tous sens avant d'apercevoir son passager, beaucoup trop loin pour être en vie. Il boita vers le corps inanimé qui faisait un angle droit et s'agenouilla près de lui. La face intérieure de la visière du casque était rouge de sang.

— Bibz. Putain… non.

*
* *

Dans l'ascenseur, deux flics en uniforme poursuivaient une discussion commencée plus tôt sur le trajet. Le policier titulaire expliquait au stagiaire les finesses du métier.

— De toute façon, dans ces situations, il n'y a rien que tu puisses faire, à part faire court. Les annonces décès, c'est peut-être ce qu'il y a de plus dur, mais c'est en fait très simple. Moi j'ai ma technique perso.

L'un d'eux appuya sur le bouton du neuvième étage.

— D'abord tu sonnes et, dès qu'on t'ouvre, tu pénètres dans l'appartement. Le plus important, c'est de balancer la nouvelle sans faire de détours.

— Et s'il y a des gosses ?

— Dans ce cas, tu demandes qu'ils aillent dans leur chambre. Ensuite tu isoles un ou deux membres de la famille, et tu leur dis qu'Untel est mort dans telle circonstance. Tu n'entres pas dans les détails. Tu donnes juste ce qu'il faut.

— Pourquoi tu le dis pas à toute la famille d'un coup ?

— Parce que tu te tapes les sirènes ! Tout le monde se met à chialer et à te canarder de questions comme si t'étais responsable de quelque chose. Non, le mieux c'est de le dire à une seule personne. Quand tu vois qu'elle va craquer, tu lui recommandes d'être forte pour le reste de sa famille et c'est elle qui se tape la suite du job, pendant que toi tu te casses.

Arrivés à destination, les deux policiers se dirigèrent vers la porte 921. Le plus expérimenté frappa à plusieurs reprises, sans réponse, mais à 1 heure du matin passée, il ne fut pas surpris et recommença jusqu'à ce que, dans l'appartement, la locataire se réveille. La porte s'ouvrit alors sur une Africaine dans la cinquantaine, cheveux ébouriffés et collés en épis massifs, tee-shirt distendu sur un ventre obèse. Une odeur âcre d'alcool, de moisi et de transpiration vint les frapper comme une gifle. Malgré tout, ils gardèrent le stoïcisme recommandé pour le type de message qu'ils avaient à délivrer.

— Vous voulez quoi ?

— Bonsoir madame. Police nationale. Vous permettez qu'on entre chez vous ?

Elle les regarda en plissant les yeux, comme si elle avait du mal à comprendre ce qu'elle voyait.

— Non, je permets pas. Si c'est mes gosses que vous cherchez, sont pas là et je m'en fous.

Déstabilisé par la réponse, le flic décida de procéder à son avis sur le palier. Il balbutia ses premiers mots.

— Je… Votre… Votre fils Habibou est décédé dans un accident de la route cette nuit.

Le silence qui suivit fut inédit. Pas de cris, ni de larmes. Aucune réaction. Il s'apprêta à répéter sa phrase, persuadé que l'information s'était noyée dans l'alcool qui semblait baigner son cerveau.

— Madame, votre fils Habibou…

— Ouais, j'avais entendu.

Et elle leur claqua la porte au nez.

PREMIÈRE NUIT D'ÉMEUTES

La Salle d'information et de commandement avait été alertée à 5 h 30. Une demi-heure plus tard, le commandant Auclair envoyait un cordon de CRS bloquer l'accès de la grille qui donnait sur les locaux de la police municipale. Ils formaient maintenant une ligne compacte. Trois sections de quinze soldats casqués imposants, en tenue exosquelette noire, portant sur leur dos et en blanc la lettre majuscule de leur groupe et le numéro de leur section, de 1A à 1C.

Derrière eux, une équipe de pompiers s'affairait à sortir une Twingo rouge qui avait été lancée à fond dans la grille et l'avait pliée en deux. Deux câbles avaient été attachés aux essieux arrière et le véhicule de dépannage tentait de la désincarcérer dans un vacarme de tôle grinçante.

Juste à quelques mètres à gauche de l'entrée des locaux de la police municipale, une baie vitrée surélevée permettait d'en voir la salle d'accueil. Elle était entièrement brisée et, tout autour, des éclats de verre jonchaient le sol. À l'intérieur, les murs et le plafond noircis fumaient encore alors que le sol avait été inondé d'eau par les lances à incendie, arrivées à temps pour

234

que le feu ne se propage pas dans le reste du bâtiment. Une odeur de cendres mouillées et d'essence enveloppait la scène.

Au matin, les journalistes s'étaient précipités pour avoir les premières images de la cité des Cosmonautes avant qu'elle se réveille et que leur présence se remarque. Ils poursuivirent à cent mètres de là, en prenant quelques images du lieu de l'accident et surtout du sable sur le sol, censé absorber le sang de la jeune victime. Leur circuit touristique avait pris fin ici, devant les silhouettes noires des CRS protégeant des locaux à demi calcinés.

Une attaque éclair qui promettait une suite pour qui savait lire entre les lignes de la ville.

39

Le Boss tenta de garder son calme et de prouver à son interlocutrice qu'il savait se maîtriser. Pourtant, s'il l'avait eue en face...

— C'est ce que vous appelez une étincelle ?

Depuis le réveil, Vesperini en était à sa huitième cigarette et son bureau enfumé reflétait son état de stress.

— La situation a dérapé. Ce n'est la faute de personne. Et puis merde, ne me faites pas le coup du criminel au grand cœur. C'est quand même vous qui avez donné le ton.

Elle marqua un point et pour la première fois, à l'autre bout du fil, elle perçut une certaine peine.

— Le petit. Je le connaissais.

— Et moi je connaissais monsieur Salah. Vous menez votre révolution personnelle et vous pensiez réellement qu'elle serait la première sans martyr ?

— Il avait le même âge qu'Estelle.

Elle écrasa son mégot dans le cendrier et fouilla son paquet vide avant de le froisser.

— Ne prononcez pas son prénom. Ils n'ont rien à voir.

— Ils n'ont surtout pas eu les mêmes chances.

— De toute façon il est maintenant trop tard pour reculer, alors essayez de gérer un peu mieux vos troupes. Visez les commerces, les bâtiments publics, détruisez ce que vous voulez, distillez la panique mais n'allez pas à l'affrontement. On ne peut pas se permettre plus de victimes. Du matériel, uniquement du matériel.

— Provoquer une émeute, c'est facile. Y mettre fin aussi. Par contre, ce qui peut se passer entre les deux, personne ne saurait le prédire.

Vesperini s'affaissa dans son fauteuil.

— Attendez… vous me dites que vous ne savez pas comment tout ça va évoluer ?

— Je ne tiens qu'une partie des quartiers, mais avec la mort du petit, vous avez lancé une invitation générale à descendre dans la rue. Une armée sans leader.

— Une armée sans aucun contrôle ?

Sa citation favorite lui revint, comme d'habitude, mais son sens n'eut jamais autant de force :

— Alors on a les mains dans la merde et dans le sang. Jusqu'aux coudes.

— Pourquoi ? Vous imaginiez qu'on peut gouverner innocemment ?

Sur cette dernière phrase, il raccrocha. Et sur cette dernière phrase, Andrea Vesperini resta sans voix. Ce petit con connaissait Sartre et ce simple fait la terrifia plus que toute autre menace.

Toujours plus compliqué de vendre de la verroterie à des Indiens éduqués.

Lorsque Maud Jeansac toqua à la porte et entra dans le bureau, quatre paquets de cigarettes en main, elle se demanda si elle avait en sa possession assez de nicotine pour calmer la Reine. La nouvelle qu'elle s'apprêtait à lui délivrer lui rappela ces histoires où, faute de cible, on se contente de tirer sur le messager.

— Avez-vous entendu parler de Copwatch, madame ?

— Ça ressemble à un titre de film.

— Non. C'est un site Internet. Et le seul film qu'il passe, c'est celui de l'intervention de la police municipale à la cité des Cosmonautes.

Vesperini ouvrit rageusement un paquet de cigarettes pendant que Maud tirait le clavier d'ordinateur vers elle afin d'y entrer l'adresse. En quelques clics, la page d'accueil apparut à l'écran. Une bannière illustrée représentant une caméra face à des policiers à matraque, accompagnée d'un sous-titre relativement explicatif : « La police vous surveille. Mais qui surveille la police ? »

— C'est un site participatif qui se considère comme un observatoire citoyen des pratiques policières. Autant vous dire que le drame d'hier n'est pas passé inaperçu.

Elle fit descendre la barre de défilement pour atteindre un article intitulé « Assassins d'État ».

« À la suite d'un contrôle aussi violent qu'injustifié, les effectifs de la police municipale de Malceny ont délibérément agressé une femme voilée. La réponse des habitants, quoique particulièrement violente, peut-elle leur être reprochée ? Après avoir fait monter la température jusqu'à l'échauffourée, les policiers n'ont pu que prendre la fuite à près de soixante-dix kilomètres-heure, en pleine rue commerçante, à une heure de grande fréquentation. Le port du voile intégral peut faire l'objet d'une amende de trente mille euros. Et la vie de cet enfant, messieurs les gardiens de l'ordre, à combien l'estimez-vous ? »

En dessous du texte, un lien vers un autre site permettait de lancer une vidéo dans laquelle on voyait Gonthier, le chef de la police municipale, en train de tirer sur le bras d'une jeune femme en burqa, puis ses collègues arroser la foule de gaz lacrymogène. Ainsi, c'était officiel, les policiers avaient eu recours à la force en premier.

— On peut faire bloquer ce site ? s'inquiéta Vesperini.

— Techniquement, oui, mais cela ne servirait à rien, la vidéo est reprise partout. Elle est virale depuis ce matin 9 h 30.

— Et l'accident en lui-même ?

— Il s'est déroulé aux portes de la cité, personne ne l'a filmé.

— Bien. Réunissez tout le staff dans le quart d'heure. Je veux un plan de com' béton autour de ce merdier.

40

Tout était plus petit. C'était bête à dire, comme le sont les évidences, mais tout était... tellement petit. Les mains, le cerveau, le cœur. Mentalement, Coste se répétait ce qu'il disait aux nouveaux policiers dans ces situations : « C'est pas tes proches, c'est pas ta peine. » Pourtant, ce corps d'enfant sur la table d'autopsie, le torse ouvert, ses organes à côté, ça ne passait pas.

— Il m'a été livré casque sur la tête, une vraie bouillie quand je l'ai retiré. Si ça peut vous rassurer, vu l'état du crâne, il est mort sur le coup.

— Sa famille est venue pour la reconnaissance ?

— Toujours pas. Je ne sais pas pourquoi, mais ça bloque du côté de vos collègues.

Le flic ne quittait pas la table des yeux.

— Vous avez des enfants ? lui demanda le légiste.

— Non.

— Alors ça devrait être plus facile.

— C'est pas le mot qui me vient à l'esprit, pourtant.

Ils avaient poursuivi leur discussion dans un des bureaux de l'IML, tout en parquet et boiseries. Coste n'avait pas pu refuser le verre d'alcool fort que le docteur Atlan avait sorti de sa cachette, derrière une rangée de livres reliés en cuir d'une bibliothèque qui touchait le plafond.

De retour au SDPJ 93, il croisa Ronan et Johanna, casques de moto à la main. Ils profitèrent d'un des couloirs sans fin du service pour lui faire un compte rendu de leur matinée.

— On a fait remorquer le scooter dans notre parking.

— Vous avez pu aller sur les lieux pour faire un album photo ?

— Avec l'Identité judiciaire, oui. On devrait l'avoir dans l'heure.

— Des témoins ?

— Non, c'est désert. Si tu veux qu'on fasse une enquête de voisinage, il va falloir nous donner plus de monde. C'est un coup à créer un suraccident.

— Précise.

— Qu'un village de campagne soit calme, je comprends. Qu'une cité comme les Cosmonautes soit calme après ce qui s'est passé, ça m'inquiète plutôt.

Coste poussa la porte du bureau du Groupe crime 1 et, sans grande motivation, s'assit à son bureau. Il ouvrit un dossier pour le refermer aussitôt, regarda dehors. C'était une de ces journées où l'on vérifie sur le calendrier la dernière fois que l'on a pris des vacances. Il marmonna pour lui-même :

— Madame Rose, aucune piste. Azzedine Salah, pistes noyées dans la javel. Habibou Doucouré, on a eu le nom du responsable avant même d'avoir le nom de la victime. Une série d'enquêtes sans enquête.

Sam leva le nez de son ordinateur.

— J'ai peut-être quelque chose. Tu connais Cop-watch ?

— Jamais été dans leur collimateur, mais oui.

Coste fit le tour de son bureau et se pencha par-dessus l'épaule de son équipier.

— Tu sens l'alcool, Victor.

— Fous-lui la paix, le coupa Johanna en se rapprochant d'eux, ou la prochaine fois c'est toi qui te taperas l'autopsie.

Gêné, Sam estima que ses excuses tomberaient à l'eau et il lança la vidéo.

— Bon, en tout, trois films très courts. J'ai rajouté un *time code* pour que tu te rendes mieux compte. On voit la PM à six effectifs se diriger tout droit sur ce couple, là, en haut à gauche. Apparemment c'est un contrôle de niqab.

— C'est pas très à propos en cette période, constata Ronan.

— Là, on arrive au début des emmerdes. Le flic tire sur le bras de la femme, le mari s'interpose et en moins d'une minute ils se retrouvent encerclés par une trentaine de gamins à visages couverts.

— C'est rapide.

— Ouais, même pour ce quartier, c'est rapide. Ensuite on assiste à un caillassage en règle, réponse à la lacrymo, un coup de barre de fer et les collègues se tirent.

— Attends, c'est quoi ça ? interrogea Coste, le doigt posé sur l'écran.

— Une de leurs voitures en feu. Ils l'ont laissée sur place. Ce qui est plus intéressant c'est la deuxième vidéo.

Sam ferma la fenêtre active et d'un clic lança le second film.

— C'est de la qualité de téléphone portable, faut pas trop en demander, mais regarde le *time code*. À 23:06'30" on a les trois voitures intactes dans le champ de vision. Celui qui filme fait retour sur le contrôle qui dérape, la femme se prend un jet de lacrymo en plein visage, on entend comme un bruit particulier, une sorte d'explosion, à 23:06'55" et retour sur les voitures à 23:06'57" soit deux secondes plus tard.

— Elle est complètement en feu en deux secondes ? s'étonna Johanna.

— C'est le problème. À part le cocktail Molotov, je ne vois pas d'autre explication.

Coste tira sur le fil que lui proposait Sam.

— Tu veux dire qu'ils étaient préparés ?

— Je veux dire que rien ne tient droit dans cette situation. Une armée de flics de la PM en contrôle de niqab au pire moment de l'année et de la journée. Des gamins qui se réunissent par dizaines en moins de deux minutes et des Molotov à portée de main. La seule chose qui manque dans ce mauvais scénario, c'est le metteur en scène.

Coste se frotta le visage. Avec la même sensation qu'un mot sur le bout de la langue, il avait toute une série de faits à relier, juste sur le bout de ses synapses. Il prit un feutre et se dirigea vers le tableau blanc accroché au mur. Il y reporta ce qui se bousculait dans sa tête.

— Une prise de pouvoir sur les dealers. Trois morts. Deux nourrices débauchées, dont une sur le carreau. Jusque-là, ça se tient.

— Un adjoint au maire ancien complice d'un des trafiquants, poursuivit Ronan en retournant s'asseoir sur le canapé.

— Azzedine Salah. Rayé des listes électorales. Et un contrôle audacieux qui va foutre le feu à la ville.

— Tu vois un lien dans tout ça ? demanda Sam, un peu dépassé.

— Justement, aucun. Une commune entière est visiblement en train de bouillir et personne ne sait d'où vient la source de chaleur.

Ronan lui tapa amicalement sur l'épaule.

— Tu te plaignais de ne pas avoir d'enquête…

41

Le soleil frappait de toutes ses forces sur les persiennes fermées de l'appartement de Gonthier, zébrant les murs du salon d'ombres et de lumières. Pas un son. Pas un mouvement. Il restait assis sur une chaise, placée au centre de la pièce, en face de rien, l'âme dans le vide. Il avait tué un enfant, et une partie de lui était morte en même temps. À chaque fois que ses paupières faiblissaient d'épuisement, un bruit déchirant de tôle froissée le réveillait en sursaut, comme s'il se refusait le moindre répit.

Les victimes d'accident grave gardent un son ou une image, un souvenir qui ne s'estompe jamais. Gonthier réalisa qu'il en allait de même lorsque de victime on passait à auteur. Ainsi, il pouvait avancer, reculer ou faire pause sur ce film dont chaque seconde s'était imprégnée dans sa mémoire.

De l'autre côté des persiennes, un bruit calme et massif l'alerta. De l'autre côté, il y avait ce monde dans lequel il avait commis une faute irréparable et dont il se sentait désormais banni. Il se leva et, en trois pas, se retrouva face à ses fenêtres. Comme un évadé traqué, il se mit dos au mur et entrouvrit les volets.

Sept étages plus bas, trois cents personnes, six cents peut-être, marchaient silencieusement, se tenant les unes les autres par les bras. Des bougies dans les mains, des larmes dans les yeux à la mémoire de cet enfant que nul ne connaissait. Une banderole affirmait même : « Un ange nous a quittés ». Une empathie collective et fédératrice qui faisait le bonheur des médias. Caméras à l'épaule, micros perches tendus comme autant de fourches et de faux sous les fenêtres du monstre. Gonthier tendit l'oreille aux éventuelles menaces ou insultes. Mais rien. Rien d'autre qu'un silence accusateur.

Parfois, au passage d'un groupe de marcheurs, certains visages se tournaient vers son immeuble. Nul ne pouvait le voir et pourtant, il en était sûr, ces regards le cherchaient. Gonthier s'écarta de la fenêtre, et glissa au sol, la tête dans les mains.

La sonnerie de l'Interphone, trop forte, presque vulgaire, envahit son appartement et le fit sursauter. Il traversa le salon et décrocha sans parler.

— Monsieur Gonthier ? Une déclaration pour le journal de…

Il laissa tomber de ses mains le combiné qui, pendu à son fil, se balança dans le vide. Bien sûr, il était devenu l'ennemi public. Il se précipita vers son ordinateur, tapa « enfant », « décès », « police » et « municipale » dans son moteur de recherche. La toile ne parlait que de lui. Partout son nom et son prénom s'affichaient. L'assassin. Le salaud.

L'Interphone, agressif, retentit pour la seconde fois. Alors, calmement, il agrippa les deux côtés du boîtier fixé au mur et l'arracha. À son tour, son téléphone portable entra dans la danse. Il faillit l'exploser contre le sol, mais retint son geste lorsqu'il lut le nom sur l'écran : Vesperini. Il partit s'asseoir dans un coin et décrocha. La voix était maternelle, compatissante.

— La marche blanche est retransmise à la télévision. Vous tenez le coup ?

— Et vous ?

— Henri, ce n'est la faute de personne. Un dramatique accident. Vous avez été agressé et vous avez tenté de prendre la fuite. Qui pourrait vous le reprocher ?

— Je crois que tout le monde se fout de savoir comment les choses se sont passées. Un gamin est mort, c'est la seule conclusion.

— Vous devez vous ressaisir. La Police judiciaire va vouloir vous entendre.

— C'est donc cela que vous craignez ? Que je révèle que c'est vous qui avez ordonné ce contrôle ? Parce que c'est vous qui avez créé ce merdier...

— Attention à ce que vous insinuez, Gonthier. C'était juste un dérapage imprévisible auquel on ne doit pas chercher de coupable. Souvenez-vous dans quel état je vous ai récupéré. Et il y a tout ce que je sais.

Le flic réussit à sourire.

— Vous pensez vraiment que ça sert à quelque chose de me menacer ?

Vesperini n'avait effectivement aucune prise sur lui. Elle essaya de le raisonner.

— Après l'enquête, la justice se prononcera en votre faveur. Vous étiez dans une situation de danger et responsable de votre équipe. Il faut juste laisser passer l'orage.

— Bien sûr. Je n'ai qu'à attendre six ans pour que la justice rende sa décision, comme pour les flics de

247

Villiers-le-Bel, ou huit ans, comme pour ceux de Clichy-sous-Bois, et puis on oubliera tout ? Que je sois disculpé ou déclaré coupable, qu'est-ce que ça va changer ?

Elle ne trouva rien à lui opposer. Gonthier, épuisé, la rassura sur ses intentions.

— Je suis déjà en enfer et je n'ai besoin de personne pour m'y tenir compagnie. J'ai décidé ce contrôle et j'en assume les conséquences. C'est ce que vous vouliez entendre ?

— Je... Je voulais juste m'assurer que vous alliez bien.

— Je vais très bien madame le maire. Je vais très bien.

Les émeutiers se divisent en quatre catégories. Pilleurs, incendiaires, casseurs et sauvages : les PICS. Si les trois premières ne s'attaquent qu'à la ville, la dernière catégorie vise essentiellement les forces de l'ordre. Par vengeance, par ennui, pour suivre le groupe. Souvent, par simple plaisir.

Et pour cette nouvelle nuit, les quatre étaient de sortie.

À l'entrée de la cité des Cosmonautes, on avait bâti des barricades de fortune. D'abord des Caddies lestés de pierres et de briques qui serviraient aussi de munitions au fil de la soirée. Ensuite des palettes de bois, des poubelles, des carcasses de scooters et en première ligne deux voitures fraîchement volées, prêtes à être enflammées. Si les flics comptaient contrôler la cité, ils devraient aller à l'affrontement.

À une dizaine d'endroits stratégiques de Malceny, des constructions similaires avaient été dressées. La plus impressionnante, longue de près d'une vingtaine de mètres, bloquait entièrement l'accès principal du centre commercial de la ville. Avec cent cinquante magasins et deux mille cinq cents mètres carrés sur

249

deux étages, il serait probablement la toute première cible. Mais avec ses quatre entrées publiques et ses trois issues parking par le souterrain, il s'avérait quasiment indéfendable.

À 21 h 10, le préfet de police autorisa un soutien aérien et l'un des hélicoptères EC145 de la Sécurité civile décolla de la base de Paris pour effectuer un survol des zones sensibles.

À 21 h 30, les barricades furent incendiées et, dans le ciel, l'équipage de l'hélico assista à l'embrasement de la ville. En liaison avec la Salle d'information et de commandement, leur caméra embarquée retransmettait les images en direct.

Sur l'écran géant de la SIC, les rues de Malceny défilaient et lorsque le technicien vidéo passa en mode vision thermique, la ville s'illumina de tous les incendies. L'effet fut saisissant et provoqua un instant de silence. Rapidement, chacun des opérateurs téléphoniques fut rappelé par les lumières clignotantes de son poste comme autant d'appels urgents en attente. Destructions, pillages, violences, la ville était prise d'assaut. Et à chaque appel, la réponse était la même : « Ne sortez pas, restez à domicile, n'ouvrez à personne et fermez vos portes. »

La compagnie CRS.62 avait mobilisé deux sections : Alpha et Bravo. La section Alpha, en rangée compacte, faisait face à la barricade du centre commercial. Des flammes de plus de trois mètres de haut s'échappaient des quatre voitures incendiées placées en ligne. Parmi les CRS, quelques jeunes recrues, dont c'étaient les premières émeutes, tentaient de se rassurer auprès des plus anciens. Pendant leur formation, les instructeurs les avaient préparés à ces opérations de maintien de l'ordre en pleine guérilla urbaine, mais la théorie n'est jamais qu'une pâle imitation de la pratique. Il faut y ajouter le bruit, l'odeur du plastique brûlé, les insultes venant de toute part, les cailloux, les boules de pétanque, les écrous qu'on voit au dernier moment s'écraser à ses pieds ou sur un collègue malchanceux et cette trouille qui s'instille et que chacun gère comme il peut.

En première ligne, à moins de trente mètres de la barricade, l'un des flics serrait son bouclier bien levé en protection, casque et visière baissés. Une détonation impressionnante le fit sursauter, suivie d'une seconde. Il recula d'un pas.

— On nous tire dessus, là ?

Une main puissante se posa sur son épaule et le replaça sur sa ligne.

— Tiens la position ! Personne ne nous tire dessus, c'est les pare-brise des bagnoles en feu qui explosent.

Conforté par l'autorité, la jeune recrue se repositionna mais une nouvelle détonation, plus bruyante encore, lui fit perdre son reste de courage. Il se contracta et la peur creusa un trou dans son ventre.

— Putain, là on nous tire dessus !

— Toujours pas. Ça, c'est les pneus des voitures qui éclatent. Quand on nous prendra pour cibles, je te le dirai.

À la demande du chef de salle, l'hélico EC145 fit un survol des rues principales de Malceny. La caméra thermique filma des groupes disparates de silhouettes. Certaines se séparaient pour couvrir le plus de territoire possible, d'autres se réunissaient pour former de vraies petites armées et au fur et à mesure de leur avancée, les véhicules étaient incendiés, les vitrines des commerces brisées, les Abribus explosés.

À 21 h 50, tous les bus de la ville reçurent un message d'alerte et cessèrent de prendre des usagers pour rentrer en urgence au central dépôt. Alors qu'il obéissait aux instructions, le conducteur du bus 221 chargé du trajet entre la mairie et le centre-ville fut assailli comme une diligence par une trentaine de gamins en capuche et détourné de son parcours.

La section Bravo avait pour mission la protection d'un des endroits les plus sensibles en cas d'émeute : le commissariat de Malceny. En formation serrée, coude à coude, ils attendaient sans grande impatience une offensive sur l'hôtel de police quand ils virent au loin le bus 221 foncer sur eux, entièrement en feu. À mi-parcours, les pneus explosèrent sous la chaleur intense, le reste du trajet se fit en gerbes d'étincelles sur les jantes et, dévié de sa course, le bus percuta une dizaine de voitures en stationnement, juste avant de tomber sur le côté et de glisser encore quelques mètres sur le bitume. Face à la ligne de policiers en armure, les flammes se reflétèrent sur les boucliers et les visières des casques.

Cela ne servit strictement à rien, mais ce fut un bel affront.

La section CRS Alpha, elle, reçut l'ordre d'effectuer une patrouille de reconnaissance à l'intérieur du centre commercial en empruntant une des voies souterraines. Les trente hommes qui composaient l'escouade se mirent au pas de course et contournèrent le bâtiment pour arriver au parking. Ils traversèrent l'immense zone de béton gris, se faufilant derrière les voitures garées dans une progression discrète. Ils prirent ensuite l'escalator qui menait aux boutiques. À cet étage, une fumée épaisse s'échappait de certaines tandis que d'autres brûlaient. Au croisement de deux allées, ils dépassèrent un manège pour enfants. Ses voiturettes avaient été arrachées et balancées dans les vitrines. Partout, du verre brisé au sol et ce sentiment particulier de se retrouver dans un centre commercial saccagé absolument désert. Le chef du dispositif attrapa sa radio.

— Négatif. Personne au premier étage. L'endroit a déjà été pillé.

La section Alpha reçut ses nouvelles instructions de la Salle d'information et de commandement.

— Restez en stand-by. Attente de passage de l'hélico pour confirmation.

Ils reformèrent les rangs et attendirent, en partie dissimulés par le quadruple escalator qui menait au second étage. Comme les instructions ne venaient toujours pas, le responsable les devança.

— Section Alpha, en formation serrée, on monte.

Ils se mirent en file, s'accroupirent et se laissèrent porter à la vitesse réduite de l'escalier mécanique, chacun une main posée sur l'épaule de celui qui le devançait. Au même moment, l'hélicoptère se mit en vol stationnaire et braqua sa caméra thermique sur le centre commercial.

— EC145 à Commandement. On a combien de gars à l'intérieur ?

— Commandement pour EC145. Une trentaine.

253

— EC145 à Commandement. Alors ils vont avoir un problème.

La vidéo fut retransmise sur les écrans géants. Près de trois cents signatures thermiques apparurent. Le chef de salle attrapa son micro à pleine main.

— Commandement pour section ! Dégagez de là, vous m'avez entendu ? Section Alpha ? Section Alpha, répondez !

Personne n'eut le temps de répondre. Une horde de deux cent cinquante capuches leur fonça dessus en hurlant. Dans leurs mains, les pioches, marteaux et barres de fer empruntés à un magasin de bricolage mis à sac. La section fit demi-tour sous une pluie de projectiles et d'insultes, de caisses enregistreuses et de Caddies lancés du deuxième étage. Tout en courant, le chef de dispositif hurla dans sa radio.

— Section Alpha pour Commandement ! On abandonne le centre commercial ! Je répète, on abandonne le centre commercial !

Une fois pillés, les bâtiments se consumèrent jusqu'aux premières lueurs de l'aube.

42

Maud Jeansac avait troqué ses escarpins pour des baskets. À l'arrière de la berline de Vesperini, prêtée pour l'occasion, elle traversa la ville, vitres fermées malgré la chaleur. L'odeur persistante de brûlé envahissait les rues et, sur le trajet, une succession de tableaux de lendemain de guerre. Plaques en bois sur les vitrines des magasins. Poubelles répandues au sol. Carcasses de voitures encore fumantes et, dehors, presque personne.

À 10 heures, elle fut déposée au pied de la tour Verlaine, cité des Poètes. Elle attrapa son *vanity* sur la plage arrière et s'adressa au chauffeur.

— Je devrais en avoir pour moins d'une heure.

Pas tout à fait rassurée, elle poussa la porte vitrée du hall d'entrée et, de peur de faire une désagréable rencontre, se précipita vers les ascenseurs. La cabine grinça sous son poids, la porte automatique se ferma de moitié, se bloqua et s'ouvrit à nouveau. Prudente, elle décida donc de monter les neuf étages à pied.

Quand elle sonna à l'appartement 921, derrière elle une porte s'entrouvrit, ne laissant apercevoir qu'une partie d'un visage qui l'épiait. Le couloir mal éclairé lui flanqua la chair de poule et elle sonna encore, mais cette fois-ci son doigt ne quitta pas le bouton. Après une interminable minute, le verrou fut enfin tiré. Maud dévisagea son rendez-vous et comprit qu'elle avait sous-estimé le travail nécessaire.

— Madame Doucouré, vous deviez être prête à 10 heures !

La vieille dame écarta une jambe pour se gratter franchement l'intérieur des fesses et mit facilement dix secondes à ouvrir entièrement les yeux, puis vingt secondes de plus à comprendre ce qui se passait. Elle se frotta les cheveux et, en soulevant son épaisse tignasse emmêlée, révéla une coupure au front, toute couronnée de sang séché.

— Mais qu'est-ce qui vous est arrivé au visage ?

Comme s'il y avait une mauvaise réception, la mère du jeune Bibz n'éructa que la moitié des mots.

— Me suis cassé la gueule… glissé… aux chiottes…

Maud entra dans l'appartement, ferma derrière elle et fit beaucoup d'efforts pour ne pas se jeter sur les fenêtres afin d'aérer en grand. Elle se saisit d'un flacon de parfum dans son sac à main et en aspergea le col de sa veste. Grossière erreur. Le mélange d'odeur de sommeil, de nourriture, de pet froid avec le parfum luxueux de chez Guerlain lui colla immédiatement la nausée.

La mère du jeune Bibz s'écroula sur le canapé du salon dont les coussins enfoncés gardaient sa trace.

— Veux plus y aller.

Maud déposa son *vanity* à ses pieds et l'ouvrit.

— Vous voulez dire, à l'enterrement de votre fils ?

— Essayez pas de me faire culpabiliser. Vous ne savez rien. Il est mort depuis longtemps pour moi.

Du *vanity*, la chargée de com' sortit une enveloppe fermée qu'elle déposa sur la table basse qui les séparait.

— Il y a deux mille euros, comme prévu. En attendant la réactivation de vos aides sociales. Nous prenons aussi en charge toute l'organisation et les frais des funérailles. Comme vous le voyez, la ville ne vous abandonne pas. Mais, entre nous, personne ne comprendrait votre absence aujourd'hui.

La mère écarquilla les yeux avec difficulté.

— C'est qui « personne » ? On a toujours été tout seuls.

Dans la salle de bains, assises sur le rebord de la baignoire, les deux femmes se faisaient face. Maud, quelques feuilles de papier hygiénique mouillé en main, nettoyait la blessure au front de madame Doucouré dont la tête dodelinait de sommeil. Puis elle remplit un verre d'eau et y jeta quelques cachets effervescents pour un cocktail vivifiant. Guronsan, Alka-Seltzer et citrate de bétaïne en doubles doses. Le verre se mit à bouillonner.

— Buvez ça. Dans une demi-heure vous devriez vous sentir mieux.

Maud reçut un regard dubitatif.

— Mieux ?

— Moins mal. Allez, montrez-moi votre garde-robe.

*
* *

La berline ralentit à l'entrée du cimetière de Malceny, déjà encombrée par quelques journalistes qu'un

257

reste de décence maintenait aux portes. Le chauffeur roula au pas encore quelques mètres avant de s'arrêter. Maud regarda sa passagère et, par la fenêtre, évalua la distance à parcourir.

— Approchez-vous le plus possible. Je ne veux pas qu'on la voie tituber.

Au-dessus d'un trou de terre avaient été fixées les arches métalliques d'un descendeur à cordes sur lequel reposait le cercueil. Le maître de cérémonie n'attendait plus que madame Doucouré. Excepté un groupe de quatre inconnus que la marche blanche n'avait pas rassasiés, Vesperini, Baptiste Cardel et les quelques autres employés de mairie réquisitionnés d'office étaient les seuls participants. Après avoir regardé pour la huitième fois sa montre, la maire aperçut enfin Maud au détour d'une allée de tombes, soutenant par le bras une femme vêtue de noir, un voile de deuil de la même couleur descendu devant le visage. À peu de chose près, le même voile qui avait provoqué le drame, mais en version catholique. Elles se positionnèrent à côté d'elle et, après quelques secondes, le maître de cérémonie réalisa qu'il n'y aurait aucun discours. Aucun poème. Aucune musique. Le petit cercueil descendit doucement dans le trou, disparut, et les cordes remontèrent à vide un instant plus tard. Les personnes présentes furent prises de court, se demandant si elles devaient partir ou se recueillir encore un peu. Sauf madame Doucouré, dissimulée derrière son voile, imperturbable, ou déjà rendormie. Vesperini s'approcha d'elle et elles restèrent ainsi en silence, comme en prière.

S'il n'y avait eu aucune bonne fée au-dessus du berceau de Bibz, il y avait bien eu deux sorcières penchées sur son cercueil.

Devant le cimetière, Cardel, adossé à sa voiture, accepta la cigarette mentholée que lui proposa Maud et grimaça à la première bouffée avant de la jeter au sol. À dix mètres d'eux, les journalistes n'avaient pas bougé de l'entrée, tous prêts à faire un peu d'images.

— Je vous raccompagne ? lui proposa-t-il.

— Pas tout de suite. Il y a le final.

Le chef de cabinet la dévisagea, assez surpris.

— Maud, on parle de l'enterrement d'un gosse de douze ans. J'ai l'impression que la Reine commence sérieusement à déteindre sur ta capacité de compassion. Tu lui ressembles presque, à l'instant.

Comme Vesperini passait le porche, toute l'attention de la jeune femme se porta sur sa patronne et elle ne releva pas la réflexion de son collaborateur. De son côté, ce dernier comprit rapidement ce qui était en train de se passer.

— Ne me dis pas qu'elle va le faire !

La maire se saisit de la main de madame Doucouré et la força discrètement à ralentir. L'invitation était claire et elles furent bientôt entourées de caméras. Cardel n'en revenait pas.

— Une déclaration presse ? T'es sûre de ton coup, Maud ?

— Ce n'est pas de la récupération, c'est un appel au calme. C'est son rôle, non ?

Vesperini attendit que les micros soient bien tendus avant de se lancer.

— Je m'autorise aujourd'hui à prendre la parole à la demande de madame Doucouré. Je m'autorise à parler quand le chagrin retient les mots d'une mère. Je ne souhaite faire aucune déclaration politique, mais par respect pour le jeune Habibou, en mémoire de ce qu'il a été et pour tout ce qu'il aurait pu devenir, j'en appelle à l'apaisement dans notre ville. Les incidents des deux dernières nuits ne peuvent être une réponse à ce drame. La peine ne doit pas devenir violence aveugle et madame Doucouré et moi-même souhaitons que ce message soit entendu de tous. Je vous remercie et je sais que vous saurez préserver l'intimité nécessaire au deuil et au recueillement.

À plusieurs kilomètres de là, dans son appartement, Gonthier appuya sur la touche « *mute* » de son téléviseur et Vesperini continua à parler sans qu'aucun son ne sorte de sa bouche. Il regarda par la fenêtre et apprécia ce moment de répit. Le temps des funérailles, les journalistes avaient déserté sa rue.

43

Sam avait délaissé sa tablette numérique pour un bon vieux vrai livre en papier. À le voir ainsi, décontracté, les jambes étendues sur son bureau, personne n'aurait imaginé que le tableau du Groupe crime 1 puisse compter trois affaires en cours. Rose Carpentier, Azzedine Salah et Habibou Doucouré. Sans compter les trois trafiquants exécutés qui décoraient celui du Groupe crime 2. C'est justement la réflexion que se fit Ronan, de retour de la salle de sport, lorsqu'il entra et constata l'inactivité de son équipier.

— Qu'est-ce que tu fous ?

— Je bouquine.

— Je vois ça. C'est quoi ?

— *L'Attrape-cœurs* de Salinger. C'est au vieux Jacques.

— Il te l'a offert ou tu lui as chouré ?

— Je sais pas… Y a marqué « Pour Sam » en deuxième page, tu crois que c'est un indice ?

Ronan s'assit à son bureau, visiblement sous tension.

— Ça me rend dingue de rien avoir à foutre, poursuivit-il.

— Quand on n'a pas de piste, ça ne sert à rien de faire l'éolienne.

— Mouais. Tu sais où est Coste ?

*
* *

Juste après l'enterrement, Vesperini laissa le soin à sa chargée de com' de raccompagner madame Doucouré. Ce n'était pas le moment de la voir traîner dans les bars alors que la commune était prise d'assaut par la presse. La maire se fit ensuite déposer à l'hôtel de ville et traversa le hall d'un pas décidé, sans un regard pour la jeune fille de l'accueil. Une fois l'ouragan Vesperini passé, l'employée décrocha son téléphone et composa le numéro interne du chef de cabinet.

— La Reine est arrivée au Château, monsieur.

Cardel se précipita afin de la devancer et se posta à la porte d'entrée du petit salon, juste avant le bureau de la maire.

— J'essaie de vous joindre depuis quinze minutes, madame.

Vesperini attrapa son portable et constata les cinq appels manqués.

— Mince, je suis sur vibreur depuis le cimetière. Que se passe-t-il ?

— Le capitaine Coste vous attend.

Elle stoppa net sa marche.

— À l'improviste ?

— C'est ce qu'il semblerait.

— Il se prend pour qui ? Je suis quand même la supérieure de son commissaire. Il s'agirait qu'il se souvienne de sa position dans la chaîne alimentaire.

Elle s'accrocha un sourire poli aux lèvres et poussa la porte du petit salon. Coste était enfoncé dans un des fauteuils et se leva à sa vue.

— Capitaine. Je suis désolée que vous m'ayez attendue. N'hésitez pas à prendre rendez-vous la prochaine fois, cela me permettra de vous bloquer un peu de temps et surtout de ne pas vous faire perdre le vôtre.

— Merci de vous en soucier, mais je ne serai pas long.

Vesperini entra dans son bureau, déposa sa veste sur le dossier de son fauteuil et s'y installa.

— Asseyez-vous, capitaine, je vous en prie. Comment avancez-vous sur vos enquêtes ?

— Pas aussi vite que je le voudrais, je l'avoue.

— Alors que puis-je faire pour vous ?

— Absolument rien. Je ne fais que suivre le protocole. Les policiers municipaux agissent sous votre autorité directe, je viens donc vous informer de l'ouverture d'une enquête sur le déroulement du contrôle, cité des Cosmonautes. Celui qui a mené au décès du jeune Habibou Doucouré. Je vais devoir entendre quelques-uns de vos effectifs, si vous n'y voyez pas d'inconvénient.

— C'est dans l'intérêt de tout le monde. Plus le sujet est délicat, plus la transparence est nécessaire.

La conversation aurait dû en rester là, mais Coste en profita pour faire quelque chose que les flics appellent « le coup du curieux ». Il n'avait rien dans les poches, aucune certitude, juste l'envie de lire sur le visage de madame le maire les réactions à ses questions. Alors, sur le même ton et sans transition, il lança sa première balise.

— J'espère qu'ils sauront m'expliquer comment naît une idée aussi saugrenue que celle d'un contrôle de burqa à 23 heures, en plein ramadan, au milieu d'une cité sensible. À moins que vous ne puissiez déjà m'éclairer ?

Elle leva un sourcil interrogateur mais resta de marbre.

— J'ai bien assez de travail pour ne pas organiser celui de la municipale. Nous nous rencontrons uniquement à l'occasion des réunions trimestrielles lors desquelles nous traçons les grandes lignes concernant l'ordre, la sécurité et la salubrité publics. Cette initiative de contrôle d'identité cité des Cosmonautes ne m'a jamais été soumise et je l'ai encore moins validée.

— Bien évidemment. J'aurai certainement plus de succès en posant ces questions au chef de la PM, monsieur...

— Gonthier. Henri Gonthier. Il est suspendu pour l'instant, mais je compte lui rendre une visite. Pour être sincère avec vous, capitaine, je retarde le plus possible cette visite, car j'ignore totalement quelle attitude adopter envers lui. Un gamin est mort, je ne peux pas le soutenir publiquement. D'un autre côté, il n'a rien fait d'illégal, même si l'opération en elle-même peut sembler peu à propos.

— Je vous comprends. J'imagine que tout cela doit vous contrarier. D'abord votre adjoint, que vous avez qualifié d'ami à notre première rencontre, ancien complice de trois dealers abattus, puis qui se fait assassiner à son tour. Et ensuite votre police, qui en une opération réussit à mettre votre ville à feu et à sang.

Vesperini fronça les sourcils et, sur un ton à la limite du condescendant, appuya sur chaque mot de sa réponse.

— Je suis maire. Et comme vous le dites, Malceny est ma ville. Il faut que vous vous attendiez à me trouver au centre de beaucoup de choses, capitaine.

Et Coste comprit que leur conversation se terminait là.

Lorsqu'il quitta le bureau, Vesperini réalisa qu'elle avait le souffle court. Elle ne parvenait toujours pas à déceler le but réel de cet entretien. Quoi qu'il en soit, le flic ne lâchait pas et, s'il ne semblait pas avoir fait le lien entre elle et l'enfer qui s'abattait sur Malceny, il n'était pas question de lui en laisser le temps.

Il fallait trouver comment le perdre. L'éloigner. Lui offrir un raccourci qui l'enliserait. Pour la première fois, elle attendit avec impatience le prochain appel de son inavouable associé.

44

Markus se saisit de son portable à la première sonnerie. Il lut le nom sur l'écran, décrocha à la seconde et essaya de paraître le plus naturel possible malgré les circonstances.

— Je ne te dérange pas, Markus ?

— Non, c'est bon. Je savais pas trop quoi faire, si je devais t'appeler ou quoi… enfin… je suis désolé pour le petit.

— Merci. J'apprécie. Tu fais quoi, là ?

Comme s'il pouvait avouer au Boss ce job de baby-sitter qu'il avait été obligé d'accepter. Ce qu'il faisait ? Il attendait Estelle.

Markus regarda autour de lui. L'horloge du fronton affichait 17 h 28. Dans moins de deux minutes, la cloche de la chapelle privée du collège Charles-Germain-de-Jouy allait carillonner et le situer dans un endroit de la ville où il n'avait rien à faire. Un lieu que le Boss connaissait bien pour y avoir organisé le coup de pression sur la petite Vesperini.

— Je joue à la console, finit par mentir Markus.

— Tu es libre, ce soir ? Je réunis toutes les équipes

au magasin. Les affaires ne vont pas tarder à reprendre et je voudrais que tu passes.

Markus leva les yeux. Sans à-coup, la grande aiguille glissa vers 17 h 29.

— T'énerve pas mais… tu sais que je fais pas dans la came.

— Aucun problème, j'ai toujours respecté tes choix. J'ai juste besoin que tu me déposes un double des clefs du club de boxe. Je voudrais y planquer un peu de marchandise pour quelque temps.

Markus se trouvait dans une position de grand écart particulièrement dangereuse. D'un côté il y avait le Boss, un type qui avait la main sur les quartiers et qu'il valait mieux ne pas avoir à dos. De l'autre, Vesperini et ses menaces sur le club. Toute la famille de Markus vivait dans les cités et il ne pouvait pas se permettre de les mettre en danger, ni de devenir un paria. Mais la boxe était son avenir, sa seule porte de sortie, et la fermeture du BCM était inenvisageable. Le choix étant impossible, il devait jouer sur les deux tableaux.

— D'accord.

La grande aiguille commença à se déplacer doucement vers la demie.

— Merci. J'ai besoin de savoir que je peux compter sur toi.

Markus raccrocha et la cloche retentit dans la fraction de seconde qui suivit. Il souffla, rangea son portable et laissa retomber la pression.

Une nuée de petits moineaux, cartables sur le dos, ne tarda pas à franchir les grilles du collège et Estelle courut vers lui, abandonnant sans remords son groupe de camarades, les yeux grands ouverts de jalousie.

Markus lui tendit la main et elle tapa deux fois dedans du plat de la sienne avant de se frapper deux fois le torse.

— J'ai vu ça sur Internet, dit-elle. C'est une poignée de main « hip-hop style ».

Le boxeur ne put s'empêcher d'éclater de rire.

— N'importe quoi. Tu devrais la faire à ta mère, elle va kiffer.

Estelle ouvrit son sac à dos et fouilla dedans.

— J'ai gardé mon goûter.

— Vas-y partage, j'ai les crocs. Et puis accélère, j'ai un entraînement.

— Je peux venir ? S'il te plaît, s'il te plaît, s'il te plaît… implora-t-elle.

— Non. Ta mère a été claire. Je dois te raccompagner direct.

— Elle en saura rien, elle ne rentre jamais avant 21 heures. Sauf quand je me fais tirer dessus.

— Non.

— Ça fait trois fois que tu m'emmènes et trois fois que tu viens me chercher. Je croyais qu'on était amis ? Tu peux me faire confiance, tu sais, je lui dirai pas.

— Sérieux, dans la phrase « non », c'est quoi le mot que tu comprends pas ?

*
* *

Markus esquiva de justesse la droite de Gordah mais le crochet gauche fut imparable et s'écrasa sur sa pommette. Gordah s'approcha de son adversaire au sol, tendit son gant et l'aida à se relever.

— T'es pas sur le ring, négro.

— Désolé, je pensais à ta mère.

Le boxeur turc scruta la salle et plus particulièrement la gamine installée sur une des chaises du premier rang. Souriante au possible, portable en main, elle prenait des photos de leur entraînement.

— T'es venu avec ton fan club ?

— Oublie-la.

— C'est toi qui devrais l'oublier. Tu pares quasiment aucun de mes coups. Elle te déconcentre.

Markus se mit en garde et les deux athlètes recommencèrent à danser. Au fond de la salle, le groupe de sportifs de la boxe éducative, des enfants entre huit et treize ans, se dirigea vers Estelle. Certains s'assirent un rang derrière elle, deux autres l'entourèrent.

— T'es pas d'ici, toi ? Tu veux t'inscrire au club ? Tu serais la première meuf, ce serait classe. Si tu veux on t'entraîne.

— Non, merci, j'accompagne un ami, dit-elle tout bas en baissant les yeux.

Du ring, Markus avait jeté un bref regard à la scène alors que les gamins se rapprochaient de la jeune fille.

— Il est bien ton portable, tu me le prêtes ?

— Je ne préfère pas.

— Vas-y c'est bon, respire, on va pas te le piquer, dit une voix derrière elle. Fais confiance.

Son voisin de gauche lui offrit un grand sourire, plutôt charmeur.

— Déjà que t'es mignonne, ce serait cool qu'en plus tu sois sympa.

Et elle lui passa son téléphone. Dès qu'il l'eut en main, le garçon fit quelques pas en arrière, demanda à tous ses potes d'entourer Estelle, puis il prit une série de photos. Au premier cliché, la jeune Vesperini ne paraissait pas très à l'aise, mais au dernier, rassurée, elle rayonnait carrément. Il retourna ensuite à sa chaise et l'adolescente tendit la main.

— Sérieux ? T'as vraiment cru que j'allais te le rendre ? Tu sais combien je peux me faire avec ?

Le sourire d'Estelle disparut et elle s'en voulut de sa naïveté.

— C'est un cadeau…

Le boxeur charmeur plaça l'objectif devant son visage et se prit en photo.

— Tiens, c'est un souvenir de moi, au cas où tu reviendrais pas.

Les gamins se marrèrent en se moquant de lui. Estelle récupéra son portable en rougissant et Markus, alerté par les rires, se tourna vers la salle. L'uppercut de Gordah s'enfonça dans son ventre et, plié de douleur, il s'écrasa au sol.

— Tu vois qu'elle te déconcentre.

45

En sortant du bureau de Vesperini, Coste se remémora chaque phrase de leur entretien ; ce petit exercice l'occupa tout le long du trajet jusqu'à son service. Il y retrouva Sam, derrière son ordinateur, et Johanna, pendue au téléphone. Le ton de sa collègue lui fit comprendre immédiatement le sujet de la conversation.

— Arrête maman, on n'est pas concernés… Non… Je ne dis pas que je voudrais y aller, je dis juste que c'est gênant par rapport aux autres. La PJ ne va jamais au casse-pipe sur les émeutes, ce sont juste les collègues en tenue qui sont foutus en première ligne. Écoute, j'ai eu la même conversation avec Karl jusqu'à 1 heure du matin, alors s'il te plaît… Oui… Moi aussi.

Elle raccrocha et s'adressa à ses deux équipiers.

— Vous aussi, vous avez droit à ça ?

— Mes parents ont arrêté de regarder les infos depuis que je suis flic, répondit Coste.

— Et moi, niveau famille, je suis plutôt tranquille, avoua Sam avec un clin d'œil complice pour Victor.

Ce dernier poursuivit :

— Va falloir qu'ils s'y fassent parce qu'on est partis sur une belle merde. Il y a tous les ingrédients nécessaires pour au moins quelques nuits de plus. Un chaud mois de juillet. Des gamins qui n'ont pas les moyens de partir en vacances face à des journalistes qui doivent écrire leur papier malgré l'inactivité de l'été. Alors quand tu mets deux personnes qui s'ennuient dans la même pièce, au bout d'un moment, forcément, elles jouent ensemble. Sinon, vous savez où est Ronan ?

— Au sous-sol, encore à la salle de sport. Il se défoule.

— Johanna, va le chercher, on l'emmène en promenade.

Sam décolla un Post-it de son bureau et le tendit à Coste.

— Je crois que ça va lui faire du bien. Tiens, je t'ai noté l'adresse de Gonthier.

*
* *

Le nom de la rue aurait été suffisant tant il y avait foule devant l'immeuble du chef de la Police municipale. Deux camions régie, plusieurs équipes de télévision, des paparazzi free-lance et des journalistes de presse écrite. L'enterrement de Bibz n'avait valu à Gonthier qu'un bref moment de calme, mais il était déjà redevenu le centre d'intérêt. Le premier à avoir une photo ou une déclaration serait le grand vainqueur de cette journée.

Ronan se gara à quelques mètres de là.

— Faut être con à klaxonner des éboueurs pour faire un contrôle de niqab en pleine cité, mais j'ai quand même de la peine pour lui. T'imagines ce qui doit se passer dans la tête de ce pauvre type ?

— Sam m'a dit qu'il vivait seul, répondit Johanna. Heureusement pour lui. Si en plus tu dois faire supporter ça à ta famille…

Coste sortit de la voiture banalisée et mit en garde son équipe.

— Bon, on se fraie un chemin dans la foule et on ne répond à aucune question, à moins que vous ne vouliez voir vos têtes à la télé.

Gonthier n'avait pas faim. Encore moins soif, et cela tombait plutôt bien puisqu'il lui était impossible de sortir de chez lui. Cela faisait plus de quarante-huit heures qu'il était là, à ne faire que de courts trajets entre son ordinateur et sa fenêtre. Entre les insultes et les menaces qui fleurissaient sur Internet et cette horde au pied de son immeuble. Il savait qu'un scoop chassait le précédent et que d'un jour à l'autre on l'oublierait. Mais Malceny n'oublierait jamais. Et lui non plus, n'oublierait pas.

Il alla récupérer son téléphone portable sur son bureau et envoya un SMS.

Quand au septième étage les fenêtres s'ouvrirent, toutes les caméras et les objectifs d'appareils photo se braquèrent vers le haut et Coste suivit le mouvement des yeux. Gonthier se présenta à la foule. Son ventre lui faisait mal, la tête lui tournait. Il regarda le soleil en face et laissa la chaleur se poser sur son visage. De cela, il voulait se souvenir. Il enjamba le garde-corps en se tenant toujours d'une main, puis chercha son équilibre.

Plus bas, les journalistes retenaient leur souffle. Coste et Johanna comprirent aussitôt qu'il n'y avait plus rien à faire, mais Ronan se dégagea violemment à coups d'épaule. Juste en dessous de l'immeuble, il hurla. Il l'engueulait presque.

— Gonthier ! Regarde-moi ! Fais pas ça ! T'as l'impression que tu t'en sortiras pas, mais je te promets que…

Gonthier fit un pas dans le vide. Son corps bascula du septième étage, et l'instant d'après, il s'écrasa sur une voiture en stationnement. Sous le choc, le toit s'enfonça et les vitres explosèrent. Ronan eut à peine le temps de se détourner et de se protéger avec son bras. Un éclat de verre lui zébra la joue. Le monde s'arrêta.

Le silence lui boucha les oreilles.

Ses gestes restèrent en suspens.

Plus un son. Plus un mouvement.

Puis l'alarme de la voiture défoncée se mit à hurler avec quelques secondes de retard et tout le monde sursauta. Ronan s'approcha du corps inanimé dont les bras, pendants, dépassaient du toit. Il posa deux doigts sur l'aorte. Aucun signe de vie.

Coste attrapa sa radio et lança un message à la Salle d'information et de commandement.

— Envoyez une équipe du commissariat de Malceny à l'adresse du chef de la PM. On a un suicide.

Il fallut sortir Ronan de l'attroupement de journalistes avant qu'il n'en choisisse un pour passer ses nerfs. Coste avait justement de quoi l'occuper. Johanna fut postée à l'entrée de l'immeuble pendant que les deux flics gravissaient les sept étages au pas de course. Ils trouvèrent le nom de Gonthier sur une sonnette, dernier appartement au fond du couloir.

— On n'est pas obligés de savoir qu'il vit seul, fit remarquer Coste. Il pourrait y avoir une personne en danger à l'intérieur. Tu t'en charges ?

— Avec plaisir.

Ronan se colla au mur qui faisait face à la porte et se projeta en avant, épaule la première. La porte trembla. Il reprit un peu d'élan, balança ses soixante-quinze kilos et la porte céda, s'ouvrant d'un coup et emportant avec elle une partie du chambranle de bois qui s'éparpilla au sol. Ils pénétrèrent dans l'appartement.

— On cherche quoi ?

— Une lettre d'adieu, une note… à dire vrai, j'en sais rien, mais on a quelques minutes seulement avant que le commissariat ne rapplique.

L'ordinateur de Gonthier était encore allumé et Coste demanda à Ronan d'en fouiller l'historique. Puis son regard tomba sur le téléphone portable dont il fit défiler les derniers appels et messages textes. L'un d'eux, envoyé à Vesperini quelques minutes plus tôt, attira son attention :

« Pour le gamin, je compte m'excuser en personne. Je vous laisse supporter votre culpabilité. Moi, je n'y arrive pas. »

Il n'y a pas d'enquête de police pour un suicide et encore moins la possibilité de saisir quoi que ce soit. Il glissa donc discrètement le mobile dans sa poche. De ses recherches, Ronan conclut :

— Rien de spécial. Il a passé les dernières quarante-huit heures à surfer sur des sites d'actualités. Ça n'a pas dû lui remonter le moral.

Derrière eux, un équipage de policiers en tenue entra à son tour et parmi eux, une fliquette qu'ils connaissaient bien.

— Capitaine, mes respects. Vous n'êtes jamais loin du pire, vous.

— Ça va avec le job. Salut Émilie.

— Qu'est-ce qui vous a pris de défoncer la porte ?

— Vérification des lieux.

— C'est ce que j'écris dans mon rapport ?

— Oui, avec les formes. Dites que les flics du SDPJ ont cru entendre du bruit à l'intérieur, ça suffira.

La jeune gardienne de la paix lui lança un clin d'œil auquel il répondit par un sourire.

Ronan et Coste descendirent plus tranquillement les sept étages et rejoignirent Johanna à l'entrée.

— Vous avez trouvé quelque chose d'intéressant ?

— Non, rien de particulier, rétorqua Ronan. À moins que le portable que Victor a chouré ne contienne des infos sensibles. Tu comptes nous faire partager ?

Coste sortit le mobile de sa poche et le tendit à ses équipiers.

— Regardez vous-mêmes.

Johanna se saisit du téléphone et alors qu'il changeait de mains, l'appareil se mit à sonner. L'écran afficha « maman ».

— Merde. On fait quoi ?

— Rien, ordonna Victor. Laisse sonner. C'est pas notre rôle et de toute façon, ce portable, on n'a aucune raison de l'avoir. Elle l'apprendra bien assez tôt.

46

La nuit tombait et avant de quitter le bureau, Coste s'assit sur le muret qui faisait le tour du jardin intérieur du SDPJ 93. Il s'alluma une cigarette, composa un numéro sur son portable. Léa ne lui laissa pas le temps d'un bonsoir.

— Tu veux me dire à quoi ça me sert de prendre des vacances si c'est pour rester scotchée aux infos de la télé ? Dis-moi qu'on t'a pas mis dans ce merdier.

— Tu t'inquiètes trop. Les caillassages et les insultes, c'est réservé aux uniformes. Et pour les émeutes, c'est pareil. Je n'ai pas l'impression de faire le même job, parfois.

— N'importe quoi ! T'aurais presque l'air déçu.

— Non, mais c'est dans ces situations que je réalise le confort de mon service. D'un autre côté, avec trois affaires sur le dos, on n'est pas au chômage.

— Trois affaires ? J'en étais à la petite vieille…

— Ajoute un adjoint de mairie et un gamin de douze ans.

— Et tu vas réussir à boucler tout ça d'ici la fin de semaine ?

Coste tira une longue bouffée sur sa cigarette.

— Je ne viendrai pas, Léa. Je suis désolé. Je ne peux pas tout laisser en plan pour partir en vacances. Tu me comprends ?

Il y eut un silence pesant à l'autre bout du fil.

— Je me pensais plus forte.

— Plus forte que qui ?

— Que ces femmes de flics bouffées par la peur de ne pas voir leur homme rentrer à la maison. Plus forte que les images de violence sur un écran. Plus forte que les réveils en pleine nuit, les rendez-vous ratés, les vacances annulées. Mais je ne vaux pas mieux qu'elles. Juste une amoureuse de plus. Je me sens coupable d'y avoir cru. Coupable et conne.

Coste ne sut pas quoi répondre. Léa lui raccrocha au nez.

Dans les locaux de l'AMH, l'Association Malceny-Haïti, le Boss faisait face à ses six lieutenants, en charge des six tours principales des quartiers. À sa droite Driss, et à sa gauche Colin. Il n'avait pas convoqué les petites mains pour éviter les rumeurs. Il en aurait bien assez avec les six visages fermés qui composaient son audience et qui, déjà, échangeaient des remarques à voix basse.

— Ce n'est qu'un contretemps, les gars. Il suffit juste d'être patient, commença-t-il.

Un de ses lieutenants, habillé d'un jogging blanc, prit la parole.

— La patience, c'est de la faiblesse. C'est ce que tu dis, non ? Ça fait près de deux semaines que t'as pris la place des anciens en nous promettant plus de fric et plus de responsabilités.

Les cinq autres acquiescèrent en silence et il poursuivit.

— Résultat tu t'es fait serrer tes deux planques et on a plus rien à vendre. Quand je bossais avec Bojan, on se faisait peut-être enculer sur le pourcentage mais au moins ça tombait dans nos poches.

Son voisin, rassuré de voir que la discussion était possible, ajouta son grain de sel :

— Je connais des lascars à Saint-Ouen qui peuvent nous faire de la came à chrome[1]. C'est plus cher, mais ça nous permet de tenir le quartier.

Le Boss réalisa qu'il ne les intimidait plus autant.

— Ce n'est même pas envisageable. On va payer le matos un tiers plus cher que son prix et ils enverront un de leurs types pour nous contrôler. Autant écarter les cuisses tout de suite. Si on les laisse s'installer, on a toutes les chances de se faire descendre un à un.

— Surtout que t'as montré l'exemple.

Non, vraiment, ils n'étaient plus intimidés du tout.

— Et tu nous as aussi promis une enveloppe pour le bordel qu'on met tous les soirs.

— Et les places HLM ? Les bagnoles ? Les vacances ? Les faux jobs de la mairie, ça aussi on s'assied dessus ?

Pris en défaut, le Boss changea de ton.

— Putains de capricieuses ! Qu'est-ce que vous ouvrez vos gueules, là ? Je me casse le cul à vous proposer autre chose que vos vies merdeuses de petites salopes et parce que j'ai quelques jours de retard sur le plan, ça y est, vous vous faites dessus ?

Celui en jogging blanc tenta d'apaiser la conversation, mais son petit sourire narquois et son ton mielleux donnèrent envie au Boss de sortir l'arme qu'il avait sous son tee-shirt et de lui coller une balle dans l'œil.

— Reste calme, frère. Si c'est que quelques jours, ça va. Tu dois nous comprendre, nous aussi on a des

1. À chrome : à crédit.

équipes et des gens qu'on doit faire patienter. Tu sais comment c'est. Ça se pose des questions, ça a des doutes. C'est con, les employés, surtout quand on leur en laisse le temps. Maintenant tu nous dis que ça va se régler, alors ça va rassurer tout le monde. C'est que des bonnes nouvelles, tout ça…

Le Boss toisa ses lieutenants et comprit qu'il devait rapidement reprendre le contrôle de la situation. Le jour venu, quand il aurait respecté ses promesses et retrouvé son statut, il faudrait aussi penser à l'avenir du merdeux en jogging blanc.

— Dans deux jours exactement vous aurez de quoi vendre et l'argent que je vous ai promis. Ce sera un début, mais au moins vous arrêterez de gémir. Prévenez vos équipes. Je veux tout le monde sur son point de deal à 10 heures et vous, ici, une heure plus tôt.

Les lieutenants se levèrent les uns après les autres, sans manquer de serrer la main de leur patron avant de quitter la pièce et chaque échange de regards fut lourd de sens. De nouveau seul, le Boss congédia Driss et demanda à Colin de rester avec lui. Il attrapa le gamin par la nuque et sa voix se fit plus paternelle.

— Tu me fais confiance, Colin ?

À minuit passé, un des dix opérateurs téléphoniques de la Salle d'information et de commandement reçut un appel 17 Police secours. Le cinq cent vingt-quatrième depuis sa prise de service. Toutefois, celui-ci fit l'objet d'une attention toute particulière. Il venait de Malceny. L'opérateur nota les informations puis bascula sur la ligne directe du chef de Salle, le commandant Auclair.

— J'ai un appel sur une agression en cours. Rue du Général-Dorin à Malceny. Un groupe de trois personnes serait en train de s'en prendre à une femme avec un enfant en bas âge. Le requérant a raccroché, je n'ai pas de numéro de contre-appel.

De son bureau, Auclair avait une vue dégagée sur toute la Ruche et ses écrans géants.

— Vous avez eu le commissariat ?

— Oui. Général-Dorin est une rue à sens unique qui se termine en fourche. À gauche elle longe la cité des Poètes et à droite c'est une impasse.

— Un appel anonyme, une cité, une impasse, une femme et un bébé. C'est trop parfait pour ne pas être un piège. Ça sent l'embuscade à plein nez.

— On annule ?

282

— Ce serait la meilleure chose à faire, malheureusement on est obligés d'y aller. Malceny a une voiture de dispo ?

— Non, tout le monde est en soutien des CRS et des compagnies d'intervention. On a même réquisitionné les chiens de défense de la Canine pour ce soir.

— Bon, faites quand même décrocher un équipage, qu'ils aillent faire un tour. Avec toutes les précautions d'usage, soyez clair là-dessus. Je veux savoir quand ils arrivent et quand ils en partent.

Auclair raccrocha avec le sentiment d'envoyer des moutons à l'abattoir.

*
* *

Le chef de bord du véhicule police 816 Sierra reçut à son tour ses instructions de la Salle de commandement, puis les reformula à ses équipiers.

— Une agression en pleine cité. Ça pue le piège. Général-Dorin, c'est un coupe-gorge. Elle est où, Émilie ?

— En première ligne à côté des CRS. Je lui ai demandé d'aller faire un point de la situation.

À une dizaine de mètres de là, le cordon de CRS faisait face à une rangée de six voitures en feu bloquant entièrement une rue, sans possibilité de savoir ce qui se tramait derrière. Les flammes jetaient des ombres de géants sur les façades des immeubles. Ce matin, les journaux n'avaient pas trouvé meilleure idée que de comptabiliser les incendies de véhicules : treize la première nuit et cent trente-six la deuxième. Les émeutiers avaient donc leur propre record à battre et il semblait évident qu'ils avaient relevé le défi. En plus de ces brasiers, s'ajoutait une cacophonie particulière. Partout dans la ville, à des volumes divers, retentissaient des alarmes de maisons, de magasins, de bâtiments publics, comme autant d'appels au secours auxquels personne ne pouvait répondre.

La fliquette réintégra son équipage, monta à l'avant de la voiture et boucla sa ceinture de sécurité.

— On va sur quoi ?

— Une agression. Faut juste espérer que ce soit pas la nôtre.

La voiture démarra et le cordon de CRS s'écarta en son milieu pour la laisser passer.

*
* *

Sur le toit de la tour Baudelaire, dix-huit étages, cité des Poètes, un flic en blouse noire installait, à même le sol, un moniteur vidéo relié à un clavier numérique. Il alluma l'écran et une série de chiffres se mit à défiler. À un mètre de lui, deux autres policiers, dans la même tenue vestimentaire, ouvrirent une malle à protection renforcée dans laquelle se trouvait ELSA. Engin léger de surveillance aérienne. Plus simplement, un drone. D'aspect extérieur, ELSA pouvait passer pour un planeur en polystyrène d'un mètre de long sur soixante centimètres de large, si ce n'était sa caméra embarquée.

Il y a plusieurs années, son éventuelle participation au contrôle des émeutes en ville avait provoqué l'indignation de nombreux maires du 93 et les mots « intimité », « surveillance aérienne systématisée » et « libertés individuelles » avaient été portés en étendard. Même si de nombreux témoins juraient avoir vu des drones dans le ciel lors des échauffourées de Villiers-le-Bel en 2005, le gouvernement continuait d'en nier l'utilisation en milieu urbain. Autant dire que l'autorisation pour un test en condition réelle avait été compliquée à décrocher et que l'opération présente des trois agents de la DOSTL[1] devait se faire en toute discrétion.

L'un d'eux sortit délicatement ELSA de sa boîte et la déposa, ailes dépliées, sur le rebord du toit. Placé à côté de l'appareil, le pilote synchronisa sa manette de contrôle retenue par une lanière autour de son cou. Derrière son écran, le technicien vérifia qu'il était bien connecté au gyroscope, à l'altimètre et à l'accéléromètre, prêt à entrer les coordonnées GPS pour un vol d'essai.

— On se fait quoi ? Un comptage de voitures brûlées ? Un album photo de casseurs ? demanda le pilote.

— Rien de tout ça, tempéra le technicien. On est en fantôme. Un passage à cent mètres au-dessus des barricades, un autre à cent cinquante, une série de photos, une vidéo avec les deux modes de caméra et on aura fait le tour du cahier des charges.

— C'est pas très *Top Gun*, tout ça.

Le troisième homme de l'équipe était resté en retrait, accroché à sa radio police dont il augmenta le volume en s'approchant de ses deux équipiers. La voix du commandant Auclair, chef de la Salle de commandement, se fit entendre :

— 816 Sierra, je vous rappelle que vous êtes seuls sur ce coup et qu'ici personne n'est rassuré. C'est très

1. Direction opérationnelle des services techniques et logistiques de la Police nationale.

probablement un piège et ce sera difficile de vous avoir des renforts, alors vous roulez sur la pointe des pneus. C'est reçu ?

— Réçu pour 816 Sierra. On avait compris, dit le flic à la radio.

Puis, prenant l'intonation des commandants de bord, il annonça sa mission.

— 816 Sierra, effectif zéro plus trois, en mission sur Général-Dorin pour une agression en cours. Ou pas.

Sur le toit, les trois hommes en blouse noire se regardèrent. Comme aucun de ses collègues ne semblait prêt à prendre la décision, le pilote trancha.

— ELSA a été conçue exactement pour ça. Surveillance de zone et sécurisation des effectifs de police. On n'aura jamais de meilleure occasion.

— Sauf que si on se crashe, c'est tout le projet qui est foutu à l'eau.

— Et si c'est vraiment une embuscade ?

— Fais chier… grogna le technicien de vol.

Les coordonnées GPS furent entrées, les hélices se mirent à tourner puis à vrombir tout bas et ELSA décolla en silence dans la nuit.

— Vas-y ma belle, va te dégourdir les ailes.

À la vitesse de soixante-dix kilomètres-heure, l'appareil fendit les airs au-dessus des immeubles et, indétectable, dépassa le véhicule de police 816 Sierra sans qu'aucun des passagers ne se doute de sa présence. ELSA arriva sur site plus de deux minutes avant l'équipage et se posta en vol géostationnaire.

— C'est désert sur mon écran et l'intensificateur de lumière de la caméra est à fond. Je passe en infrarouge.

L'image vira de grise à verte et le décor se révéla plus distinctement. Le technicien de vol fit pivoter sa caméra, scruta chaque détail et soudain un amas de silhouettes lumineuses apparut. Il zooma avant de s'écrier :

— Putain ! J'ai une dizaine de signatures thermiques en début de rue. Ça ne ressemble pas à une agression, ils sont complètement immobiles. Je m'approche.

*
* *

816 Sierra roula sur la quasi-totalité de Général-Dorin sans parvenir à trouver la moindre demoiselle en détresse. Aux derniers numéros, la rue se rétrécissait en un goulet si étroit que même le stationnement y était interdit et la voiture ralentit sans pour autant s'arrêter. Dans la Ruche, le personnel de la Salle de commandement restait attentif et scotché à la radio. Une voix inconnue et légèrement affolée pirata les ondes.

— Message pour l'équipage Sierra 816. Faites demi-tour. Vous êtes à moins de cinq mètres d'un groupe dissimulé. Il n'y a pas d'agression en cours, je répète, il n'y a pas d'agression en cours.

Surpris, le commandant Auclair orienta le micro fixe de table vers lui.

— Utilisateur, veuillez vous identifier.

Après trois secondes de silence, il se répéta.

— Vous êtes sur une conférence radio privée police, veuillez vous identifier.

Pour toute réponse, l'écran géant de la salle tressauta et une image en infrarouge y apparut. Auclair la détailla et, à son tour, sa voix s'affola.

— 816 Sierra, c'est confirmé, vous êtes attendus. Faites demi-tour !

Alors que le conducteur allait amorcer sa marche arrière, un groupe de dix personnes encagoulées surgit de nulle part et les entoura instantanément. Bien que pris de court par la réaction inattendue des policiers, ils s'organisèrent comme prévu. Les premiers, à moins d'un mètre, explosèrent le pare-brise à coups de batte de base-ball et de barre de fer et le verre s'éparpilla dans tout l'habitacle. La voiture de police dévia de sa course, monta sur le trottoir et percuta de plein fouet un poteau électrique. Deux autres silhouettes masquées se portèrent à leur niveau. L'une tenait une bouteille à la main et le deuxième tentait de l'allumer. Lorsque le torchon enfoncé dans le goulot commença à prendre feu, il tapa sur l'épaule de son complice qui jeta son cocktail Molotov de toutes ses forces sur le capot. La bouteille explosa et l'essence recouvrit entièrement Émilie et le conducteur.

Mais rien.

Lors du lancer, le torchon s'était éteint.

Flics comme incendiaires se regardèrent un instant, stupéfaits. Accroché à son volant et submergé par l'odeur du carburant, le conducteur restait paralysé. À côté de lui Émilie semblait lui hurler quelque chose, mais il ne voyait que ses lèvres bouger. Son cerveau avait littéralement *buggé*. Puis d'un coup d'un seul, le volume fut rétabli et il entendit les cris de sa collègue :

— Mais fonce, putain ! Fonce !

Il empoigna le pommeau de vitesse, passa la marche arrière et, pied au plancher, sortit son équipage de là sans chercher particulièrement à éviter qui que ce soit.

Le drone n'avait pas raté une image de la scène et, dans la Salle de commandement, le commandant Auclair non plus. Sur l'écran, il vit la voiture s'éloigner, de plus en plus en sécurité. Il se baissa vers le micro.

— 816 Sierra, tout le monde va bien ?

Émilie appuya sur le bouton de sa radio.

— Sains et saufs. On fait retour base.

Dans la salle, certains opérateurs se congratulèrent quand d'autres applaudirent de soulagement comme s'ils venaient de réussir le décollage d'une fusée. Auclair tamponna la transpiration de son front.

— Utilisateur inconnu, vous êtes sur une fréquence privée, identifiez-vous.

Silence. L'écran géant s'éteignit d'un coup. Auclair se laissa tomber sur la chaise la plus proche. Il n'aurait pas supporté de voir trois gamins en uniforme cramer dans une bagnole.

La voiture recouverte d'essence roulait à vitesse réduite dans les rues désertes de Malceny. Sans pare-brise, les passagers sentaient sur eux le vent chaud de la nuit et n'arrivaient pas à s'empêcher de sourire bêtement. Au bout de quelques secondes, Émilie appuya de nouveau sur le bouton « com » de sa radio.

— Hey, les anges gardiens... Vous êtes encore là ?

Sur le toit de la tour Baudelaire, ELSA atterrit tout en douceur. Le pilote replia ses ailes et, avant de l'enfermer dans sa mallette, il parla au drone comme à une vaillante jeune fille.

— Premier sauvetage, ma belle. Ça y est, t'es un vrai flic maintenant.

48

Coste faisait tourner le portable de Gonthier entre ses doigts. En face de lui, son équipe en était aux croissants et aux hypothèses.

— Je ne vois pas en quoi ça nous avance, commença Johanna. Même si c'est Vesperini qui a ordonné le contrôle cité des Cosmonautes, il n'y a pas grand-chose d'illégal. De stupide, c'est certain, mais pas d'illégal. Bon, elle t'a menti, d'accord, mais si elle en avait connu les conséquences, je ne pense pas qu'elle aurait pris cette décision.

— Ce qui m'ennuie, dit Coste, c'est que maintenant, tout est lié. Vesperini avec la police municipale. La police municipale avec Bibz. Bibz avec les nourrices. Les nourrices avec les dealers morts et les dealers morts avec l'adjoint au maire.

Ronan déposa les cafés du matin sur la table basse.

— Et tu vas faire quoi ? Le coup du curieux ? Je te rappelle que tu parles de te pointer à l'hôtel de ville, pour mettre sous le nez de la maire un texto pas super clair, sur un portable que t'as barbé dans l'appartement d'un suicidé. Tu risques de prendre un coup de soleil.

Coste s'était déjà fait ces remarques. Les entendre était autre chose, mais au point où il en était, il ne voyait rien de mieux à faire.

Alors qu'il s'apprêtait à contacter le secrétariat de Vesperini pour organiser une troisième rencontre, son téléphone fixe sonna. La conversation ne dura que quelques secondes et en raccrochant, il répondit aux regards interrogatifs de ses équipiers.

— Colin Faizon est à l'accueil avec son avocat. Il vient s'expliquer sur la mort de Rose Carpentier et d'Azzedine Salah. Et il a un gros sac de sport.

Johanna, la dernière venue dans le groupe, ne semblait pas comprendre. Alors Sam remplit les blancs.

— Quand tu te pointes avec ton avocat, c'est que généralement ça ne sent pas frais pour toi. Dans le sac de sport, il y a probablement des fringues de rechange. On en a besoin quand il y a des risques d'aller en prison. En gros, il vient pour se dénoncer avec possibilité d'incarcération.

— C'est plutôt inattendu, s'étonna Johanna. Une enquête résolue avec le suicide de l'auteur et un mis en cause tombé du ciel qui se propose de nous clôturer les deux affaires restantes…

— J'aime pas trop les plats tout prêts, grimaça Ronan. Moi ce que j'aime, c'est cuisiner.

Coste le rassura.

— T'inquiète pas pour ça. On va le cuisiner.

*
* *

Coste alluma la webcam de son ordinateur pour enregistrer l'audition et détailla ses deux visiteurs.

L'avocat, la quarantaine dans un costume sans éclat, stylo et calepin à la main, prêt à noter chaque irrégularité procédurale. Puis son client qui détonnait un peu, semblant sortir d'une nuit agitée avec ses cheveux blonds en pagaille et des vêtements dans lesquels il flottait.

Informé de ce dénouement inespéré, Stévenin, le commissaire divisionnaire du SDPJ 93, était passé brièvement dans le bureau du Groupe crime 1 pour constater par lui-même, puis il avait doucement refermé la porte sur laquelle un panneau « audition en cours » était accroché. Coste et son équipe étaient maintenant seuls, face à Colin et à son conseil. Ce dernier prit la parole.

— Mon client a souhaité se présenter à vous aujourd'hui pour...

— Taisez-vous, le coupa Coste très calmement.

— Je vous demande pardon ?

— Taisez-vous, maître. L'audition a commencé, je ne veux plus vous entendre avant la fin.

L'avocat connaissait les textes de loi aussi bien que le flic et se recula dans sa chaise, un brin piqué. Coste l'ignora et se tourna vers le jeune homme.

— Alors.. Colin, c'est ça ? Petit Colin... tu t'es réveillé ce matin avec l'envie d'être en paix avec toi-même, je me trompe ?

Pour la première fois, on put entendre la voix du gamin.

— Ouais, c'est ça. Je viens vous parler de la vieille dame et de...

— Détends-toi. Tu auras tout le temps de répéter le texte qu'on t'a fait apprendre. Ce que je veux d'abord savoir, c'est combien coûtent tes baskets ?

— Deux cents. C'est des Ethnies, rétorqua fièrement le gosse, bien qu'un peu surpris par la question.

— C'est vrai qu'elles sont jolies. Maintenant, combien te coûte ton avocat ?

Colin fit mine de réfléchir puis se tourna vers son conseil, mais ce dernier préféra garder les yeux baissés.

— Cherche pas, le délivra Coste. C'est normal que tu connaisses le prix de tes pompes, tu les as payées. L'autre, il t'a été offert. Et toi, pour que tu viennes te balancer tout seul, tu as été payé combien ?

Colin était totalement désemparé et presque plus sûr de rien. Même l'avocat en était parfaitement conscient.

— Je crois que c'est bon, capitaine, il est à point. Vous pourriez le laisser parler un peu, non ?

Coste accepta mais l'épouvantail ne savait plus ses lignes. Ronan s'approcha de son oreille.

— T'as pas bien révisé, toi. Laisse-moi t'aider… Je viens vous parler de la vieille dame et de… ?

— Ouais, voilà, démarra enfin Colin. Je viens vous parler de la vieille dame et de Salah. Moi dans l'histoire je suis juste un employé. Je travaille pour des types, je les connais pas et ils me paient pour aller vérifier que les nourrices elles sont réglo.

Coste plissa les yeux. Il y a trois types d'utilisation du français. Le français entre amis, celui avec les insultes en guise de ponctuation. Le français en famille, un peu plus riche. Enfin, le français utilisé en milieu professionnel, plus châtié et codifié. Maîtriser les trois dans le 93, c'est déjà être polyglotte. Mais le pauvre Colin semblait n'en connaître qu'un, celui avec les insultes. Même si le gamin faisait bien des efforts aujourd'hui, Coste s'attendait malgré tout à saigner des oreilles d'ici une phrase ou deux.

— Mais je suis pas tout seul. Celui qui reçoit les ordres, il s'appelle Bibz et c'est lui qu'a secoué la vieille, sauf qu'on savait pas qu'elle avait la cardiaque. On a rien fait de grave, c'est la vieillesse.

— Bibz. On dirait un surnom. Tu as son vrai prénom ?

— Habibou. C'est celui qui a été tué par les bâtards de la municipale.

Coste siffla son étonnement.

— Habibou Doucouré ? Je t'ai sous-estimé. Je pensais que tu venais te dénoncer, mais en fait tu viens coller toute la responsabilité sur un mort. C'est audacieux. Continue.

— Rien d'autre. On a fait la même chez la deuxième nourrice, un vieux avec un chat, mais lui il a mieux tenu le coup.

— Et quel est le rapport avec Azzedine Salah ?

— Il a pas toujours été à la mairie. Avant c'était un lascar comme tout le monde et il devait pas mal de thunes à mon patron. On devait lui rendre visite et comme il avait pas l'argent, Bibz a encore vrillé. Pareil qu'avec la vieille, j'ai essayé de le calmer, mais il est *no limit*.

— Donc c'est Habibou Doucouré, un gamin de douze ans, qui a tué Salah ? C'est ça que tu veux que je note ?

— Toi-même tu sais. Douze ans du 93 c'est pas douze ans de Paris. C'est pas les mêmes formats.

La réflexion arracha un sourire au flic qui se tourna vers Ronan :

— Appelle le commissariat et fais-nous porter une copie de toutes les procédures judiciaires concernant Habibou Doucouré. J'aimerais bien la connaître un peu mieux, la terreur de douze piges de Malceny qui fait mourir de peur les vieilles dames.

Puis Coste redirigea son attention vers son hôte.

— Juste pour qu'on soit sûrs. Tu peux me donner le détail de ce que cachaient les deux nourrices ?

— Je sais pas moi, elles avaient de la came et du pognon.

— Les deux ? Combien ? Sois plus précis.

— La came c'était du marron et de la blanche, ça c'est sûr, et pour la maille, y avait vite fait vingt-cinq mille chez la vieille et cinquante mille chez le vieux. Mais lui il est parti en laissant tout aux keufs. Vous, quoi. Ça fait qu'on avait plus rien chez les nourrices et c'est pour ça qu'on est allé chercher le fric que devait Azzedine.

Coste jeta un regard à Sam avant de reprendre, plus directif :

— Arrête, ça colle pas. Alors maintenant tu te concentres, je veux du précis.

— Putain de toi ! La came j'en sais rien et le fric c'est toujours par liasses de vingt-cinq. Une liasse chez la vieille, deux chez le vieux.

De l'argent chez Jacques ? Coste resta impassible. Pourtant dans son esprit, le temps était plutôt à l'orage. Sam quitta le bureau et l'audition se poursuivit.

— Dis-moi, ton nom n'apparaît sur aucune des procédures, tu sors de nulle part et pourtant tu viens te dénoncer. C'est quoi, le projet ?

— La vieille, elle avait le même âge que ma grand-mère. Et Salah, sa mère, elle m'a gardé longtemps quand j'étais petit. J'ai des remords.

— J'espère que vous avez prévu une autre version avec ton avocat.

— Ouais. Y a la version où j'ai pas eu le choix. Mon patron, quand on l'énerve, ça finit à la perceuse. Mais c'est pas un violent à la base. Il voulait pas qu'on touche à la vieille, ni à Azzedine. Résultat, je viens assumer, que ça retombe pas sur son business.

Coste savait que cela ne servait à rien, mais il était procéduralement impossible de ne pas poser la question :

— Et ton patron… Il a un petit nom ?

— Va chier.

— T'en as, du vocabulaire, mon grand…

— Si ça met ma vie en danger, j'ai le droit de la fermer. C'est le baveux qui me l'a dit.

L'avocat, en situation inconfortable, se donna un peu de contenance en griffonnant sur son calepin.

— Bon, et dans ce français déplorable, tu as autre chose à me dire ?

— Ouais. J't'emmerde.

— On va dire que non, alors.

49

Vesperini relisait ses fiches à l'arrière de sa berline de fonction. À son côté, Maud attendait le verdict comme un élève ferait corriger sa copie. Une bonne partie du trajet vers les locaux de la radio RMC se fit donc en silence. Lorsqu'elle eut fini, la Reine s'adressa à sa chargée de com'.

— Parfait. Je crois qu'on couvre tous les sujets. Ça n'empêchera pas Bourdin de me gueuler dessus mais au moins j'ai de quoi répondre. J'aurais quand même préféré Patrick Cohen.

— Je sais. France Inter doit me rappeler, mais je ne suis pas inquiète, tout le monde veut vous avoir. Vous voulez la fiche synthèse que je vous ai rédigée ?

— Non, j'ai tout en tête. Appel au calme. Ville victime. Demande d'implication de l'État pour les quartiers défavorisés. Couvre-feu pour les mineurs et possibilité de fermeture des écoles le temps des émeutes.

Maud récupéra ses notes et les rangea dans son porte-documents.

— Vu les circonstances, je vous trouve particulièrement calme, madame.

— Tout simplement parce que d'ici vingt-quatre heures maximum, je ne serai plus toute seule à gérer cela.

— Excusez-moi, mais j'ai peur de ne pas vous comprendre.

Vesperini s'amusa de son manque d'expérience.

— Vous ne vous êtes jamais demandé pourquoi depuis une dizaine d'années les émeutes ne durent jamais plus de quatre jours ? Et pourquoi ces émeutes ne quittent jamais la commune d'où elles surgissent ?

— Je n'en ai aucune idée.

— Rappelez-vous Clichy-sous-Bois. Vingt et une nuits d'affrontements répandus sur différentes villes et sur presque tout le territoire. Un état d'urgence décrété et une addition de plusieurs centaines de millions d'euros. Le gouvernement a vite compris que pour faire des économies, il fallait tuer ces soulèvements dans l'œuf. Et tout spécialement ceux du 93.

— Pourquoi la Seine-Saint-Denis aurait-elle un traitement de faveur ?

— Parce que nous sommes le paillasson de Paris. Toute la politique est centrée dans la capitale et quand ça brûle en banlieue, l'odeur arrive jusque sous leur fenêtre. Nous sommes trop proches du cœur pour qu'ils acceptent que la situation s'envenime. Regardez comme on laisse Marseille et la Corse à la dérive. Juste parce qu'ils sont si loin du centre qu'ils sont considérés comme presque indigènes. Et encore, c'est la métropole. Dans toutes les Antilles, les mouvements sociaux ont été ignorés et ont dégénéré mais depuis, rien n'a réellement changé. Vous savez que, cette année, il y a eu deux fois plus de règlements de comptes en Guadeloupe que dans les Bouches-du-Rhône ? Et pourtant, le battage médiatique s'est cantonné à Marseille. Je vous assure que plus on se rapproche géographiquement de l'Élysée, moins on a de chances d'être oubliés. Le gouvernement n'autorisera pas son voisin du 93 à s'enliser dans une insurrection.

— Mais de quelle manière ?

— Soyez patiente. J'ai bon espoir de l'apprendre aujourd'hui.

50

Après sa première audition, Colin Faizon avait été mis au frais dans les cellules de garde à vue du SDPJ.

— Je rêve ou on s'est fait avoir de cinquante mille euros par un vieux de quatre-vingts balais ? demanda Coste.

— Tu crois pas si bien dire, répondit Sam.

— Quoi encore ?

— Je viens d'avoir la clinique du docteur Marquant au téléphone.

Coste comprit immédiatement.

— L'enfoiré ! Il s'est barré quand ?

— Ce matin, très certainement. Personne ne s'en était rendu compte avant mon appel.

— On lui avait laissé un portable. Tu as essayé de le contacter ?

— Ça sonne dans le vide.

Coste fouilla dans sa mémoire.

— Attends, il avait une maison où déjà ?

— À Chanclair, dans la Drôme. J'ai mis Johanna dessus.

Face à Johanna De Ritter, Ronan, Sam et Coste étaient plus qu'attentifs.

— OK, j'ai eu la gendarmerie de Chanclair. Ils étaient un peu surpris, vu que je suis la seconde personne du SDPJ à leur poser les mêmes questions.

— Jevric ? avança Ronan.

— Ouais. Il fallait s'y attendre. Quand Jacques a « disparu », elle a lancé toutes les recherches possibles et a découvert cette adresse.

— Tu as demandé aux gendarmes de dépêcher discrètement un véhicule ?

— Pas la peine. Ils m'ont envoyé un e-mail avec cette pièce jointe.

Johanna sortit d'une chemise cartonnée une série de clichés qu'elle déposa sur son bureau. Les photos représentaient une maison en pierre sans toit avec un mur effondré et des ronces recouvrant le tout.

— C'est quoi cette ruine ?

— Je vous présente la maison du couple Landernes. Achetée en 1980 et jamais habitée. On ne risquait pas de le trouver là-bas.

— Il nous balade depuis le début. Les gendarmes t'en ont dit plus ? insista Coste.

— Oui, mais en « off ». Il paraît que Jacques a acheté ce lopin à un promoteur. Le terrain était considéré comme constructible et ils ont mis toutes leurs économies dans cette baraque. Sauf qu'à cet endroit précis les nappes phréatiques étaient saturées et, aux premières pluies, les fondations se sont enfoncées de dix centimètres. Les travaux ont été interrompus et n'ont jamais repris. Jacques a intenté un procès, mais il n'avait pas les épaules. La mairie a pris fait et cause

301

pour le promoteur, qui accessoirement avait encore deux projets immobiliers sur la commune, et il a même été soutenu par le notaire qui avait certifié la qualité du terrain. Autant vous dire qu'aucune mesure de remboursement ni de dommages et intérêts n'a abouti. Avec une parcelle inutilisable achetée trois fois son prix et une maison en ruine, les Landernes se sont retrouvés sans un sou et tous leurs espoirs d'échapper à Malceny se sont envolés.

Sam à son tour se remémora l'entretien qu'ils avaient eu avec le vieil homme.

— Je croyais que sa femme était morte là-bas et que c'était pour cette raison qu'il ne voulait plus y retourner ?

— C'est presque la vérité. Sa femme a fait une profonde dépression dans les six mois et elle est morte juste après, dans un appartement de banlieue qu'ils ne pourraient plus jamais quitter. Mauvais karma.

— C'est un coup à débarquer à l'hôtel de ville avec un fusil à pompe, fulmina Ronan. Si tu ajoutes les dealers qui l'ont exploité, le décès de Rose et la tentative de Jevric de l'utiliser comme appât alors qu'il venait chercher de l'aide... ça fait beaucoup pour une seule vie.

Coste ne savait plus trop quoi penser de leur protégé.

— Sauf qu'apparemment, il a décidé de ne plus se laisser faire. Sam, tu me fais une géolocalisation de son portable. Il faut le retrouver.

Derrière eux, la porte du bureau s'ouvrit et Stévenin, le patron du SDPJ, s'enquit de l'avancée de l'enquête.

— Comment ça se passe avec le jeune Colin Faizon ?

Coste se posta devant Johanna pour lui permettre de ranger discrètement les clichés de la ruine de Chanclair.

— Justement, commissaire, j'aurais deux mots à vous dire à ce sujet.

51

Statut oblige, le bureau du commissaire divisionnaire faisait quatre fois la taille des autres. Et statut
oblige encore, il devait rendre compte de tout, bien
plus que ses propres subordonnés. Autant dire que les
événements de Malceny et l'éventuelle criminalité qui
pouvait en découler l'inquiétaient passablement. Sa
conviction et sa détermination ne reflétaient que la
pression qu'il subissait.

— Non, capitaine. Vous me torchez ça et vous me
déférez le petit Faizon au parquet dès ce soir. Mes
ordres viennent de tellement haut que je me suis attrapé
un torticolis en les recevant.

— Commissaire, laissez-moi au moins demander
une prolongation de garde à vue. Juste vingt-quatre
heures pour y voir plus clair.

— Non. C'est la guerre toutes les nuits, au cas où
vous n'auriez pas la télé. Pour l'instant, à part la mort
de Bibz, il n'y a que des dégâts matériels, mais si ça
continue on risque d'avoir quelques cadavres en plus
sur les bras et on en a suffisamment à mon goût. Merde,
Victor, on nous offre un type qui balance le jeune
Doucouré sur deux de vos affaires. Vous réalisez ? En

pleine émeute, égratigner leur cause, c'est inespéré. Vous vous souvenez de Leonarda, la gamine interpellée en sortie scolaire et renvoyée au Kosovo ? Cette histoire est devenue une crise politique, mais il a suffi de dire que le père était violent, qu'il envoyait ses filles mendier et qu'il avait menti sur ses origines pour qu'elle disparaisse en moins d'une semaine. Le directeur de la Police judiciaire me crucifierait si on ne saisissait pas la chance qui nous est offerte !

Coste tenta de se maîtriser et serra les dents.

— Commissaire, ne pensez pas que je ne réalise pas toutes les conséquences de ce que je vous demande et la pression que vous avez sur le dos, mais là, clairement, on nous enfume. D'après vous, qui paie son avocat ? C'est juste un sacrifice. Le gamin est mineur, on peut à la limite lui coller une complicité mais ça n'ira pas plus loin. Il risque quoi ? Deux ou trois ans, maximum. Il endosse le tout pour du pognon ou par trouille, je ne sais pas encore mais je pourrai le découvrir si on me laisse du temps.

— Que je ne vous donne pas, capitaine. Vous l'entendez une dernière fois, vous bétonnez autour de cet Habibou Doucouré, vous constituez bien l'infraction de complicité sur Colin Faizon et vous transmettez le tout à Saint-Croix, la magistrate. Ne soyez pas impatient, avec une affaire pareille elle fera ouvrir une commission rogatoire[1] et vous pourrez poursuivre votre enquête.

---

1. La commission rogatoire est une délégation de pouvoir. Dans le cas présent, lorsqu'une affaire s'avère particulièrement complexe et que son traitement ne peut se faire dans le temps limité de la garde à vue, l'enquête peut se poursuivre et se voit déléguée à un juge d'instruction qui en prend la direction et qui décide des investigations à faire et des policiers qui les exécuteront.

— Dans une semaine au mieux, le temps du retour de la procédure, c'est ça ? S'il est mis en examen vous savez très bien qu'il n'y aura que le juge d'instruction qui pourra l'entendre. Aujourd'hui est notre seule chance de mettre Colin sous pression, après on ne pourra même plus l'approcher. On se sera juste fait manipuler.

La patience de Stévenin avait atteint ses limites.

— Et par qui ? Par le dealer au-dessus de lui ? Et quand vous l'aurez, ça ne vous suffira pas, vous voudrez celui au-dessus et à la fin vous n'aurez personne ! Décidément vous ne voyez pas plus loin que le bout de votre bureau. Vous ne risquez pas d'être un jour commissaire.

— Dieu m'en préserve.

Stévenin leva un sourcil.

— Pardon ?

Coste quitta le bureau en claquant la porte.

52

L'entretien avec le journaliste de RMC était resté plutôt courtois. Mieux que ça, Vesperini en ressortait avec une certaine aura de maire courage. Pourtant, le trajet retour vers l'hôtel de ville la ramena à la réalité de sa situation et la tension lui vrilla le ventre. Elle interdit l'entrée de son bureau à quiconque, excepté Delsart, son trésorier, qu'elle attendait de pied ferme.

Au gouvernement, personne ne souhaitait se mouiller dans les événements de Malceny. Matignon avait renvoyé la balle au ministère de l'Intérieur qui, d'un revers, l'avait refilée au Secrétariat général à la ville… qui dépendait de Matignon. Même la discussion qui aurait dû se tenir entre la maire et le secrétaire d'État avait été sous-traitée entre son trésorier et un conseiller technique. À l'évidence, tout le monde prenait des gants pour se tacher le moins possible avec sa ville.

Une lumière s'alluma sur le poste téléphonique de Vesperini et Sébastien Delsart fit irruption sans même avoir été annoncé. Voilà près de dix ans que ce quadragénaire élégant tenait les cordons de la bourse de la municipalité. Les rapports qu'il entretenait avec Vesperini étaient privilégiés. Certes, Sébastien était le fils de son ex beau-frère, mais surtout elle appréciait sa créativité. Marchés surfacturés, associations fictives, financement occulte de campagne, achat de votes, de gros bras, de colleurs d'affiches, de concierges et de journalistes rapporteurs d'infos, emplois fictifs et placement d'amis aux bons postes. Delsart avait commis tant de malversations qu'il n'en voyait même plus l'illégalité. Dans la mesure où il ne s'agissait pas d'enrichissement personnel, il prenait presque plaisir à ce jeu du chat et de la souris avec la préfecture, les administrations publiques et la Cour régionale des comptes. Pour lui, tout cela ressemblait à de simples mouvements bancaires. Avec juste un peu plus de malice et d'attention.

Leur relation d'interdépendance lui permettait même une certaine familiarité.

— Salut Andrea.

— S'il te plaît ne joue pas avec mes nerfs.

— C'est bon. Ça devrait tomber dans l'après-midi. Ils veulent que tu arroses les cités autant que nécessaire. Le robinet est grand ouvert. Malceny fout la trouille à tout le monde, on nous demande de régler ça au plus vite.

— Tu as vu pour le montage ?

— Oui. Avec le secrétaire d'État. J'utilise une de nos associations dormantes et on se sert au besoin.

— Laquelle ?

— Une des toutes premières que j'ai créées : l'Association pour la réhabilitation de l'image des quartiers.

— On a une avance de combien ?

— Cinq cent mille euros, en provenance des fonds spéciaux de Matignon. Mais ils ont déjà une estimation de la totalité. Si les émeutes cessent sous quarante-huit heures, ils te proposent cinq millions. Tu vas pouvoir te payer une ville toute neuve, une jolie campagne et plein d'électeurs.

— Villiers-le-Bel a eu 4,6 millions, je n'en attendais pas moins. Et ils font passer ça comment ?

— On devrait en toucher une partie via la DAT[1] qui transférera les fonds pas le biais de l'ANRU[2]. On placera le reste dans une autre association taxi dans l'objectif d'une…

Il regarda le papier qu'il tenait entre ses mains.

— … voilà : « Construction d'un nouvel environnement plus sain et plus vivable. » Je n'ai pas eu besoin de réfléchir beaucoup, l'intitulé m'a carrément été dicté. Tu sais, je crois qu'ils commencent à avoir l'habitude.

Vesperini se cala dans son fauteuil.

— Bien. Dans ce cas, vois immédiatement avec la banque. J'ai besoin de trois cent cinquante mille en liquide tout de suite.

— Autant ?

— Ils veulent que je gère ça en quarante-huit heures ? C'est ce que ça coûtera. Ne t'inquiète pas, ils ont mis un bandeau sur leurs yeux.

— OK. Je m'en occupe tout de suite, assura Delsart avant de faire demi-tour et de quitter le bureau.

1. Direction de l'aménagement du territoire.
2. Agence nationale de rénovation urbaine.

Une fois seule, elle s'alluma une cigarette. Cela avait été un peu plus compliqué que prévu, mais elle y était arrivée.

Vesperini venait de décrocher cinq millions d'euros.

En provoquant elle-même une émeute dans sa propre ville, Vesperini avait réussi un casse historique. Pire, elle venait de braquer l'État.

53

Johanna et Sam terminaient de vérifier toutes les pièces de la procédure avant sa transmission au parquet du tribunal de grande instance de Bobigny où Colin Faizon était attendu par la magistrate. La décision de Saint-Croix n'avait surpris personne : l'adolescent était déféré avec une détention provisoire à la clef. Coste restait à côté de ses deux équipiers en les regardant faire, perdu dans ses pensées, quand Ronan arriva avec quatre bières fraîches.

— On peut ?

Victor acquiesça et attrapa une des bouteilles. Il avait une idée en tête mais n'osait pas la formuler. Il commença donc par tourner autour du pot, comme les chiens tournent sur eux-mêmes avant de s'asseoir.

— Ce serait bien de s'assurer que la magistrate ouvre une commission rogatoire sur cette affaire.

— Comment tu veux qu'il en soit autrement ? s'étonna Ronan. On a à peine effleuré l'enquête. Il y a encore des tonnes de faits à vérifier.

— Exact. Ce serait bien aussi d'être sûrs que cette commission rogatoire nous soit attribuée. Saint-Croix pourrait très bien choisir un autre service ou un autre groupe.

Sam, qui n'arrivait à comprendre où son chef voulait en venir, leva le nez de la procédure.

— Et tu veux t'y prendre comment ?

— Je ne sais pas trop. Il faudrait pouvoir la convaincre.

Johanna sourit. Sam posa les yeux sur Ronan qui se désaltérait innocemment avant de réaliser que tout le monde le regardait et de saisir enfin ce que Coste insinuait.

— Vous êtes sérieux, les gars ? Vous voulez que j'aille voir Fleur Saint-Croix ? Je vous rappelle que nous ne sommes pas en très bons termes, tous les deux.

— Attends je te demande pas de te prostituer. Je te demande juste de voir si tu peux avoir des infos.

Ronan siffla le reste de sa bière.

— Tu fais chier, chef. Je m'en suis pris plein la gueule avec elle.

— OK. Alors oublie. Je ne veux pas être responsable d'un cœur brisé.

54

À 20 heures passées, Coste laissa son équipe assurer l'escorte de Colin jusqu'au dépôt du tribunal. Il allait rentrer chez lui quand son portable se mit à danser sur son bureau en vibrant.

Léa. Il décrocha.

— Tu te fous de ma gueule ? Je n'en reviens pas comme tu te fous de ma gueule ! Je viens d'avoir mon père au téléphone. Ton témoin s'est fait la malle. Je croyais qu'il était en danger ?

— Je te promets qu'il l'est toujours.

— Et tu me promets que c'était bien juste un témoin ? Parce que des témoins sous protection qui se barrent, c'est pas très courant, non ? Victor, que tu aies menti à mon père, passe encore. Mais que tu me mentes à moi, t'as vraiment pas intérêt !

Coste reposa sa veste et s'assit sur le canapé du bureau.

— Jacques Landernes était nourrice pour des dealers. Jevric voulait l'utiliser comme appât sans garantir sa sécurité par la suite. Il a fallu le sortir de là et le planquer.

Léa avait fini de bouillir, elle explosa littéralement.

— Tu as planqué un complice de trafiquants à la clinique ? Mais qu'est-ce qui va pas chez toi ? Tu me mens, tu mets en péril la carrière de mon père et tout ça pour un type que tu ne reverras jamais ?

— Je ne fais pas ça pour qu'on devienne amis, je fais ça parce que c'est juste.

— Putain qu'il te plaît, ce mot ! Et avec moi, tu te considères juste ?

Coste ne répondit pas.

— Tu m'as menti, Victor. T'es vraiment un sale con.

55

Seule Vesperini restait encore dans les bureaux de l'hôtel de ville et déjà, dans les couloirs déserts, s'activaient les femmes de ménage poussant leurs chariots. L'appel qui arriva sur son poste était attendu avec beaucoup d'impatience et elle décrocha immédiatement.

— Madame le maire. Mon personnel commence à s'impatienter dangereusement. Nous démarrons la quatrième nuit. Vous m'aviez dit que le gouvernement serait réactif.

— Rassurez-vous, il l'a été. L'argent sera disponible demain. Dites-moi seulement comment vous voulez que l'on s'y prenne, mais s'il vous plaît, ne me faites pas le coup du parking en sous-sol à 2 heures du matin.

— J'ai prévu beaucoup plus simple. J'estime que vous avez montré votre bonne volonté et que je peux vous faire confiance. Je vais vous passer mon numéro de téléphone. À partir de maintenant, vous aussi, vous pourrez me joindre. C'est d'ailleurs ce que vous ferez dès que vous aurez la somme avec vous. Montez dans votre berline, appelez-moi et je vous communiquerai l'adresse exacte de notre rendez-vous. Cela vous convient-il ?

— Ce qui me conviendrait, ce serait de ne vous avoir jamais rencontré.

— Si jouer les victimes vous permet de mieux dormir, je vous invite à tenir ce rôle avec des gens qui vous connaissent moins que moi. J'ai écouté votre émission radio ce matin, vous étiez très convaincante. Votre cote de popularité ne cesse de grimper. Si vous jouez la partition que nous avons écrite tous les deux, vous avez de grandes chances pour un troisième mandat. Et puis j'imagine que la somme que vous me remettez n'est qu'une partie de ce que vous allez toucher. Un million, un million et demi ?

Garder un peu de mystère autour du butin de son braquage permettait à Vesperini de ne pas voir les prétentions du Boss augmenter dangereusement. Elle éluda en lui agitant un chiffon rouge sous le nez.

— Il y aura aussi les cinquante mille euros que vous m'avez demandés pour la famille du jeune homme qui s'est dénoncé. Après cela, je crois que j'aurai rempli ma part de notre marché. À vous de remplir la vôtre. Je vous donnerai cent mille euros pour que vous calmiez vos troupes, il est temps que tout cela cesse avant qu'un nouveau drame ne survienne.

— C'est entendu. Ils seront sages comme des images.

— Ne dites pas de bêtises. Freinez-les seulement, il ne s'agirait pas que je perde ma classification en Zone urbaine sensible. Ce serait comme perdre une étoile.

— Je ne sais pas lequel de nous deux est le plus dangereux, madame.

— Vous tuez des gens. Ça répond à votre question ?

21 heures, barricade 16, Compagnie CRS.62, section Charlie.

Pour plus de simplicité, les barricades érigées dans la ville avaient été numérotées de une à vingt-trois. Même si, pendant la journée, le personnel de la voirie de la municipalité tentait d'en démolir le plus possible, elles refleurissaient à la nuit tombée, plus hautes et plus solides.

Face à ses troupes, le commandant Charles Barion, torse bombé et bras croisés dans le dos, en était au discours de galvanisation.

— Bien, mes petites ballerines, comme vous avez pu le constater, on n'est plus à la « Manif' pour tous » des beaux quartiers de Paris. Ce soir au menu, ce sera autre chose que du catho versaillais. C'est pas des bébés et des poussettes qu'on va nous jeter à la gueule mais des parpaings et du mortier. Ça n'a pas le même goût. Alors on reste sur ses gardes et on fait attention à ses petits collègues.

Il prit ensuite une intonation de chauffeur de salle :

— Qui c'est qui protège les CRS ?

Et d'une seule voix la réponse de cinquante hommes tonna :

— Les CRS !

— C'est beau ! apprécia le commandant en prolongeant la dernière voyelle.

Puis il se tourna vers deux policiers, une femme et un homme un peu à l'écart des autres, deux malinois assis à leurs pieds.

— Ce soir, exceptionnellement, on a le soutien de la Canine. Faites gaffe à vos doigts, je vous signale qu'au bout de la laisse, c'est pas des gentils chiens à caresser. Il faut les considérer comme des collègues à part entière. Y en a même certains d'entre eux qui sentent meilleurs que vous et qui savent mieux lire.

Au troisième rang, planqué en plein milieu de la section, un des CRS fit part de ses doutes.

— Des chiens ? Sérieux ? Et pourquoi pas des chats tant qu'on y est ?

Quelques rires moqueurs s'élevèrent et l'attention se reporta sur le commandant Barion.

— Pas d'initiatives. Je décide des interventions et des armes à utiliser. C'est pas parce que vous entendez des tirs que c'est obligatoirement une arme à feu, on reste calme sur le pétard. Petit rappel : pour que la légitime défense soit constituée, il faut que l'attaque soit actuelle, injustifiée et réelle et que notre réponse soit nécessaire, simultanée et proportionnée. Pour la faire courte, attendez de vous prendre une balle dans le cul pour être sûrs de pouvoir riposter.

Le comique de milieu de section n'avait plus trop envie de rire et interrogea son voisin, aussi peu expérimenté que lui.

— Tu crois qu'ils vont se servir de vraies armes à feu ?

— Ils sont pas complètement cons. Ils savent que s'ils nous attaquent à la pierre ou au feu d'artifice, on ne peut répondre que par la matraque, le lanceur de 40[1] et la lacrymo. S'ils passent aux flingues, alors nous aussi, et là, c'est ball-trap.

Devant eux un major de police, qui jusque-là écoutait religieusement les instructions de son commandant, pivota vers les deux jeunes recrues. Son cou de taureau et sa carrure de pilier de rugby donnaient envie d'être attentif à ce qu'il avait à dire.

— Petit un, fermez vos gueules. Petit deux, à Villiers-le-Bel on s'est fait tirer dessus quatre-vingt-une fois à l'arme à feu sans jamais avoir l'autorisation de riposter. Et petit trois, fermez vos gueules.

*
* *

23 h 30, barricade 16, Compagnie CRS.62, section Charlie.

Face au calme des forces de l'ordre, les émeutiers, visages dissimulés, avaient pris de l'assurance et se trouvaient maintenant devant leur propre barricade, à quelques mètres des policiers en armure. De grands gestes de provocation, de petites avancées au plus proche des boucliers et le flot d'insultes habituel. Entre

1. Type de Flash-Ball à visée laser. Lanceur de projectile en plastique.

flammes et fumées, tension et violence latente, le moindre dérapage mènerait à l'escalade immédiate.

Tenus solidement en laisse, les chiens de défense, en osmose avec leurs conducteurs[1], se laissaient eux aussi gagner par l'excitation de l'adrénaline. Un peu plus au fond, derrière l'amas de Caddies, de palettes et de carcasses de voitures, une vive lumière éclaira tout un côté de la rue d'un rouge incandescent : deux fusées de détresse venaient d'être allumées. Les deux gamins sous capuche qui les tenaient s'agenouillèrent face à trois tubes de cinquante centimètres de haut en plastique épais. Ils utilisèrent la flamme d'une de leur fusée pour allumer la mèche de trois boules de poudre de six centimètres de diamètre qu'ils lâchèrent au fond des tubes de lancement. La main entourée d'un tee-shirt, ils se saisirent de leur mortier improvisé et, le bras tendu, visèrent les lignes de CRS. Deux sphères de feu filèrent dans le ciel et atterrirent à trois mètres derrière l'escouade de policiers, explosant dans leur dos et dégageant une chaleur de plus de deux mille degrés dans une déflagration assourdissante. Le troisième projectile rata sa cible, monta trop haut et finit sa course sur le balcon d'un appartement au sixième étage. Une seconde plus tard il éclata, brisant les vitres, enflammant d'abord les rideaux puis tout le salon.

Le commandant Barion appela immédiatement les pompiers. L'attaque avait manqué sa section de peu et les artificiers allaient ajuster leur tir. Il n'était plus possible de demeurer statique. Il fallait absolument disperser la vingtaine d'émeutiers qui, armés de battes

1. Dans le vocabulaire de la Canine, le conducteur est le maître du chien.

de base-ball, de barres de fer ou de clubs de golf, les empêchaient de voir, derrière les barricades, le reste des forces ennemies s'organiser. Alors qu'il s'apprêtait à donner l'ordre de charger, un des maîtres-chiens s'approcha de lui.

— Si vous nous laissez faire, en quelques frappes muselées on vous dégage la vue.

Le commandant de compagnie l'observa, franchement sceptique.

— Vous êtes deux. Ils sont vingt.

La femme conductrice s'approcha à son tour, son malinois à tache blanche sur le torse collé à sa cuisse.

— Ce sera juste assez pour Djinko.

— Montrez-nous ça, alors.

Les laisses furent décrochées. Pour les chiens, les cibles étaient identifiées depuis longtemps mais, bien que libérés, ils n'avancèrent pas d'un centimètre.

— Djinko ! attaque !

— Baïka ! attaque !

Les muscles des pattes arrière tressaillirent et les deux malinois se lancèrent à soixante-dix kilomètres-heure. Le premier émeutier à croiser le trajet de Baïka reçut sa gueule muselée de cuir en plein torse et décolla à plus de trois mètres avant de s'écraser au sol. Son voisin n'eut même pas le temps de le voir disparaître qu'il sentit les trente kilos de Djinko percuter son menton à pleine vitesse. K.-O. canin.

— Djinko ! Baïka ! Au pied !

Les deux chiens policiers firent demi-tour. En moins de trente secondes, ils furent lâchés deux fois encore, pour le même résultat. À chaque nouvelle attaque, ceux qui en étaient les victimes se retrouvèrent littéralement éjectés ou assommés. Pourtant, quelques courageux s'obstinaient, inconscients ou juste survoltés par la situation et parmi eux, beaucoup trop proche, un artificier. Tube de lancement à la main, il s'était frayé un chemin et s'apprêtait à utiliser son mortier sur les premières lignes de policiers. Les deux conducteurs, d'un regard, se mirent d'accord pour enlever une des muselières. Celle de Djinko. Malheureusement, dans la confusion ambiante, le chien avait accroché une autre cible, facilement identifiable avec son écharpe rouge devant la bouche. En une seconde, l'animal se précipita sur lui, bondit, et le déséquilibra. Face à l'attaque qui l'avait manqué, l'artificier détala sans chercher à secourir son complice. Avant qu'écharpe rouge ne se remette debout, Djinko eut le temps d'atterrir, de faire demi-tour et déjà, sa gueule grande ouverte se trouva au-dessus du visage, ses crocs touchant presque la peau. Le chien, mâchoires prêtes à se refermer, plongea son regard dans celui du jeune homme qui faillit se pisser dessus.

— Djinko ! Halte au pied !

Il disparut, épargnant sa proie encore terrorisée et tremblante. Pourtant l'animal, seule arme de police à avoir sa propre volonté, restait sur sa faim. Alors que sa conductrice tentait de lui raccrocher sa laisse, écharpe rouge se releva. Djinko échappa à son maître, bondit et fonça droit vers lui. Au même moment, l'artificier, de nouveau protégé par la barricade, fit un tir tendu, droit sur les CRS. La boule de feu traversa le champ de bataille et vint s'écraser à un mètre du chien avant d'exploser et d'enflammer une partie de son train arrière. Djinko s'effondra, son pelage en feu. Il hurla à la mort et son cri de douleur immobilisa tout le monde. Il essaya de se redresser, rechuta, se mit à tourner sur lui-même en ne se servant que de ses pattes avant. Une odeur de poils et de chairs brûlés accompagna sa plainte. Contre toute attente, le jeune homme à l'écharpe rouge enleva son manteau et le jeta sur le chien en frappant les flammes pour les éteindre. À quelques mètres de là, la conductrice sortit des rangs et avança vers les émeutiers, sans se soucier de sa propre sécurité. Son collègue hurla :

— Putain, Laure ! Tu fais quoi ?

Elle ne se retourna même pas.

— Je vais chercher mon chien.

Elle pénétra le groupe adverse sans qu'aucun des émeutiers ne bouge. Quand elle arriva au niveau de celui à l'écharpe rouge, les deux ennemis se toisèrent une seconde comme pour vérifier que ni l'un ni l'autre ne ferait de bêtises, puis elle attrapa son chien par le dessous. L'animal se laissa faire sans jamais la quitter des yeux, conscient qu'elle le sauvait.

Les CRS la regardèrent réintégrer les rangs, stupéfaits, Djinko dans ses bras.

1 heure du matin. Barricade 16. Les affrontements en restèrent là pour cette nuit.

56

Au matin, Ronan mit quelques minutes à retrouver toutes ses affaires. Son caleçon dans les replis des draps. Son pantalon en boule au pied du lit. Son flingue sur la table de nuit. Torse nu, arme à la ceinture, il traversa le couloir en parquet qui menait au salon, puis à la cuisine. Il y trouva Fleur, vêtue du tee-shirt qu'il cherchait, assise devant un café.

— Tu n'aurais pas vu mon tee-shirt ? lui sourit-il.

Elle le détailla un instant.

— Je te préfère comme ça.

Elle se leva pour lui servir un café et, en déposant la tasse fumante, elle l'embrassa sur la nuque.

— Je croyais que la première nuit était une exception, mais en fait t'es vraiment doué. Du sucre ?

— Merci, oui. On n'a pas vraiment eu l'occasion de parler hier soir. Enfin, tu ne m'en as pas laissé le temps.

Fleur s'assit en face de lui et lui adressa un sourire qui l'invitait à poursuivre.

— Tu vas me prendre pour un salaud, mais je te jure que je ne suis pas venu que pour ça.

— T'es trop mignon. Si tu crois que je n'ai pas compris… J'étais la première à vouloir vous donner vingt-quatre heures de garde à vue en plus pour votre enquête. Mais moi aussi je reçois des instructions. Que Habibou Doucouré passe de victime à petit diable, ça arrange tout le monde. Et pour la suite, la commission rogatoire sera probablement attribuée au chef de votre second Groupe crime, Lara Jevric. L'histoire est sensible et le parquet la considère plus docile, alors que ton Coste est tout simplement incontrôlable. Suffisait de demander.

Mal à l'aise, Ronan ne leva pas le nez de son café qu'il touillait machinalement.

— Arrête d'agiter ta cuillère, s'amusa-t-elle, je ne t'ai pas encore passé le sucre. Tu ne me fais pas la gueule, j'espère ? C'est quand même toi qui es venu sauter la petite magistrate pour être sûr de conserver ton enquête. C'est beau ce don de soi, mais maintenant tu sauras que ça ne sert à rien, sinon à se faire plaisir. Très plaisir, non ?

Elle se leva, ôta sous le nez de Ronan le tee-shirt qu'elle portait, quitta la cuisine et s'engagea dans le couloir.

— Je vais prendre une douche. Tu mettras ta tasse dans l'évier avant de partir…

*
* *

Parfois, Johanna se disait qu'elle laissait deux enfants à la maison pour en retrouver deux autres au bureau. Amusée, elle regardait donc Sam et Ronan s'écharper gentiment. Lorsque Coste arriva au bureau, Ronan devança la question de son chef.

— Désolé. Fleur… enfin Saint-Croix a reçu les mêmes pressions que nous. La commission rogatoire ira très certainement au groupe de Jevric. Paraît qu'elle est plus docile et que toi, tu serais… moins flexible.

— Je m'y attendais un peu.

— Surprise ! ironisa Sam. La queue de Ronan n'ouvre pas toutes les serrures.

Johanna, navrée, les mit tous dans le même sac.

— Vous me faites marrer, les mecs, à croire que vous avez une baguette magique entre les jambes.

— Fais-moi penser à mettre cette phrase sur un tee-shirt, conclut Coste. En tout cas, vu le sourire sur ton visage, Ronan, je n'ai pas l'impression que ça te chagrine énormément.

— Parce que je fais la différence entre le boulot et le reste. Je t'apprendrai si tu veux.

Vu la conversation qu'il avait eu la veille avec Léa, la remarque ne pouvait pas être plus juste. Et comme ils avaient fait le tour des aptitudes sportives de leur collègue, Victor changea de sujet.

— Des nouvelles de Jacques ? Son portable, ça donne quoi ?

— Invisible, répondit Sam. Il a dû enlever la puce.

— Au taquet sur les nouvelles technologies, l'octogénaire.

— Ses employeurs lui ont peut-être fait un cours accéléré sur la téléphonie ?

Coste ne sembla pas convaincu, mais on pouvait le comprendre, ce matin, toute motivation l'avait abandonné.

— Bon, si je ne me trompe pas, on n'a plus aucune affaire, c'est ça ?

— Tableau blanc, confirma Sam en tirant le clavier de son ordinateur vers lui. Je te réserve un billet pour la Provence ?

— Ça risque d'être plus compliqué que ça. Léa est au courant de la vraie activité de notre « témoin ». Ça ne s'est pas très bien passé...

Personne n'osa blaguer et Coste s'assit derrière son bureau sur lequel une pile de documents le dissimulait presque totalement.

— C'est quoi toute cette paperasse ?

— Ce que tu m'as demandé hier. La transmission des copies de chacune des procédures diligentées à l'encontre de Habibou Doucouré au commissariat de Malceny. Vu que ça ne nous sert plus à rien, on aura assez de papier brouillon jusqu'à la fin de l'année.

— Non, fais-les déposer chez la magistrate, que ça serve au moins à nos successeurs.

57

Le journal du jour à la main, Maud Jeansac sortit de l'hôtel de ville, traversa la rue et entra dans le café-brasserie Le Malpoli où au deuxième étage Vesperini avait sa table privée. La salle n'était pas ouverte avant midi et elle pouvait en disposer comme elle l'entendait. Maud salua le gérant, grimpa l'escalier et, dans une certaine pénombre, trouva la Reine face à un thé, le visage grave. Elle déposa la une sous les yeux de la maire.

— Vous étiez au courant de cette fuite ?

La Reine déplia le journal et lut le titre principal : « Cinq millions partent en fumée – Ce que les émeutes de Malceny coûteront à la France ». Elle parcourut l'article silencieusement et au fil des lignes, imperceptiblement, ses sourcils se froncèrent de plus en plus. Maud, impatiente et excitée, ne la laissa pas terminer.

— Pour être honnête avec vous, je ne parviens pas à savoir d'où ça vient – opposition ou majorité – et si c'est bon ou pas pour notre image. D'un côté, l'État montre qu'il s'implique, mais de l'autre, vu que nous sommes de la même couleur que la majorité, nous allons passer pour des chouchous, des privilégiés. Il y a de nombreuses villes de France qui auraient besoin d'un coup de pouce similaire alors qu'en quatre jours nous voilà devenus multimillionnaires. La municipalité va être regardée à la loupe. On a vraiment intérêt à faire attention à la manière de se servir de cette manne.

Vesperini leva les yeux du journal.

— Et quoi ? Vous pensiez que j'allais me faire construire une piscine ?

— Pardonnez-moi, absolument pas. Je fais toute confiance à Delsart.

— Prenez contact avec le chef de cab' du ministère délégué à la Ville, et si par malheur tout ça vient d'eux, dites-leur qu'ils ne nous rendent pas service.

Lorsque Maud eut quitté le café, Vesperini écarta le journal au bord de la table. Furieuse, elle le récupéra, le froissa en boule et le jeta au sol.

*
* *

De retour de son rendez-vous matinal à la banque, Sébastien Delsart entra comme à son habitude, sans frapper, un attaché-case en métal noir dans chacune des mains. Il les déposa sur le premier fauteuil en face du bureau de Vesperini et s'installa dans le second.

— Salut Andrea.

— Je suis toujours surprise de voir le peu de place que prend autant d'argent, s'étonna la Reine.

— Normalement, on ne commence les distributions généreuses que deux mois avant les élections. J'ai l'impression que le Père Noël a de l'avance.

— Et normalement, c'est Azzedine Salah qui aurait dû mettre la fausse barbe et le bonnet rouge. Je ne pensais pas qu'il me manquerait autant.

329

Puis elle se tourna vers les deux valises.

— Il y a tout ?

— Je ne comprends toujours pas pourquoi tu m'as fait diviser les sommes en deux parties, mais oui. Une valise à deux cent mille et une autre à cent cinquante. Tu es vraiment sûre de vouloir faire ça toute seule ?

— Pourquoi ? Tu veux aller négocier la paix à ma place ?

Delsart éclata de rire.

— T'es sérieuse ? Moi ? Dans les cités ? J'aurais l'espérance de vie d'un bébé sur une autoroute. Mais d'après moi, tu ne feras pas mieux.

Malgré leur relation, Vesperini n'avait évidemment pas mis son trésorier dans l'absolue confidence et gardait, sur ses projets, une partie d'ombre.

— Rassure-toi, j'ai un nouveau relais entre nos deux territoires.

— Ton boxeur ?

— Il fera parfaitement l'affaire, mentit-elle.

Elle le congédia, puis s'alluma une cigarette. D'ici quelques heures, minutes peut-être, elle allait enfin rencontrer celui qu'elle n'arrivait toujours pas à qualifier. Maître chanteur ou collaborateur ? Assassin ou soutien électoral ? Elle tira encore deux longues bouffées puis suivit le plan établi.

Une fois installée entre ses deux valises à l'arrière de sa berline, elle se saisit de son portable sans oser composer le numéro qu'elle connaissait pourtant par cœur.

*
* *

Sam avait reçu l'ordre de transmettre les procédures du commissariat de Malceny concernant le jeune Habibou Doucouré au secrétariat du parquet, à l'attention de Fleur Saint-Croix. Mais pour avoir enquêté dessus et s'être fait voler l'affaire, sa curiosité le poussa à feuilleter la première de la pile. Vol avec violences en janvier de cette année. Une mention inhabituelle sur le dernier procès-verbal de cette procédure attira son attention et, pour vérifier, il commença la lecture des suivantes. Usage de produits stupéfiants, en février. Outrage à agent de la force publique, un mois plus tard. Le petit avait le rythme. À chaque fin de procédure, la même particularité. D'un coup de souris, Sam réveilla son ordinateur.

Un bureau plus loin, Ronan avait squatté la place de Johanna et faisait face à Coste. Il allongea ses jambes sur la table et chercha de quoi tuer le temps. Le journal du jour ferait parfaitement l'affaire. Il le déplia face à lui et tourna les pages jusqu'à celles des sports. Johanna, à moitié allongée sur le canapé, avait bien pensé à incendier Ronan et ses chaussures sales posées sur son bureau, mais une certaine léthargie semblait avoir atteint tout le monde. Même Coste. Le regard de Victor passa de l'un à l'autre de ses collègues puis tomba sur les lettres en gras du titre de la une : « Cinq millions partent en fumée ».

Quelque chose chatouilla son cerveau.

D'abord presque rien. Puis une franche démangeaison.

Il se leva d'un bond et se pencha au-dessus de la table pour arracher le journal des mains de Ronan dont celui-ci garda un morceau déchiré entre les doigts.

— Oh ! T'es le chef ! Suffit de le demander.

Il lut le sous-titre, puis les quelques lignes suivantes avant de prendre un feutre et de se poster devant le tableau blanc.

— On peut savoir ce qui t'arrive ? demanda Johanna en se redressant. T'as trouvé quoi ?

Coste lui tendit le journal sans la regarder.

— Ce que je cherche depuis des jours. Le mobile.

Puis il fit un geste de la main pour obtenir le silence, comme si ce qui venait de lui traverser la tête pouvait s'envoler au moindre bruit.

— Chut ! Surtout, chut. Laissez-moi juste une petite minute de concentration.

Il posa la pointe de son feutre au centre de la surface blanche, puis écrivit en lettres majuscules : MALCENY.

Sam entra en trombe dans le bureau. Il s'attendait à trouver le reste de l'équipe en train de somnoler, victime de l'ennui ou de la chaleur, et fut légèrement surpris de les voir tous debout. Coste devant un tableau surchargé d'annotations, de flèches et de points d'interrogation encerclant le mot « Malceny ». Ronan et Johanna, presque inquiets, juste derrière lui. Ronan l'avertit.

— Il est en pleine création. On attend que ça passe.

Sam agita la vingtaine de feuilles qu'il tenait fièrement à la main.

— Vous pouvez attendre longtemps, mais il vous manquera toujours un petit truc.

Coste se retourna vers lui.

— C'est exactement ça ! J'ai juste besoin d'un petit truc. D'une toute petite flèche pour relier le début et la fin.

— Alors jette un œil, fanfaronna Sam.

Ronan s'approcha, curieux et souriant :

— Je ne sais pas pourquoi je suis tout excité alors que je ne comprends rien, mais je sens que ça va être bon.

D'un revers de main, Sam dégagea toutes les revues et feuilles volantes du bureau de Johanna. Il y étala huit procès-verbaux de fin de garde à vue.

— OK, écoutez. J'ai consulté les dernières procédures contre Habibou Doucouré. On est d'accord, c'est un mineur, et à la fin de sa mesure de garde à vue, qui est censé venir le récupérer ?

— Un majeur, membre de sa famille civilement responsable, répondit scolairement Coste.

— Exact. Pourtant, c'est toujours la même personne qui vient le chercher et il ne s'appelle pas Doucouré mais Novak. Tony Novak. J'ai fait des recherches sur ce type, vous allez tomber sur le cul. Devinez ce qu'il fait dans la vie ?

*
* *

La berline de Vesperini était à l'arrêt, moteur tournant sous les fenêtres de l'hôtel de ville. La maire jeta à nouveau un œil à ses deux attachés-cases, respira profondément puis trouva le courage de composer le numéro du Boss. À son oreille, la première sonnerie retentit. Puis une mélodie envahit l'habitacle du véhicule. Elle ne comprit pas tout de suite ce qui était en train de se passer. La seconde sonnerie d'attente dans son portable fut accompagnée d'une seconde mélodie dans l'habitacle. Un frisson parcourut ses épaules. Son

chauffeur sortit son téléphone de sa poche et coupa
l'appel.

— Nous allons rouler un peu, si vous n'y voyez
pas d'inconvénient.

Dans le rétroviseur, leurs regards se croisèrent. Il
passa la première et démarra.

*
* *

Au bureau du Groupe crime 1, l'annonce avait fait
l'effet d'une bombe.

— Putain de bordel ! C'est le chauffeur de Vesperini ? s'écria Coste.

— C'est pour ça qu'ils le laissaient s'occuper du
petit. Comme le gamin est en garde à vue au moins
une fois par mois et qu'aucun membre de sa famille
ne voulait s'en charger, ça arrangeait bien les flics des
mineurs. Chauffeur du maire, ça rassure. Le magistrat
a donné son accord la première fois et depuis c'est
devenu une habitude. Et entre nous, pas folle la Vesperini, Tony Novak est un chauffeur.

— Ouais, on avait compris, se vexa Johanna.

— Mais non, pas simple chauffeur. Chauffeur comme
on l'entend au grand banditisme. C'est celui qui pilote
les bagnoles pendant les braquages. Il ne s'est fait serrer
qu'une fois et encore, parce qu'il a été balancé. Six ans
de prison pour un casse de banque sur le 93. Il connaît
le département comme sa poche. J'ai eu les collègues de
la Répression du banditisme, le type est une légende. Il
pourrait nous semer en tricycle s'il le voulait.

— Il est au centre de tout, réalisa Coste. Et depuis
le début. Il ne faisait pas que protéger Habibou

Doucouré, il le commandait. C'est lui, le nouveau caïd que cherchent les Stups.

*
* *

En silence, la berline roulait dans Malceny sans destination précise. Vesperini avait toujours apprécié la conduite de son chauffeur. Sans à-coup, fluide, presque sensuelle. L'homme était si discret qu'elle avait, depuis des années, oublié sa présence. Elle tenta de se souvenir de toutes les conversations privées qu'elle avait pu tenir dans ce qu'elle croyait être un de ses écrins les plus intimes. Delsart, Cardel, Salah, Jeansac. Tant d'indiscrétions, de plans, de stratégies et de secrets dont il avait été le témoin... Il l'espionnait depuis toujours. Cheveux noirs plaqués en arrière, visage taillé à la serpe. Elle le détailla dans le rétroviseur, peut-être pour la première fois avec autant d'attention. Mais elle manqua de discrétion.

— Je suis persuadé que vous êtes incapable de vous souvenir de mon nom ou de mon prénom, grinça le chauffeur.

— Antoine... ? essaya Vesperini.

— Presque. Tony. Tony Novak. J'ai été engagé par Salah à ma sortie de prison pour... mes qualités de conduite, dirons-nous.

La Reine s'efforça de recouvrer son calme.

— S'il avait connu votre sens de la gratitude, il aurait certainement fait un autre choix.

— Je vois que vous ne vous laissez pas déstabiliser très longtemps. Maintenant que les présentations ont été faites, je pense que vous avez quelque chose pour

335

moi. J'ai besoin de relancer le commerce dans les cités avant que les communes voisines ne prennent les territoires.

Elle attrapa les mallettes l'une après l'autre et les déposa sur le siège avant passager.

— Et vous me forcez à y participer.

Tony regarda dans le rétroviseur et elle put le voir sourire.

— Vous êtes amusante avec vos sursauts d'indignation. Cela doit vous rassurer de vous croire différente de moi. Alors que c'est vous qui m'avez créé. Moi et ce parfait écosystème duquel personne ne peut s'échapper.

— Écosystème. Vous avez appris ce mot à la bibliothèque de la prison ?

— Non. En prison, j'ai découvert comment faire un couteau en papier et comment vérifier qu'il n'y avait pas de verre pilé dans ma bouffe. Le reste, je l'ai appris à la fac. D'ailleurs, écosystème ne convient pas tout à fait. Cercle vicieux serait plus approprié.

— Allez-y, racontez-moi votre histoire, soupira Vesperini, prisonnière dans sa berline.

— Vous ne savez pas comment gérer ces milliers de gamins sans diplômes ni emplois, mais moi je m'en occupe. Je leur donne un travail et ils font vivre leurs familles. Résultat, le trafic tempère vos quartiers défavorisés et hypocritement, vous nous avez laissés faire, comme si vous ne connaissiez pas les raisons de ce calme. Mieux que ça, vous nous utilisez. Vous nous payez pour garantir votre sécurité pendant vos campagnes, vous nous payez pour vous récupérer des votes et des procurations. Vous vous servez de nous pour asseoir votre pouvoir et, pour être sûre de notre loyauté, parfois, vous engagez certains d'entre nous dans votre propre équipe. Vous collaborez avec le mal qui ronge votre ville pour en garder le contrôle. Vous êtes même prête à la mettre à feu et à sang. Le serpent se mord la queue. Cercle vicieux, donc.

Vesperini s'était calée dans le fauteuil comme si elle essayait de prendre le plus de distance possible avec cet homme dont elle dépendait désormais.

— Il semble qu'il y ait toujours de bonnes raisons pour faire les mauvais choix, finit-elle par concéder. Mais maintenant, une relative accalmie nous serait favorable.

— C'est évident. Je ne risque pas de vendre grand-chose dans les rues si les clients ont peur de s'y rendre. Et vous devez prouver que vous tenez fermement votre ville si vous ne voulez pas voir débarquer l'armée. Notre intérêt est identique. Je réunis mes hommes ce soir pour un appel au calme, mais mes ordres ne seront exécutés que s'ils sont accompagnés d'une certaine motivation. Il faut qu'ils sachent que j'ai l'argent.

— Vous avez tout ce qu'il vous faut dans une des mallettes.

— Dans cette situation, ce serait une grossière erreur de payer un service avant d'en avoir les résultats. D'abord ils propagent la bonne parole, ensuite je les récompense. Je ne prendrai que la mallette dont j'ai besoin. Le reste, je souhaite que vous le gardiez pour moi.

— Vous me faites tant confiance ?

— Je ne fais même pas confiance à ma petite sœur. Par contre, je sais que cet argent sera plus à l'abri dans votre villa que dans ma cité.

Novak se tourna d'un quart tout en gardant son attention sur la route. Il tendit un journal à sa passagère.

— Un peu de lecture, le temps que je vous ramène à vos bureaux ?

Le titre mentionnait les cinq millions que toucherait Malceny et s'affichait sur toute la largeur de la première page.

— À ce sujet, il faudra que nous discutions de la redistribution de l'argent que nous avons gagné ensemble. Je compte me revoir à la hausse. Et je veux aussi le poste d'Azzedine Salah.

*
* *

Après avoir déposé Vesperini à l'hôtel de ville, Novak se rendit à quelques kilomètres de là, aux limites de la ville. L'adresse à laquelle il se rendait ne se transmettait que par bouche à oreille. Sans qu'aucun panneau ne l'y invite, il quitta la route et emprunta un chemin de terre accidenté, entouré d'arbres. Au bout de la voie, il slaloma entre un amoncellement de carcasses de voitures rouillées et de piles de pneus jusqu'à une guérite de tôle et de bois. L'endroit ressemblait à une casse auto ou à un supermarché de la pièce d'occasion, pour autant que l'on ne soit pas regardant sur la provenance. À l'approche de la berline noire rutilante, un homme trapu et sale, chiffon sur l'épaule, mains noires de cambouis, s'approcha de Tony et lui ouvrit même la porte.

— Salut. Tu viens voir le bébé ?

Les deux hommes se dirigèrent à l'arrière de la guérite où, sous une bâche grise, patientait une voiture

338

qui avait fait l'objet de toutes les attentions de l'artiste garagiste. La toile la recouvrant fût ôtée d'un geste large. Une fois son capot ouvert, les yeux des deux hommes brillèrent comme ceux des pirates en face d'un trésor.

— Citroën C5 moteur V6. Elle a l'air sage comme ça, mais je t'assure que j'en ai fait une vilaine fille. Elle est allégée, j'ai amélioré l'admission de l'air, modifié l'échappement et j'ai suralimenté le moteur. On peut pas la booster davantage, sinon elle explose au démarrage. C'est plus une bagnole, c'est un avion. Mais c'était pas gratuit.

— Rien n'est jamais gratuit, crois-moi.

Novak attrapa la mallette et la tendit au garagiste :

— Mets ça dans le coffre de l'avion.

— C'est pour cet après-midi ?

— Oui. Je reviendrai la garer ici dans la nuit quand tout sera fini. Tu vas devoir rester là à m'attendre. Ça ne te pose pas de problème ?

— Non Tony, bien sûr que non. Tu sais que je suis à ton service.

58

Coste poussa la porte du Malpoli et sans faire attention au personnel qui, une heure à l'avance, préparait le coup de feu de midi, monta au second étage. Il traversa la salle, s'approcha d'une table, tira une chaise et s'assit face à Vesperini.

— Qui m'a trahie ? demanda-t-elle.

— Maud Jeansac. Pas mal votre QG. Mais ne lui en voulez pas, j'ai dû la menacer de mon arme, exagéra Victor.

— Vos yeux bleus et un joli sourire auraient suffi.

Coste regarda sur la table la pile de journaux, l'agenda ouvert et le verre à moitié rempli d'un liquide ambré.

— Ce n'est pas un peu tôt ?

— Ma ville est le théâtre d'une guérilla urbaine, vous devriez plutôt être surpris de ne pas me voir complètement ivre. Que puis-je faire pour vous ?

Coste fouilla dans la poche intérieure de sa veste et en sortit un téléphone mobile qu'il posa sur la table.

— C'est le portable de Gonthier, votre chef de la police municipale.

Elle accusa le coup et poursuivit le plus innocemment possible :

— Il ne devrait pas être dans ses effets personnels, à l'intention de sa famille ?

— Si, mais heureusement, je l'ai volé à temps. Les derniers messages sont très intéressants. Surtout celui envoyé juste avant son suicide. Je vous le lis ?

Les épaules d'Andrea s'affaissèrent. Elle glissa une boucle de cheveux derrière son oreille.

— Non merci. Je le connais par cœur.

Puis elle récita :

— « Pour le gamin, je compte m'excuser en personne. Je vous laisse supporter votre culpabilité. Moi, je n'y arrive pas. » Il m'a accompagnée pendant mes dernières insomnies. Et alors ?

— Ce texto prouve au moins que c'est vous qui avez commandé le contrôle de niqab à vos effectifs.

— Oui, et c'est absolument légal.

— C'est justement pour cela que je me suis demandé pourquoi vous l'aviez nié à notre dernière rencontre.

— Parce qu'un enfant est mort et que, outre la peine que je peux avoir, c'est une publicité dont je n'ai pas besoin.

Coste la gratifia d'une moue dubitative.

— À moins que cette émeute ne soit exactement ce que vous avez toujours souhaité ?

— Ça n'a aucun sens. Où voulez-vous en venir ?

— Aux cinq millions, asséna-t-il.

— C'est ridicule. Je n'ai jamais cherché à m'enrichir personnellement. Tout ce que je fais, c'est pour Malceny.

— Ou pour Tony Novak.

Vesperini réfréna un léger étourdissement, attrapa son verre et en vida la moitié d'un trait. Elle respira une fois pour se recentrer.

— Vous voulez être un amour, capitaine ?

— Ce que vous voudrez, accepta-t-il.

— Dites ce que vous avez à dire et ne perdons pas de temps.

Coste s'installa plus confortablement, prit à son tour le verre et en but une gorgée.

— Soit. Un adjoint ancien dealer, un chauffeur ancien braqueur et une émeute jackpot qui vous assure un pactole historique. Le tout sur fond de multiples homicides et vous, toujours au centre.

— Je m'entoure mal, je vous l'accorde, mais pour les meurtres... À part si l'incompétence est un crime, je ne vois rien qui puisse me mener en prison.

— C'est justement là, la magie de la politique. Même avec toutes les preuves nécessaires contre un chef d'État, un ministre ou un député on est incapable d'en incarcérer un seul, alors qu'une simple rumeur peut ruiner une carrière. Vous êtes dans toutes les pages et sur toutes les ondes. Ce genre d'insinuations ferait le bonheur de bien des journaux.

Vesperini l'observa, intriguée.

— Je ne vous comprends pas, Coste. Vous voulez me détruire ?

— À risquer la vie de centaines de flics tous les soirs, vous le mériteriez, mais j'ai besoin de vous. Je sais que Novak est le nouveau patron des quartiers. Je me doute aussi que c'est lui qui a fait exécuter les trois caïds en place et, comme il a fait faire le boulot par d'autres, remonter jusqu'à lui sera quasiment impossible. Je sais également que depuis nos deux opérations, il n'a plus ni argent ni drogue à vendre. D'où l'idée des émeutes. Une idée trop intelligente pour qu'elle soit la sienne. Et vu le message d'adieu que vous a envoyé Gonthier, je me permets donc de vous l'attribuer. Ce que je ne m'explique pas, c'est le meurtre de votre adjoint.

Vesperini était éreintée. Démasquée, mais surtout éreintée.

— Alors c'est comme ça quand on arrive à la fin d'une enquête ? Ce petit moment où c'est vous qui avez le jeu en main. Ce doit être agréable.

Coste ne réagit pas.

— Salah a servi d'exemple. Un avertissement. Il y en a eu d'autres mais il a été le premier. J'ai été menacée, ma fille agressée. Ce Novak a juste voulu me montrer ce que je risquais si je ne collaborais pas.

— Je veux bien faire semblant de croire que, malgré tout, vous n'y trouvez pas votre compte. Mais, j'imagine qu'avec cette somme et ce que vous pouvez en faire pour votre ville, votre réélection est assurée. Vous savez, j'ai toujours classé les infractions en deux mobiles. L'argent et le sexe. Vous m'avez ouvert l'esprit. Il n'y a jamais qu'un seul mobile, celui du pouvoir.

— Et pour que vous me considériez comme une victime, que dois-je faire ?

— En premier lieu, mettre un terme à ces émeutes. Vous semblez être la seule à en être capable. Et ce que je veux de vous ensuite, c'est un coup d'avance sur Novak.

Vesperini saisit alors sans hésiter la chance inespérée qui lui était offerte.

— Juste un coup d'avance ?

59

Dans le bureau du chef des Stups, l'ambiance était électrique. Ce que proposait Coste était audacieux, voire complètement casse-gueule, et Sylvan, avant d'impliquer son équipe, voulait connaître tous les détails de l'opération.

— Donc, il a deux cent mille euros pour faire ses courses, c'est bien ça ? Et on a quelles infos sur lui ?

— Un nom, un prénom et une adresse. Tony Novak, tour Verlaine, cité des Poètes, Malceny.

— C'est trop léger, Victor. Intercepter un « *go-fast* », ça se prépare à l'avance. Les choses ont changé depuis l'école de police, tu sais. On ne connaît même pas la composition de son convoi. S'il la joue « sécurité », il y aura trois voitures. Une voiture ouvreuse, de modèle courant pour ne pas attirer l'attention et s'assurer de la tranquillité des routes, avec une avance de trente kilomètres. Une porteuse de grosse cylindrée, avec le matos dedans. Et enfin, une autre voiture puissante en suiveuse, pour vérifier qu'ils ne sont pas filochés et pour faire diversion si on tente une interpellation. Normalement, l'ouvreuse est envoyée sur place un peu avant pour contrôler la qualité de la came. Ils sont très organisés et nous on part à l'improvisation.

— Écoute Sylvan, on m'a retiré l'affaire et toi tu ne progresses sur aucun de tes homicides de caïds. Ce type est en train de nous filer entre les doigts. Nous n'avons rien d'autre pour l'accrocher. On lui a saisi sa marchandise et son argent, il ne peut plus attendre.

— Sans avoir mis sur écoute leurs téléphones ? Sans avoir balisé le moindre des véhicules ? Une opération à l'aveugle, en quelque sorte. Le coup d'adrénaline va plaire à mon équipe mais je ne te promets rien.

Une voix presque gênée s'inséra dans la conversation.

— Pour le téléphone, je peux peut-être vous aider.

Sylvan se pencha vers Coste pour ne pas être entendu.

— C'est très bizarre de la voir là, comme un vulgaire indic. On aurait pu se passer de sa présence, non ?

— Je ne lui fais pas confiance, je préfère l'avoir à côté. De toute façon, je ne lui laisse pas le choix.

— Le commissaire sait qu'elle est là ?

— Tu imagines bien que non. Il serait déjà en train de lui servir un café et ses excuses.

Sylvan se tourna alors vers Vesperini, assise dans un coin du bureau.

— Pour un « go-fast », madame, les lignes habituelles sont coupées. Ils n'utilisent que des portables vierges dont ils se débarrassent une fois le coup réussi.

— Désolée, souffla-t-elle.

— Non, justement, il peut quand même nous être très utile. Si son téléphone officiel ne bouge pas, c'est que quelque chose se trame.

Puis il s'adressa à Chloé, son bras droit :

— OK. Tu récupères le numéro de Novak auprès de madame le maire, tu lances une géolocalisation sur la ligne et tu équipes une bagnole discrète. On va prendre la température tour Verlaine, voir s'il y a une activité inhabituelle.

*
* *

Chloé enfila sa veste bleue et jaune pétard et se mit au volant de la fourgonnette de la Poste, cheval de Troie de nombre de leurs opérations. Une fois arrivée dans la cité, elle bloqua son téléphone entre le volant et sa main pour filmer son passage, longea l'immeuble Verlaine et enregistra tout ce qu'elle voyait sans s'attarder. Des voitures garées. Quelques gamins. Rien de particulier pour un œil non averti. Elle parcourut ensuite la distance de plusieurs rues avant de se garer et de prendre contact avec son groupe.

— Premier bon point, c'est très calme. Second bon point, on a une belle C5 avec une chemise blanche sur cintre accrochée derrière l'appuie-tête, et deux gamins assis sur le capot. En attente d'instructions, je me mets en « conférence 3 » sur la radio.

Sylvan raccrocha et répéta les informations auprès de Victor et de son équipe.

— La C5 doit être la voiture porteuse. C'est une des rares bagnoles à avoir une suspension automatique qui corrige l'assiette, ce qui fait que même chargée à bloc, elle ne s'affaisse pas, donc indétectable. La chemise propre c'est pour faire VRP et les deux gamins assis sur le capot nous empêchent d'aller mettre une balise dessous. D'habitude, les véhicules sont planqués dans des box ou en parking souterrain. Apparemment tu as vu juste, le type est pressé. Le problème c'est qu'on ignore la destination. Espagne, Belgique, Amsterdam ? Il va falloir prendre des risques.

— Quel genre de risques ? s'inquiéta Ronan.

— On va tenter une filoche inversée.

Sylvan tourna le bouton de sa radio et pianota sur le clavier pour se mettre en « conférence 3 ».

— Chloé pour Sylvan.

— Je t'écoute.

— Tu vas te mettre en surveillance sur Général-Dorin. Elle longe la cité des Poètes et c'est la seule rue par laquelle ils peuvent sortir.

— Mais on ne sait même pas s'ils vont vers le nord ou le sud. De toute façon, ce sera sur autoroute et je vais me faire griller avec ma fourgonnette jaune.

— Je sais. Reste sur place, je te fais relever par la familiale.

*
* *

Dix minutes plus tard, une Seat Ibiza avec un autocollant « Bébé à bord » sur la vitre arrière et un pare-soleil *Dora l'Exploratrice* se gara derrière la fourgonnette. Chloé correspondait mieux à cette voiture que son collègue patibulaire et mal rasé et ils échangèrent leurs places.

Une fois installée, elle n'attendit pas longtemps pour voir la C5 dans son rétroviseur. Elle pourrait la suivre, juste le temps de se faire une idée de sa destination. Sa radio calée entre ses cuisses, elle annonça :

— Chloé pour Sylvan. Je viens de me faire dépasser par l'objectif. J'ai cinq minutes de filature avant de me faire détroncher, j'espère que ça ira.

Au bout de quelques rues, toujours à bonne distance, la C5 sortit de la ville pour emprunter la voie d'accès vers l'autoroute.

— Chloé pour Sylvan. L'objectif prend la direction de l'A86. Ça monte vers le nord. Je la double.

Dans le bureau de Sylvan, l'équipe de Coste et Vesperini restaient silencieuses comme si elles pouvaient, par leur simple respiration, mettre en danger l'opération. Le chef des Stups leur fit un point.

— Si ton type avait voulu descendre en Espagne, il aurait dû entrer dans Paris, prendre le périph' intérieur pour rejoindre l'A10. Là il se dirige vers l'A1 pour suivre l'A2 vers la Belgique ou Amsterdam. Il n'y a pas d'autre manière et on connaît le chemin, donc Chloé va pouvoir le devancer pour s'en assurer. Le devancer plutôt que de le suivre, c'est ce qu'on appelle la filoche inversée. Pour l'instant, tout va bien.

Comme prévu, l'objectif quitta l'A86 pour l'A1 et Chloé roula encore sept kilomètres, rivée à son rétroviseur. Puis la C5 se mit à ne plus respecter le trajet.

— Chloé pour Sylvan, elle a mis son clignotant. Elle quitte l'A1 pour la nationale 2, elle me force à sortir. C'est pas la bonne route, vous êtes sûrs que c'est pour aujourd'hui, le « go-fast » ?

— Soit tu t'es fait griller, soit c'est un coup de sécurité pour vérifier qu'elle n'est pas suivie, proposa Sylvan.

La voix de Chloé se fit plus forte :

— Non, attends ! Elle prend la N104... merde, tu sais ce que ça veut dire ? Elle va rester sur les routes

348

nationales, je suis obligée de décrocher sinon je vais me faire repérer. Retour base pour moi.

Autant dire que personne dans le bureau, excepté Sylvan, n'avait compris les conséquences de ce changement d'itinéraire.

— C'est inhabituel, commenta le chef des Stups. Novak va éviter tous les péages et les grands axes en préférant les routes de campagne et les nationales. C'est plus long mais c'est beaucoup plus sûr. Je ne m'y attendais pas.

— Ce n'est plus un « *go-fast* » ? demanda Johanna.

— Non, c'est l'inverse et on en voit de plus en plus. C'est un « *go-slow* ».

— Alors c'est foutu ?

— Disons que c'est plus compliqué. On va avoir besoin d'aide.

*
* *

Sylvan avait accroché une carte routière de France sur le mur, par-dessus ses trophées de chasse et les photos souvenirs. Son bureau n'avait jamais été si rempli et il s'éclaircit la voix avant de commencer.

— OK. Il est 14 heures. L'objectif a pris la N104 et, vu sa vitesse, il devrait déjà être de retour sur la nationale 2. Estimation pour la Belgique : environ quatre heures et demie. Pour Amsterdam, il lui faudra sept heures. Partons du principe qu'il va prendre une bonne heure pour le rendez-vous, l'échange et le chargement, prévoyons qu'il reprendra la route soit à 18 h 30, soit à 21 heures. On ne peut pas se permettre une interpellation sur une nationale. Même s'il la joue

« père de famille tranquille » en respectant les limites de vitesse, il a certainement dû gonfler le moteur de sa voiture. On ne sait pas non plus s'il va faire le plein et encore moins où.

— T'es en train de nous dire qu'il est invisible sur un trajet de plusieurs centaines de kilomètres ? s'inquiéta Coste.

— Pas vraiment. On connaît au moins un endroit par lequel il est obligé de passer. Qu'il aille en Belgique ou à Amsterdam, la première ville française qu'il va rencontrer à son retour c'est Maubeuge. Je sais, ça fait rêver. Je viens d'avoir la PJ de Lille, ils sont d'accord pour nous apporter leur soutien. On leur a donné la plaque et le modèle, ils vont mettre un équipage discret à chaque entrée de la ville. Ce sera plus facile de le serrer à un feu rouge qu'à 110 sur nationale.

Son exposé fini, il se détourna de la carte routière.

— Messieurs-dames, on va la jouer en nocturne, alors vous pouvez appeler la maison, vous allez rater le début du film.

Le bureau se vida au fur et à mesure et Vesperini, nerveuse, s'adressa à Coste.

— C'est autorisé de fumer dans vos locaux ?

Il déposa un cendrier sur la table basse.

— Je vous en prie. Fumer et boire des cafés, c'est tout ce qu'on va faire jusqu'à ce soir.

*
* *

Les heures s'écoulant, la tension s'installa. Les flics savaient la gérer, mais Vesperini, vu les enjeux, un peu moins. Face à cinq gobelets vides et un cendrier débordant, elle envoya une série de SMS, la plupart à l'attention de sa fille.

À minuit pile, le téléphone de Sylvan sonna et vibra. Il reconnut l'intonation de la voix. Celle des flics à quelques secondes de l'interpellation, trop forte et passablement excitée :

— Salut le 93. Votre C5 vient d'entrer dans Maubeuge. On fait rapprocher tous les équipages et on se prépare à taper intra-muros. Je reste en com'.

Sylvan appuya sur la touche haut-parleur de son portable et le posa sur son bureau. Après un interminable moment de silence, on entendit les moteurs rugir, des crissements de pneus et des portières claquer.

À deux cent vingt-deux kilomètres de la Seine-Saint-Denis, les policiers de la PJ de Lille, lampes torches braquées et armes pointées sur le pare-brise, entouraient le véhicule C5. Devant et derrière, deux voitures de police lui interdisaient toute fuite. Le conducteur fut sorti sans ménagement, plaqué sur le capot et menotté. L'un des flics ouvrit le coffre et son visage s'éclaira. Au téléphone de Sylvan, la voix avait retrouvé un peu de son calme :

— C'est positif pour nous. Interpellation faite et coffre plein. C'est un plaisir de bosser avec vous.

Dans le bureau des Stups, tout le monde était debout, soulagé autant qu'enthousiaste. On se serrait la main, d'autres se tapaient dans le dos. L'opération, bien qu'acrobatique et mal préparée, était un succès. Coste s'approcha de Vesperini qui se retenait de participer à la liesse.

— C'est fini pour ce soir. Je vais vous faire raccompagner, madame.

— Vous avez tous été incroyables, avoua-t-elle. Et vous pensez qu'il risque quoi ?

— Seul interpellé ? Avec un coffre plein ? Entre huit et dix ans. Vu le nombre d'ennemis qu'il s'est fait pour accéder au trône, il aura autre chose à faire en prison que de penser à vous. Vous êtes tranquille.

— Et nous ?

Coste éclata de rire.

— Parce qu'il y a un nous ?

— Vous savez très bien ce que je veux dire.

— Comme l'a dit Gonthier. Je vous laisse gérer votre culpabilité. Et puis qui sait, j'aurai peut-être besoin de vous à l'avenir.

Vesperini lui offrit un sourire embarrassé.

— Vous voyez comme il est facile de mal s'entourer.

Elle lui tendit la main et Coste hésita avant de la prendre. Assez pour que le téléphone du chef des Stups les interrompe.

— 93 ? Vous êtes encore là ?

— Oui, toujours, répondit Sylvan. On s'apprête à ouvrir le champagne.

— Vous ne devriez pas. On a un petit souci. Le gars sur la photo que vous nous avez transmise, c'est pas celui dans la voiture. On n'a pas Novak. Vous entendez ? On n'a pas Novak.

La chute fut brutale pour tous.

— Par contre, on a trouvé un portable sur lui. Il a eu le temps d'envoyer un texto, sûrement préparé d'avance.

La main tendue de Vesperini revint le long de sa jambe. Une chape de plomb s'abattit sur les épaules de chacun. Ils pensaient avoir atteint le fond mais Chloé les enfonça un peu plus :

— Sylvan ! Coste ! Le téléphone que vous m'avez demandé de géolocaliser… il bouge !

— L'officiel de Novak ?

— Ouais. Désolé, je faisais plus attention.

Coste se rua sur la carte qu'affichait l'écran d'ordinateur pour y voir un point rouge mobile.

— Il n'est plus cité des Poètes. C'est quelle rue, ça ?

— Attends, j'agrandis le plan… Rue Nicolas-Lebel.

Vesperini devint blanche, des taches se mirent à danser devant ses yeux et elle manqua de s'évanouir. Johanna la rattrapa de justesse et l'aida à s'asseoir.

— Oh, madame, ça va ?

— Il va chez moi, put-elle à peine prononcer.

— Et il y a qui chez vous ?

60

Tony reçut un message d'alerte qui mit fin au sillon qu'il creusait à force de faire les cent pas dans son salon. Il le lut, jura sans retenue et décocha deux bons coups de poing dans le mur en Placoplâtre qui s'enfonça sous le choc. Les flics avaient intercepté son chauffeur.

— La putain de la putain de sa mère ! hurla-t-il.

Puis il pensa à sa situation précaire et à ses lieutenants impatients, à qui il avait promis, en moins de quarante-huit heures, argent et marchandise à vendre. Et quarante-huit heures, c'était demain matin, dans les locaux de l'association, à 9 heures précises. S'y présenter les mains dans les poches avec seulement des excuses et un nouveau délai était impensable. Voire téméraire. S'il n'avait pas les épaules pour les tenir en respect ou tout du moins les salarier, sa tête risquait de s'en décrocher. Il empocha les clefs de son appartement, descendit au parking et grimpa dans la berline officielle de Vesperini. Il lui restait cent cinquante mille euros. De quoi s'offrir un répit.

Sur le trajet, il composa le numéro de son associée.

— Et il y a qui chez vous ? répéta Johanna.

— Estelle, ma fille.

— Seule ?

— Non, elle est avec son… baby-sitter.

Coste se retourna vers Ronan.

— Gilets pare-balles pour tout le monde. On équipe deux bagnoles. Le véhicule de tête fonce à l'adresse en laissant une minute d'écart avec l'autre. Madame Vesperini, vous montez dans le second.

— Chloé ! Équipe une troisième voiture, ajouta Sylvan. Pas moyen qu'on vous laisse seuls.

Andrea, tremblante, eut du mal à se lever. Lorsque son portable se mit à sonner, elle regarda l'écran et faillit s'effondrer. Désemparée, sa voix fut à peine audible :

— C'est lui… C'est Tony Novak.

Coste le lui arracha des mains et rassembla toute sa concentration :

— Tous les mobiles en mode silence. Fermez les fenêtres, qu'on n'entende pas une sirène de police. Un flic par couloir au cas où. Décrochez les combinés de tous les postes fixes et fermez vos gueules !

La sonnerie retentit pour la seconde fois. Il se mit en face de Vesperini et la fixa.

— On respire un coup. Vous n'êtes pour rien dans ce qui s'est passé ce soir et quoi qu'il vous demande, répondez que ça peut attendre demain. Le but c'est de l'éloigner de chez vous. Essayez de paraître emmerdée pour lui, mais pas responsable. Ça va aller…

La sonnerie retentit une troisième fois et Coste lui présenta le téléphone. Le premier « allô » d'Andrea se bloqua dans sa gorge et autour d'elle, les flics firent la grimace.

— Allô, recommença-t-elle.

— C'est Tony, j'arrive chez vous, aboya-t-il sans lui laisser le moindre choix.

— À cette heure ? Impossible ! Que se passe-t-il ?

— Le chargement s'est fait intercepter. J'ai besoin de l'autre mallette.

Un détail dont Vesperini n'avait pas fait mention à Coste.

— Écoutez, ma fille dort. On ne peut pas faire ça plus tard ? Je vous la donnerai demain, lorsque vous viendrez me chercher.

Novak répondit encore plus sèchement et rac-crocha. Lorsque Vesperini réussit enfin à ôter le télé-phone de son oreille, elle semblait complètement terrassée.

— Alors ? se précipita Coste.

— On ne peut pas se voir demain, pleura-t-elle presque.

— C'est ridicule, que veut-il ?

— L'argent prévu pour calmer les émeutes. Cent cinquante mille euros.

Coste se mordit les lèvres, mais ce n'était pas le moment de lui voler dans les plumes.

— Ça aurait été plus simple de le lui passer discrè-tement demain, sur votre lieu de travail.

— Sauf qu'il en a besoin tout de suite et demain, on ne se voit pas. Demain… c'est dimanche.

Coste se frappa les tempes des deux poings.

— Putains de dimanches ! Je ne les vois jamais venir, ceux-là ! Merde ! Prévenez votre baby-sitter, qu'il ferme toutes les portes et qu'il n'ouvre à personne !

61

Markus avait pris ses aises, à moitié allongé sur le large sofa du salon de la villa de Vesperini. Estelle, ravie de cette soirée avec son baby-sitter, avait même proposé de faire des sandwiches. Pour elle, c'était presque un rendez-vous. Après le dîner, il lui avait demandé de louer, via la télévision, son film favori : *Rocky*. Elle avait passé son temps à regarder Markus, amusée de le voir éviter les coups en même temps que son idole. Alors qu'il s'apprêtait à lancer le second épisode, Estelle lui fit les yeux doux et il accepta *Love Actually*, dont elle connaissait les dialogues par cœur. Les premières minutes, il avait levé les yeux au ciel deux ou trois fois puis, contre toute attente, s'était laissé happer par cette histoire de cœurs rafistolés. À minuit dix, Estelle reçut l'ordre d'aller se coucher.

— Si ta mère te voit debout à cette heure, je vais me faire défoncer.

— Le grand costaud qui a peur de ma maman, se moqua-t-elle.

— Tout le monde a peur de ta maman.

Habituée à une certaine autorité, Estelle lui avait tenu tête sans difficulté et, à minuit vingt, elle somnolait contre l'épaule de Markus. Il baissa le volume de la télé, écouta sa respiration puis ferma les yeux à son tour.

La sonnette de la porte d'entrée les tira brusquement de leur endormissement. Estelle se frotta le visage, encore toute cotonneuse.

— C'est ma mère. Je vais ouvrir. Je dirai que tu m'as forcée à rester éveillée, lui sourit-elle.

Markus attrapa un coussin et le lui lança dessus. Elle se leva et marcha à pas fatigués. Il chercha l'heure sur son portable. Quinze minutes avaient filé. Alors qu'il tenait encore l'appareil, celui-ci se mit à vibrer et Vesperini s'afficha sur l'écran.

Markus aurait déjà dû comprendre.

Il décrocha. La voix hurla, désespérée et affolée tout en même temps :

— N'ouvrez la porte à pers…

Son téléphone lui tomba des mains quand il réalisa enfin que celle qu'il avait en ligne ne pouvait pas se trouver à l'entrée. Et pourquoi aurait-elle sonné si tard ? D'un bond il s'éjecta du sofa. S'il avait été dans son studio, il aurait atteint la porte en deux enjambées, mais cette fichue villa bourgeoise accumulait les couloirs de manière labyrinthique. Alors qu'il n'était plus qu'à quelques mètres, il reconnut la voix.

— Bonsoir. Je suis un ami de ta maman. Tu veux bien aller la chercher ?

— Elle n'est pas à la maison ce soir, répondit Estelle, tout en faisant un pas en arrière, méfiante. Vous êtes qui ?

Mais déjà, l'intrus ne l'écoutait plus. Son regard se portait plus haut, derrière elle.

Novak et Markus se faisaient face, la gamine au milieu.

— Qu'est-ce que tu fous là, boxeur ? siffla Tony, le visage menaçant.

Estelle se glissa derrière son protecteur et disparut complètement. Markus sentit le visage de la petite s'enfouir dans son dos.

— Reste calme, Tony. C'est pas du tout ce que tu crois.

Novak fit un pas en avant, claqua la porte et se mit à crier.

— Elle m'a dit qu'elle était chez elle ! C'est quoi, ces conneries ?

Le mensonge de Vesperini. La présence de Markus. L'interception de sa marchandise. Dans l'esprit de Tony, toutes ces informations se télescopèrent d'abord, puis s'emboîtèrent correctement ensuite. Il était seul. Il avait été balancé. Et les flics n'allaient pas tarder. Il fit un pas de côté pour se poster à la première fenêtre, soulever le voilage du rideau et inspecter dehors. Nuit calme, rues désertes.

Il n'était plus question des quartiers, pas plus que de son trafic. Il devait fuir, vite et loin, mais il le savait bien, une cavale sans argent se termine toujours derrière les barreaux. Et de l'argent il en avait encore. Cent cinquante mille euros se cachaient dans cette maison. Il les lui fallait. Il braqua son arme droit sur eux.

— Où est l'autre mallette ?

Markus poussa doucement sa protégée vers le couloir. Sans qu'elle ne puisse les retenir, des larmes coulèrent sur ses joues et elle le vit avancer ses mains ouvertes devant le Boss, en signe d'apaisement.

— Tony, je te jure que je sais pas de quoi tu parles.

Novak le regarda, écœuré, mais ce n'était pas le moment des longues explications. La seule présence du boxeur était un danger et il se doutait bien qu'il pouvait se faire étaler d'un seul coup de poing.

— Tu me déçois, dit-il simplement. Beaucoup.

Il leva son bras, pointa l'arme et tira sur Markus. Une gerbe de sang vint éclabousser le mur et une tache rouge se dessina à l'endroit où la balle avait pénétré. Il fixa un instant le trou sur son torse, puis le monde devint frisson et il tomba en arrière de tout son long.

— Une trahison, une balle. Fils de pute.

En zone rouge, Estelle ne fit cas ni de l'inconnu ni de son arme et se précipita sur Markus, le cœur prêt à exploser. Elle répéta sans cesse une triste mélodie de tout petits « non ». Elle toucha le visage aux yeux clos, posa sa main sur la plaie saignante, puis redressa la tête. Il y avait tant de violence dans son regard.

— Espèce de…

Novak la saisit par les cheveux et elle hurla de douleur.

— Ferme ta gueule !

Il rangea son arme, traîna l'adolescente jusqu'à l'entrée du salon et la jeta au sol. Il prit la main d'Estelle qui se perdit dans la sienne et en releva l'index. Sans hésiter, il le brisa d'un coup sec et à nouveau les cris de la jeune fille résonnèrent dans la maison.

— Écoute-moi, petite pute, t'as une minute pour me dire où est la mallette avant que je te pète un deuxième doigt.

Les pleurs d'Estelle inondaient ses mots et la douleur faisait trembler ses lèvres.

— Je sais pas… Je suis désolée, je sais pas.

— Montre-moi le bureau de ta mère. Active !

Il l'empoigna par le bras et, sur ses indications, monta l'escalier, ne laissant la gamine toucher le sol qu'un pas sur deux. D'un coup de pied, il ouvrit le bureau. Élégant mais surtout impeccable. Assez pour voir rapidement que ce qu'il cherchait ne s'y trouvait pas. Il balança Estelle dans le fauteuil de sa mère et se mit à retourner les lieux, ouvrir les tiroirs et fouiller les placards. D'un revers de main, il débarrassa tout ce qu'il y avait sur la table en faisant tomber la lampe de bureau qui projeta sa lumière en tous sens comme si, à son tour, elle était affolée. À bout et à la limite de l'hystérie, il s'adressa à la jeune fille.

— Une putain de mallette en métal noir ! Elle est là ! Elle est obligatoirement là, bordel !

Estelle ne lui répondit pas.

À la place, elle lui sourit.

Sur le mur faisant face à Tony, une ombre se dessina, démultipliée par la lumière de la lampe échouée au sol.

— Bonne chance, souffla-t-elle.

Novak se retourna, porta la main à son arme mais n'eut même pas le temps de la frôler. Markus était déjà prêt. Dents serrées et muscles tendus, il asséna le coup le plus puissant de toute sa carrière, directement sur la trachée qu'il écrasa comme un biscuit. Les cartilages se cassèrent, l'air passa en filet insuffisant et siffla dans la gorge de Tony. Il tomba sur les genoux et porta ses mains à son cou. Sur son front, les veines se mirent à gonfler. Malgré la souffrance et l'étouffement, son visage grimaça de haine, puis il s'écroula sur le ventre, un bras replié sous lui, l'autre tendu encore un instant. Un soubresaut, puis plus rien. Son corps s'affaissa.

En descendant les escaliers, Markus se força à ignorer les papillons qui dansaient devant ses yeux. Rien n'indiquait que Tony fût venu seul et il fit jurer à Estelle qu'elle ne sortirait pas du bureau de sa mère. Le sang coulait de sa blessure jusqu'à sa main gauche pour former de petites gouttes rouges au bout de ses doigts. Il passa le perron, traversa le jardin qui donnait directement sur la rue, tenant l'arme de Tony, prêt à tout. Dans un vacarme assourdissant de sirènes, il fut bientôt entouré de voitures de police, garées précipitamment en couronne tout autour de lui et projetant sur la scène la lumière bleue de leur gyrophare. Il mit un genou à terre, face à la vingtaine de flics qui le braquaient et hurlaient sans qu'il entende le moindre son. Il lâcha son arme sur la pelouse.

Pieds nus et larmes aux yeux, dans son tee-shirt maculé de sang, Estelle courut à perdre haleine et se jeta dans les bras de Markus en manquant de le déstabiliser. Puis elle se tourna vers les policiers et les désarma d'un seul regard.

— Baissez vos armes, ordonna Coste.

62

Dans le couloir des urgences de l'hôpital Jean-
Verdier, Vesperini observait sa fille avec attention.
Dans son petit tee-shirt taché de sang, anxieuse et incapable de s'asseoir plus de cinq minutes, elle faisait les
cent pas entre la salle d'attente et cette porte à hublot
qu'on leur avait interdit de franchir. Elle paraissait
même avoir oublié l'attelle qui soutenait sa main et ses
doigts.

— Chérie, assieds-toi s'il te plaît.

Estelle fit demi-tour et se porta à hauteur de sa mère.
En quelques heures, elle avait pas mal grandi. Même
sa voix avait pris de l'assurance.

— On va s'occuper de lui ?

— Bien sûr, les docteurs sont là. Il va s'en sortir.

— Et de sa famille ? Et de son club de boxe aussi ?

— Nous aurons le temps de parler de tout ça.

— Non. Dis-moi oui tout de suite et je ne te deman-
derai jamais pourquoi un type est venu nous tirer
dessus pour une histoire de mallette noire.

Andrea baissa les yeux.

— Tout ce que tu voudras. Assieds-toi s'il te plaît.

À 4 heures du matin, le chirurgien quitta la salle d'opération et les rejoignit. La balle était passée entre l'épaule et le cœur, puis sous la clavicule avant de ressortir. Des lésions tissulaires minimes. Aucun organe vital touché. L'anesthésie n'avait été que de courte durée car il n'y avait rien eu à réparer et, d'ici une heure, elles pourraient même le voir.

*
* *

Vesperini avait bataillé avec sa fille pour entrer en premier et s'entretenir avec Markus. Elle poussa la porte de la chambre et le trouva alité, l'épaule et le haut du torse couverts de bandages. Une fois assise dans le fauteuil collé au lit médicalisé, elle s'adressa à lui.

— Je vous dois beaucoup, Markus. Tellement que je ne sais même pas par où commencer.

Le jeune homme lui répondit d'une voix pâteuse.

— C'est le genre de choses qui arrivent, quand on joue sur deux tableaux.

— Je sais, c'est ma faute. J'ai cru un instant que ce Novak pourrait être mon relais entre la ville et les quartiers. Pour tout vous dire, je n'ai pas eu beaucoup le choix.

— Je parlais pour moi, madame.

Vesperini parut surprise.

— Je ne comprends pas. Vous aussi, vous travailliez pour Novak ?

— Pas vraiment. Je lui rendais des services de temps en temps, comme tout le monde. J'étais là, le soir de la mort d'Azzedine. J'ai essayé de l'empêcher mais, comme vous le dites, Tony n'a jamais vraiment laissé le choix à personne.

Pourtant, le danger dont Markus aurait dû s'inquiéter le plus était juste à son côté. Vesperini tissait déjà sa toile autour de lui.

— Malheureusement, avec Azzedine Salah, j'avais un lien, une connexion avec les cités. Une façon de les comprendre, de les approcher, de les aider. Je n'ai jamais voulu que cela. Maintenant, je n'ai plus personne. Et ma ville est toujours en état de siège.

Markus se tourna vers elle et grimaça sous la douleur.

— Cette ville, c'est la mienne. Et ces cités, je les connais. J'ai grandi là-bas. Peut-être que je peux vous aider ?

La Reine n'avait plus qu'à refermer son piège. Markus s'était promis de sortir de sa condition à la force de ses poings. Elle n'allait pas tarder à lui faire prendre un virage beaucoup moins honnête.

— Vous êtes sûr ? Vous savez, si vous vous engagez là-dedans, c'est une nouvelle vie que je vous propose. Un emploi stable, un logement HLM pour vous et votre famille. Vous connaissez la Citadelle ? Les appartements y sont magnifiques. Et bien sûr je m'arrangerai pour que vous puissiez continuer vos entraînements de boxe. D'ailleurs, j'ai toujours pensé que ce club était trop petit.

En quelques phrases, l'avenir de Markus lui semblait beaucoup plus clair. Pour lui et les siens. Naïf, il se sentit redevable.

— Vous aviez prévu quoi, pour calmer le jeu ?

— Oubliez. Je refuse de vous mêler encore à tout cela. J'ai commis des erreurs, j'ai mis en danger ma fille. Je trouverai une solution par moi-même. Pour l'instant il vous faut du repos et uniquement du repos. J'espère juste qu'il n'y aura pas trop de dégâts ou de blessés ce soir.

Markus releva le dossier de son lit à l'aide de la télécommande.

— Vous savez, ceux qui sont derrière les barricades, je les connais tous. Ils ne font pas ça pour la mémoire de Bibz ou pour la femme voilée. Ils font ça parce que Tony leur a dit qu'il les paierait. Le contraire devrait être possible.

Vesperini visualisa dans son esprit la mallette noire qui n'avait jamais quitté l'armoire sous clefs de son bureau. Elle joua l'innocence.

— Vous voulez dire… les payer pour qu'ils cessent ?

— Si ça marche dans un sens…

Vesperini réprima un sourire. Il était ferré.

*
* *

Leur conversation terminée, la Reine sortit de la chambre de Markus. Maud et Estelle étaient assises dans le couloir, en pleine discussion. À la vue de sa patronne, la chargée de com' s'enquit de son état.

— Plus tard, Maud. Déposez-moi à l'hôtel de ville, j'ai quelque chose à prendre dans mon bureau. Nous passerons par le secrétariat médical. Je veux Markus dehors avant la fin d'après-midi. S'il lui faut une infirmière à domicile, je prends les frais à ma charge.

Malgré tout ce qu'elle venait de vivre, il ne lui avait pas fallu longtemps avant de reprendre ses mauvaises habitudes.

— Ce n'est pas un peu tôt ? s'inquiéta Maud.

— Vous êtes docteur ? lui répondit-elle sèchement.

Alors qu'elle s'apprêtait à proposer à sa fille d'aller voir Markus, elle constata que la chaise était vide, que la porte de la chambre était déjà ouverte et que, désormais, Estelle n'attendrait plus son autorisation.

Assise directement sur le lit, la gamine n'arrivait pas à décrocher le sourire idiot qui s'était fixé à ses lèvres.

— Ça te fait mal ?

— Et toi ? rétorqua Markus.

Ils éclatèrent de rire et elle s'allongea à côté de lui, sur son épaule intacte.

63

7 h 50. Aéroport de Roissy-Charles de Gaulle.

De là où il se trouvait, Sam avait une vue dégagée sur la rangée de portiques détecteurs de métaux et sur la zone de contrôle de police. Dans la poche arrière de son jean, son exemplaire de *L'Attrape-cœurs*. Après une nuit mouvementée, Coste avait donné à toute l'équipe deux jours de repos mais il voulait, avant d'en profiter, fermer une parenthèse.

— Tu vas quelque part ?

Sam sourit, puis se retourna calmement.

— Salut Victor. Comment t'as su ?

— Arrête, tu vas me vexer. Jacques qui extrait la puce de son portable pour ne pas se faire géolocaliser ? Sérieusement ?

— Ouais, je me doutais bien que le coup de la puce, ça ne passerait pas.

— T'emballe surtout pas. Rien n'est encore gagné. Tu as tout vérifié ? Son inscription au fichier des personnes recherchées ? La diffusion nationale de son portrait ? Les interdictions de passage frontière ?

— C'est déjà annulé depuis quarante-huit heures, avec le code et le mot de passe de Jevric. Elle a risqué la vie de Jacques pour réussir une affaire, je me suis dit qu'elle méritait un retour de flamme.

— Comment tu les as eus ?

— Sur le Post-it scotché sous le clavier de son ordinateur.

— C'est marrant. On a beau mettre en place toutes les protections les plus techniques, l'erreur humaine permet toujours un peu de fantaisie. N'importe comment, faut être con pour les laisser là.

— Arrête, Ronan fait la même chose avec les siens, se moqua Sam.

— Reste le passage aux rayons X, s'inquiéta Coste.

— Cinquante mille euros ne font que cent billets de cinq cents. Il lui suffit de les cacher intelligemment et de sourire comme un inoffensif petit vieux. On est bien placés pour savoir qu'il est doué pour ça.

— J'imagine que tu lui as tout expliqué correctement.

Ils n'avaient toujours pas dormi de la nuit et les deux hommes se laissèrent bercer par le flot régulier de voyageurs.

— Tu trouves qu'on est limites ? demanda Sam.

Coste s'était maintes fois posé la question ces derniers jours.

— C'est facile de considérer le monde entre le Bien et le Mal. Le blanc et le noir. Alors que tout se passe dans la zone grise.

— Tu parles de Vesperini ?

— Entre autres. Mais pour Jacques... je crois que ce sera la seule chose juste de toute cette enquête.

Sam sortit le livre de sa poche et le tendit à Coste.

— Et puis on ne peut pas vraiment dire qu'il nous a menti tout du long. Avec moi, il a toujours été honnête.

Coste passa la main sur la couverture puis fit défiler quelques pages.

— *L'Attrape-cœurs* ? Je l'ai lu à quatorze ans, il va falloir me rafraîchir la mémoire.

— C'est l'histoire d'un gamin qui part à New York pour donner un nouveau sens à sa vie.

*
* *

Jacques Landernes franchit sans difficulté le contrôle d'identité de police. Il fut ensuite dirigé vers la file d'attente devant les portiques. Le mois de juillet avait déversé des milliers de voyageurs dans l'aérogare et il espérait profiter de cette effervescence et du manque de personnel. Du bordel ambiant, en somme. Il se déchaussa, déposa son manteau, son portefeuille et sa ceinture sur le tapis roulant du scanner puis, sans savoir pourquoi, comme si quelqu'un lui avait tapé sur l'épaule, il se retourna. Son cœur cogna dans sa poitrine, mais derrière la vitre, à vingt mètres de là, les deux flics ne bougèrent pas.

Coste le salua d'un hochement de tête, puis le vieil homme échangea un long regard avec Sam. Ce dernier lui montra *L'Attrape-cœurs* qu'il avait à la main et Jacques, profitant de la foule, lui montra discrètement le nouvel exemplaire qu'il venait d'acheter. Un exemplaire particulier qui contenait, une page sur trois, un billet de cinq cents euros. Il le rangea au fond de son sac cabine qu'il laissa partir sous les rayons X. Puis il passa le portique et récupéra ses affaires de l'autre côté.

Sans ennuis.

D'ici quelques heures, il raconterait toute cette histoire à sa fille.

Bien sûr, il n'oublierait pas de lui parler de ces flics et de la nouvelle chance qu'ils lui avaient offerte.

64

Victor Coste appréciait cette douce léthargie due au manque de sommeil. Une sorte d'épuisement béat auquel il pouvait mettre fin quand il le souhaitait, en s'allongeant simplement. Il était pourtant loin de son appartement, assis à la table d'une terrasse parisienne à regarder les gens passer sans que son cerveau n'imprime quoi que ce soit. 10 heures s'affichaient sur l'horloge murale du café et il estima qu'elle devait être réveillée. De toute façon, il aimait aussi sa voix lorsqu'elle était un peu endormie.

— Je n'ai jamais voulu te faire de peine, commença-t-il.

— Alors c'était vachement bien imité.

— Je viens de retrouver notre témoin. On lui fait quitter le territoire français. La clinique ne sera pas inquiétée.

— Tu as fait ça pour le vieux ou pour mon père ?

— Il faut choisir ?

Toujours fuyant. Léa en avait assez.

— Je vais me faire mal avec notre histoire. Tu es quasiment insaisissable. Je ne sais même pas si tu en as vraiment envie.

Coste ne sut comment répondre et elle profita de ce moment de flottement.

— Je préfère qu'on arrête là, Victor.

Il avait craint cette exacte phrase. Mais était-il sûr de ne pas faire de fausses promesses et de pouvoir réellement changer ?

— C'est peut-être ce qu'il y a de mieux, accepta-t-il.

Et ils en restèrent là. Lui sur sa terrasse. Elle dans cette maison vide.

Coste se leva et paya son café avec quelques pièces.

Les deux dernières semaines avaient été longues et il allait marcher un peu avant de rentrer.

Il partit en abandonnant sur la table le billet de train qu'il avait acheté.

C'est beau la Provence. Quelqu'un en profiterait.

Je remercie…

Ma famille, pour leur amour. Martine, Claude, Victor, Corinne et Bruno.

Michel Lafon, pour la chance offerte et la confiance accordée.

Huguette, ma directrice littéraire, qui fait passer ses auteurs avant tout. L'équipe des Éditions Michel Lafon en général, Amandine en particulier.

Claire Germouty, ma sorcière bien-aimée.

Catherine Winckelmuller, mon agent paratonnerre.

Tatiana de Rosnay à qui je dois beaucoup.

France Loisirs et Pocket pour m'avoir fait confiance.

Les libraires qui m'ont accueilli et leur passion qui fait vivre la nôtre.

Danielle Lanoe, ma libraire souterraine de gare du Nord.

Anne Landois pour la fabuleuse opportunité qu'elle m'a offerte de faire partie de la saison 6 d'« Engrenages ».

Dominique Noviello, pour tout un tas de raisons qui justifieraient un chapitre entier.

Mathias Carpentier, mon ami loin là-bas.

Marc Bascoulergue, mon jumeau administratif.

Les Maldonado : Carine, François et mon filleul Xavier (bienvenue sur terre, tu vas voir, c'est compliqué).

Vincent Sylvan et Yann D. pour leurs conseils et leur patience sur la partie « stups » du roman.

Ingrid Carpentier pour ses précieux conseils sur la SIC.

Nico Espin… pardon, lieutenant Espin.

Thierry Delville, le papa de l'ELSA, pour ses conseils.

Charles Barion, consultant CRS, guitariste/juke-box de feu de camp.

Babeth, fliquette de la Canine, collègue exemplaire. Babeth frôle la mort, lui rit au nez et retourne au boulot.

Nicolas Corato, pour des raisons qui remontent à nos quatorze ans et à notre groupe de rock qui n'est jamais sorti de la cave.

Mass Hysteria pour leurs décibels et leur dédicace sur leur dernier album.

Marianne, ma filleule qui grandit trop vite…

Christian Dominé pour son analyse politique et ses costumes improbables.

Ceux qui m'ont fait l'honneur d'écrire quelques belles lignes sur mon premier livre : François Alquier, Myriam Berghe, Franck Berteau, Sandrine Briclot, Bruno Corty, Francine Joyce, Bernard Lehut, Paul Lorgerie, Léon Mazella, Delphine Peras, Bernard-Hugues Saint Paul, Carole Sterlé et Philippe Vallet.

Aux blogueurs passionnés et à leurs sites : Delphine VHK de Plume Libre, le Concierge masqué, Sabine Lauret, Philippe Chauvau de Web TV Culture, Christophe Mangele et sa Fringale Culturelle, Cannibales Lecteurs, Critiques Livres, Les Petites Aventures,

Passion Romans, Appuyez sur la touche Lecture, Loto éditions, Pascal Kneuss de Je chronique pour Vous, Babelio, Unwalkers, Bouquin's blog, Ma Bibliothèque Bleue, Bla bla bla mia, Caroline de Au féminin.com et Quatre sans Quatre père et fils !

Anne Ma du Mouv' et ses confidences... tu l'as trouvé, ton prince charmant ?

Marc et Paolo de *Alibi magazine*.

Yves Rénier, le commissaire Moulin à l'écran comme dans la vie !

Joël Dupuch, mon pote du Cap-Ferret.

Jacques Michel Huret, à qui je suis incapable de rendre le centième de l'amitié qu'il me porte.

Fabienne Lauby, je pense à toi tous les jours... injuste est un mot trop faible.

Lilly Orenda et son microbe... le genre de lectrices qui vous donne envie d'être meilleur.

Julie Casteran, ethno-psycho-criminologue polyglotte de Carcassonne, Bobigny, Londres et Argentine.

Kathleen qui me supporte tous les jeudis matin.

Fatiha et son couscous qui réchauffe le cœur.

L'équipe des Restos du cœur de Pantin que j'ai dû abandonner le temps de ce livre.

Marie, ma plus que chouette cousine.

Et, bien sûr, les officiels et les éternels : Manu, Benjamin, Seb, Aline, Valérie qui n'est pas Lara, Yo la Bretagne, Marie-Charlotte, Loulou, Johanna N.

TABLE DES MATIÈRES

Faites de nouvelles rencontres sur **pocket.fr**

- Toute l'actualité des auteurs : rencontres, dédicaces, conférences...
- Les dernières parutions
- Des 1ers chapitres à télécharger
- Des jeux-concours sur les différentes collections du catalogue pour gagner des livres et des places de cinéma

pocket

Un livre, une rencontre.

Composé par PCA
à Rezé

Achevé d'Imprimer en septembre 2022
par Grafica Veneta S.p.A.
à Trebaseleghe (Padova)

POCKET - 92, Avenue de France - 75013 Paris

N° d'impression : 728576
Dépôt légal : septembre 2022
Suite du premier tirage : avril 2016
S25278/14